TACK!

Genom att välja en klimatsmart pocket
från Månpocket bidrar du till vårt arbete
för att göra produktionen av pocketböcker
miljövänligare.

Vår vision är att ge ut böcker där man tagit hänsyn till miljön i varje
steg av produktionen – och vi strävar efter att bli ännu bättre.

Vi har därför valt att trycka alla våra böcker på FSC®-märkt papper.
FSC står för Forest Stewardship Council® och är en oberoende,
internationell organisation som verkar för socialt ansvarstagande
genom ett miljöanpassat och ekonomiskt livskraftigt bruk av
världens skogar. FSC:s regelverk slår bland annat vakt om hotade
djur och växter, om hållbart och långsiktigt bruk av jorden och om
säkra och sunda villkor för dem som arbetar i skogen.

FSC

klimatsmart
pocket

Månpocket

Malin Persson Giolito

BARA ETT BARN

Denna Månpocket är utgiven enligt överenskommelse med
Wahlström & Widstrand, Stockholm

Omslag: Miroslav Sokcic
Omslagsbild: Depositphotos

Tryckt hos ScandBook UAB, Litauen 2018

ISBN 978-91-7503-770-7

Till Elsa, Nora och Béatrice från mamma

Tack Christophe
Tack Mari

Han föddes. Drogs ur ett ovilligt sköte av en envis barnmorska och en sugklocka av kallt stål. Medan navelsträngen klipptes hölls han med svala händer, under nacken och den skrynkliga rumpan. Skinnet var rött, gråblått och kladdigt av fosterfett, ögonen mörka och det fuktiga håret lockigt. Barnmorskan tittade på honom en kort stund. Sedan lämnade hon över honom till hans mamma.

I

1

DET ÄR NÅGOT fel på den där ungen.

Karin Lidstrand, lågstadielärare i Bergaskolan, satt i lärarrummet och tuggade på innehållet i dagens lunchlåda: flottig, rökt makrill, en trådig avokado och ett par för mjuka tomater. Hon funderade tyst för sig själv medan hon tittade ut genom fönstret.

Det är något som inte stämmer.

Några vassa snöflingor virvlade i luften, vägrade lägga sig ner. Sjuåriga Alex Andersson sprang i åttor över den asfalterade skolgården med krokiga kalvben och flaxande armar. Jackan var öppen, ett av byxbenen genomblött halvvägs upp till knäet. Skosnörena släpade i marken. Om bara någon timme skulle det börja snöa på allvar.

Alex kom fram till basketplanen. Nätet hade ramlat bort från målkorgen. Fyra mellanstadiekillar försökte skjuta prick på den nakna ringen. Varje gång basketbollen slog i tavlan dånade det. Alex stannade, ställde sig precis i vägen, släppte ner armarna och gungade på knäna.

Karin kisade med ögonen och lyckades äntligen svälja den sista biten fisk. En ny livsstil, naturligtvis, inte någon simpel bantning. Efter sex dagar av omelett till frukost, blank lax till lunch och osaltade nötter framför tv-nyheterna hade hon gått ner tvåhundra gram. Ungefär, det berodde på om hon lutade sig framåt eller bakåt när hon stod på vågen.

Uppe på kullen vid ekarna hukade ett par högstadieelever under ett paraply och delade på en cigarett. Några barhuvade tioåriga flickor stampade med fötterna vid bollplanket. Alex Andersson bara stod, fortfarande blick stilla. Han ville knappast vara med och spela boll. Egentligen var det meningen att vaktmästaren skulle vara rastvakt, men han syntes inte till, kanske var han upptagen med att sortera sin nyckelknippa.

Karin suckade. Det kändes inte som om hon äntligen skulle få den platta mage hon inte ens haft när hon var tjugo. Inte heller skulle hennes lunchrast bli så mycket längre än så här. Tio minuter hade hon fått sitta ner, det var inte alls så illa.

Jag ska försöka ringa Alex föräldrar i kväll igen, bestämde hon. Vi måste prata med varandra. Jag behöver diskutera med dem vad vi ska göra, hur vi ska göra det och med vilka pengar.

Alex mamma var tystlåten, Karin tyckte att hon verkade blyg. Pappan hade dykt upp på skolan en gång för en dryg månad sedan; det var en mager karl med suddiga blåa tatueringar i nacken och på insidan av vänster underarm. Han hämtade Alex tjugofem minuter innan skoldagen var slut utan att förklara varför och Karin blev så förvånad att hon glömde fråga. Sedan dess hade hon inte sett honom. Han brukade "vara bortrest". Karin tvivlade på att det var tjänsteresor med slips och konferens som höll honom ifrån skolan.

Det fanns ingen post i budgeten för barn som Alex, ingen kurator på skolan och allt som inte gick att bota med plåster föll utanför skolsysters så kallade kompetensområde. Ändå var det klart att Alex behövde hjälp. Hjälp med att kontrollera humöret, följa med i skolarbetet och med att förklara vad han ville utan att riva ner världskartan från klassrumsväggen.

Med kappan över axlarna tog Karin en sista klunk kranvatten och tryckte upp dörren. Det bästa vore om hon hann fram till basketplanen innan ungen klippte till någon.

Väl ute på gården såg Karin att Manuel redan var på väg bort mot basketplanen. Manuel var idrottslärare och ofta ute på rasterna trots att han inte behövde. Han hade nästan hunnit ända fram när Alex plötsligt kastade sig handlöst ner på marken. Karin sprang den sista biten.

"Jag skrämde honom", viskade hennes kollega. "Jag ville verkligen inte skrämma honom, men jag tror... han blev rädd. Det var inte meningen. Jag... det var inte meningen."

Karin satte sig på huk. Alex kröp ihop i fosterställning, armarna låg omlott kring huvudet. I samma sekund som hon lade handen på pojkens jacka exploderade han. Armar och ben detonerade. När Karin försökte få fatt i hans arm, bet han henne i handen. Han ställde sig upp, tog sats och sparkade henne rakt på låret, på armen, en gång, två gånger, revbenen, magen. Karin försökte skydda ansiktet, men blev träffad över munnen.

Sedan tog det slut, lika fort som det börjat. Manuel hade dragit till sig Alex bakifrån och med armarna kring pojken lyckats få stopp på knytnävarna. Fötterna och de smala pojkbenen fortsatte att cykla i luften.

Karin satte handen i backen och hävde sig upp. Med tungan kände hon på läppen. De andra killarna stod bredvid med munnarna på glänt. En av dem skakade på huvudet.

"Jävla blatte." Alex hängde i Manuels armar, kastade med huvudet och skrek så spottet yrde. "Jag ska döda dig, din jävla blatte!"

Manuel gungade i takt med pojkens försök att komma loss, stönade av ansträngning men följde efter Karin så snabbt han kunde, in mot skolbyggnaden.

När de kom genom dörren till vilorummet slutade Alex sparka. Kroppen blev slapp. Manuel välte ner Alex på sängen som stod mot väggen. Han gick ut ur rummet utan att säga ett ord, nickade när Karin bad honom att hålla koll på hennes klass.

"Jävla hora", väste Alex och vände sig mot väggen. "Jag ska bita fittan av dig om du försöker röra mig, din jävla kärring."

Karin knöt händerna, torkade handflatorna mot jeansen. Hon försökte sätta sig på sängen utan att nudda Alex, tvinga ner axlarna. Alex kröp ihop ytterligare.

Det är inte bara jag som är rädd, tänkte hon. Inte bara jag.

Vad som kändes som en evighet senare lade hon handen på hans rygg.

"Vi är ensamma nu", försökte hon. Det verkade viktigt. "Vi är själva, bara du och jag."

Så strök hon honom över tröjan. Små, runda rörelser. Det ringde in och det ringde ut. Svetten klibbade under armarna. Hon räknade tyst för sig själv för att få tiden att gå. Till slut vände sig Alex om och lade sig på rygg. Han blundade, benet ryckte till.

Ögonfransarna fladdrade. Det darrade under ögonlocken, tunna, blå ådror. Med pekfingret strök hon honom mellan ögonbrynen och ner över näsryggen.

Hon fingrade försiktigt på ännet, de ljusaste fjunen. Sedan lade hon handflatan över hans panna och drog den upp mot hårfästet. Över den lena pannan, upp över huvudet. Huden var sträv, håret blankt av svett, mot hårbotten tjockt av tovor. Hennes egen mamma hade gjort så på henne när hon var liten och inte kunde somna. Karin hade också brukat sitta så här, varje kväll, vid en annan sängkant. Men nu var det fem år och elva månader sedan sist. Det hade inte funnits någon anledning, ingen att göra det på.

I fem minuter satt hon stilla och tittade på Alex medan han andades: öppen mun, en droppe blank saliv i ena mungipan. Korta andetag och pulsen som blinkade på halsen. Ett mörkblått blåmärke skymtade under ena jeansbenet och hans naglar, söndertuggade ända ner till det rödflammiga skinnet. Han luktade illa.

Karin ställde sig upp och gick fram till fönstret.

Skolgården var tom. I det vindstilla eftermiddagsmörkret hade det börjat snöa ordentligt. Tjocka flingor sjönk som askflagor mot den redan vita marken.

Elementet surrade, den torra värmen väste och hon lutade pannan mot det kalla glaset. Snökristallerna smälte mot rutan och dropparna möttes och rann i par ner mot fönsterblecket. Hon blundade.

Något är det som inte stämmer, tänkte hon. För vilken

gång i ordningen var omöjligt att hålla reda på.

Något är fel med Alex Andersson. Barn ska inte vara på det här viset.

2

"JAG HAR EN ny klient till dig."

Advokat Sophia Weber tittade upp från dataskärmen och på sin sekreterare. En ny klient? Så här dags?

Hon lade ena handen bakom nacken och drog upp låset på halskedjan, gungade sidledes på skinkorna och svankade lite på ryggen. Ena höften värkte. Sedan kvart över sex på morgonen hade hon suttit framför datorn. Inte ett enda möte och telefonen kopplad till växeln för att kunna avsluta en inlaga hon jobbade med. Trettiofem minuter lång lunchrast, smörgås, lite slöläsning av nyheter på nätet, det hade varit en lugn dag. Snart skulle hon gå hem. Peter hade ringt fyra gånger. Näst sista gången var han arg, den sista gången lät han bara uppgiven.

Jag borde gå till doktorn, tänkte Sophia och tryckte med tummen mot ländryggen. Det är inte normalt att jag alltid har ont just precis här.

"Hallå, är du vaken? Jag sa att jag har en ny klient åt dig."

Advokatfirman Gustafsson & Webers enda sekreterare Anna-Maria Sandström stod i dörröppningen och snodde en välslingad hårlock kring en lika perfekt manikyrerad nagel med vit kant. Hon tuggade frenetiskt.

Anna-Maria Sandström klarade sig inte utan sina dammgrå nikotintuggummin. De trögtuggade fyrkanterna maldes ständigt fram och tillbaka. Hennes käkar verkade starka nog att bita av en kätting. När hon av någon anledning tog en paus i tuggandet tjuvrökte hon. Eller kokade örtte, blandade egen handkräm och åt linssallad till lunch.

"Hör du vad jag säger? Lyssnar du?"

"Mm…" Sophia smålog. "Visst, absolut. Det är klart att jag hör, du skriker ju."

"Ja. Det är ingen Skandiadirektör direkt." Anna-Maria såg ut som om hon tyckte att det var hennes eget fel. "Fast jag tror att du kommer gilla det här. Verkligen." Hon skakade uppmuntrande på pappersbunten. "Det är en liten kille. Sju år är han. Han heter Alex Andersson, kommer från Berga och hans föräldrar verkar inte vara den där typen som du vill fira jul med. Inte påsk eller valborg heller för den delen."

"LVU?"

"Ja. Omedelbart omhändertagande. De har redan flyttat ungen."

"Tvång alltså?"

"Jo. Tvång. Hans fröken slog larm för några dagar sedan. Han har kommit till skolan med blåmärken på armarna ganska länge. När han dök upp med färska brännmärken efter cigaretter slutade fröken tro att han gympat sig till skadorna. Dessutom tycker hon att han är inbunden och tyst och okoncentrerad. Det gamla vanliga. Ja, han sitter och somnar på lektionerna och så, när han inte hamnar i slagsmål med den som råkar stå närmast. Sedan blev det alltså akut häromdagen och läraren vägrade släppa hem honom. Han var visst halvt sönderslagen. Lärarinnan och skolsyster övertalade socialen att komma och hämta med sig killen direkt. Nu bor han i ett jourhem. Mamman vill ha honom kvar. Hon påstår att hon har sparkat ut pappan, eller att hon ska göra det. Du kan melodin: det är pappans problem och hon kan ta hand om sin son nu. Ja! Just det. Jag höll på att glömma att polisen har inlett förundersökning om misshandeln. Du kommer att vara särskild företrädare i den också."

Anna-Maria brukade läsa in sig på de flesta fall som handlade om tvångsomhändertagande av barn. Ett par gånger hade Sophia försökt förmana, säga att det var bäst om man inte kände efter för mycket. Då hade Anna-Maria blickat med blanka ögon mot något andligt långt-bort-i-stan och talat om vikten av att tvärtom våga känna efter lite mer, närma sig sina känslor, öppna sitt inre, släppa på trycket. Sedan hade hon gett Sophia ett ekologiskt doftljus tillverkat på Gotland. Det luktade rosenvatten och kanel. Stearinet skulle enligt den tillhörande instruktionsbroschyren balansera negativa själsliga och emotionella tillstånd och frigöra ämnen i kroppen som underlättade aktiv meditation av just den typ som Anna-Maria tyckte att Sophia behövde prova på. Ljuset stod i Sophias bokhylla. Förpackningen var fortfarande obruten.

"Ja, just det. Och yttrandet ska vara inne i övermorgon."

"Ge mig akten", sa Sophia. "Jag får läsa hemma, för jag ska gå nu." Det borde inte ta mer än någon timme, tänkte hon. Det brukar gå fort att läsa in sig på paragraf-sex-målen. Jag kan göra det när Peter har somnat. Han kan inte klaga på att jag alltid jobbar om han sover.

"Ska du gå redan?" Anna-Maria skrattade. "Vad ska du

göra så här tidigt? Klockan är bara halv åtta."

Vad jag ska göra så här dags? Syssla med en hobby, umgås med mina nära och kära, växa som människa, leva ett riktigt liv, tänkte Sophia och loggade ut från datorn.

"Inget speciellt", svarade hon. "Jag ska inte göra något speciellt."

Det var mörkt ute, små andningshål av trötta gatlyktor och en blåst som luktade regn. Advokatfirman Gustafsson & Weber låg i Gamla stan, mitt bland kullersten, gatumusikanter och vykort för åtta kronor styck. Byggnaden hade en trång bakgård och smala fönstergluggar mot en gränd, inte fyra meter i takhöjd, handikappanpassad entré och NK runt hörnet.

Sophia tittade en stund på cykeln som stod fastlåst i en dvärgbjörk på gården. Hon hade fått den av Anna på sin trettioårsdag. Då hade den varit det allra senaste och läckraste i cykelväg. Det var den inte längre. Sex av de tolv växlarna fungerade inte, bakljuset var trasigt och vajern till den vänstra handbromsen hängde slak och oduglig från styret. Sophia lät cykeln stå. Hon hade suttit inomhus hela dagen. Att promenera skulle göra henne gott.

Redan framför Dramaten ångrade hon sig. Hon var fruktansvärt hungrig. Att det fanns mat hemma visste hon. Det hade Peter påpekat, två gånger, eller tre, hon hade inte lyssnat så noga.

Halvspringande vek Sophia upp på Sibyllegatan och korsade körbanan. I höjd med Hedvig Eleonora kyrka plockade hon upp telefonen ur fickan och knappade iväg ett sms till Anna som var i Wien på möte. Så här dags brukade

Sophias bästa vän sitta på en restaurangtoalett och ringa hem till sina barn. Där på toaletten, medan kollegorna klagade på att förrätten aldrig kom, läste Anna *Kenta och barbisarna* ur minnet, förhörde läxor och medlade i bråk om vem som egentligen hade petat vem i magen först och varför.

Sophias och Annas umgängesformer var inte som de en gång varit. Numera styrdes Annas liv av bävernylon och halkskydd, fodrade stövlar och inga-skålar-med-nötter-på-lägre-höjd-än-en-meter-och-fyrtiofem-centimeter. Det var tio år sedan Anna hade beställt barnvagn sex veckor före beräknad nedkomst, bäddat spjälsängen med könsneutrala lakan och barnsäkrat alla lådor i köket, till och med den med kvitton, gamla batterier och en ensam garanti på en uppbrunnen brödrost. De hördes visserligen fortfarande nästan dagligen, men Anna kunde sällan ställa upp på Sophias middagstider och oplanerade sociala liv. Anna hade fyra barn under tio år och eget företag med trettio anställda.

På mobiltelefondisplayen såg Sophia också att hennes mamma ringt tre gånger den senaste timmen. Antagligen var det hon som hade talat in på röstbrevlådan, tre gånger på samma timme. Att hon ringde så ofta var aldrig ett bra tecken.

Sophia skickade iväg meddelandet till Anna och stängde av telefonen. Hon började springa igen. Magen sved.

Det luktade vitlök och olivolja redan i trapphuset. Sophia svalde medan hon hängde upp sin jacka i tamburen. Peter slank upp bakifrån, andades mot hennes kind och smög in en friterad mozzarella i munnen på henne. Hon tuggade, blundade medan hon kände Peters ena hand runt midjan. Den andra handen stack han in under håret och lade runt hennes nacke.

Älskar jag dig, hann hon tänka. Det borde jag väl ändå göra. Varför skulle du annars vara här? Sedan steg blodet i kroppen och Sophia lät Peter dra av henne den knäppta skjortan.

Hon krånglade armarna ur behåns axelband och medan han kysste henne fick behån hänga runt midjan som ett trasigt segel. Om det inte vore för de där breda, manliga händerna skulle hennes liv vara så oändligt mycket enklare.

"Mera", viskade hon och visste inte riktigt om hon kanske menade osten.

3

HON FICK ÄTA i sängen. När de var färdiga lät Sophia Peter stryka henne över kinden och lägga sig tillrätta bakom hennes rygg. Hon höll ögonen vidöppna för att inte somna, började räkna tyst för sig själv. Peters andning blev tyngre. När hon hunnit till åttiofyra sov han djupt, på rygg, med munnen öppen och huvudet så långt upp på kudden att det lutade bakåt. Hur han lyckades somna så fort hade hon aldrig begripit.

Hon höll andan, lyfte bort hans hand från sin höft och tände nattygsbordslampan. Akten hon fått av Anna-Maria innehöll allt hon behövde. I omfång var den inte speciellt respektingivande. Socialnämndens utredare brukade inte ha hunnit så långt i det här skedet.

Sophia ansågs vara särskilt lämpad för de här sakerna, trots att hon faktiskt var den enda på byrån vars praktiska erfarenhet av småbarn var så gott som obefintlig. En sommar på ridläger hade hon fått byta blöjor på ridlärarens fyra månader gamla dotter, det var allt. En kissblöja, hon mindes lukten, av bebisen och blöjan. Eller så blandade hon ihop det med den sirapstunga melassen de gav hästarna en gång i veckan. Det var fortfarande den enda blöja hon någonsin bytt.

Ändå var hon byråns expert på barnfrågor. Och hon förtjänade det, för hon gjorde det bra. Men så hade ingen någonsin bett henne att byta blöjor på någon klient förstås. Trots att en hel del av hennes klienter luktade som om det var just det som behövdes.

Sophia blötte pekfingret och bläddrade förbi Länsrättens förordnande och ett par andra aktsidor. Hon skulle läsa och skriva anteckningar i någon timme. Det räckte. Yttrandet hon skrev så här tidigt i processen blev sällan mer än ett par meningar långt.

Efter att ha slängt de mindre intressanta dokumenten på golvet ögnade Sophia igenom beslutsprotokollet från Stadsdelsförvaltningen. Hon bet sig i underläppen och pressade handflatan mot bröstbenet. Det fanns också ett läkarutlåtande från den doktor som undersökt pojken omedelbart efter omhändertagandet och den handläggande socialsekreterarens tjänsteanteckningar.

Nere på Sibyllegatan körde en ambulans förbi, det blåa skenet svepte över aktens bleka sidor, upp över väggarna, taket. Någon sekund, sedan var endast det vita ljuset från sänglampan kvar i rummet. Ljudet efter sirenerna dröjde, ekade allt svagare, längre och längre bort i staden. Sophia krånglade sig upp på kudden och satte sig tillrätta för att läsa vidare.

Myndigheternas språk kunde Sophia tala, skriva och läsa flytande. För två dagar sedan hade en sjuårig pojke flyttats från sin mamma och pappa. Snart skulle hon veta varför.

* * *

"Du måste sluta, Alex. Jag menar allvar."

Alex hade en dålig dag. Det sprutade papper, bitar av tuggummi och blyerts från bänken på andra raden. Karin Lidstrand hade låtit honom sitta där istället för längst fram. Hon inbillade sig att han lättare skulle smälta in i klassgemenskapen på det viset. Om hon låtsades som om hon inte behövde ha ständig koll på honom kanske han glömde att han var tvungen att bråka för att få uppmärksamhet. Så hade hon resonerat: inte längst bak, inte längst fram, bara en i mängden, en som alla andra. Men det hade inte fungerat. Nu var det uppenbart att allt i klassen kretsade kring Alex och hans elektriska humör.

När det var trettioen minuter kvar på lektionen kom Alex oanvända mattebok flygande genom rummet, studsade på en fönsterkarm och ner på klasskamraten Ellas ena hand. Ella började gråta hysteriskt.

Boken hade landat med hörnet på tummen. Det skulle bli ett blåmärke och nagelbandet var skrapat, men det hade inte gått hål. Karin klappade flickan på kinden för att lugna ner henne. Sedan klev hon fram till Alex och tittade på honom.

"Du måste sluta", sa hon igen.

Hon tänkte inte hota honom, så efter det var hon tyst och tittade på klockan ännu en gång.

Vad skulle hon göra? Tjugonio minuter kvar och slut på idéer. I utkanten av sitt synfält såg Karin hur Alex höjde armen. I handen höll han sin anteckningsbok med hårda pärmar. Trött men bestämt tog Karin tag strax ovanför handleden för att hindra honom från att slå henne med den.

På ett ögonblick försvann den kaxiga minen. Alex sänkte

blicken, pupillerna växte. Han blev gråblek i ansiktet. En tunn hinna av svett lade sig över pannan och överläppen. Han hade ont, väldigt ont.

Karin satte sig ner på huk och drog upp hans tröjärm till armbågen. Hon hade gjort honom illa och hon ville veta varför, för så hårt hade hon inte tagit i honom.

De var inte svåra att hitta. Fyra stycken, satta i en perfekt symmetrisk ellips, grisrosa och varfyllda. Två av dem hade gått sönder och en genomskinlig vätska glänste i såren. Ett par av håren på Alex arm var kladdiga. Huden knottrade sig, antagligen frös han. Möjligen tog det Karin nästan en sekund innan hon förstod vad hon tittade på. Det snurrade till i hennes huvud.

Hur lyckas man placera dem så exakt? Han måste ha varit helt stilla, inte rört sig en millimeter. Hur kan man få en unge att sitta still medan man gör något sådant?

Karin drog snabbt tillbaka ärmen och reste sig. Han ska inte behöva visa sina kompisar detta, bestämde hon och gick till väggtelefonen och ringde in till lärarrummet. Mellanstadiets engelsklärare svarade.

"Jag skickar ut min klass på gården. Jag måste gå till syster med en elev. Kan du passa dem tills det ringer ut?"

När dörren slog igen efter den sista av hennes elever vände hon sig mot Alex. Hon hade ingen aning om vad hon skulle säga. Kanske skulle hon åka hem, hämta sin påbörjade anmälan till soc och skriva klart den? Tanken på en formbunden skrivövning kändes utav någon anledning lugnande. Men hon visste redan att det var för sent. Hon måste ta itu med detta på en gång. Det här var på riktigt och det hände precis just nu.

"Vi går till syster, tycker jag", lyckades hon få ur sig.

Karin Lidstrand sträckte ut sin hand. Alex tog den.

"Vi ska se om du inte kan få lite salva på det där så att det inte gör så ont."

Skolsyster Mia Schlyter var strax över sextio år, bred och stadig som en kyrkport i massiv ek, med fjunig överläpp och tunna glasögon som hängde i en snodd runt halsen.

Väl inne på Mias kontor slet sig Alex loss och kastade sig in i ett hörn bakom en överdimensionerad fikus i kruka. Där satte han sig med huvudet mellan knäna och ryggen vänd utåt. Mia lyfte knappt på ögonbrynen.

"Han kommer ingenstans, jag har låst dörren. Låt honom vara ifred, han sitter bra därnere."

Mia öppnade en mikrovågsugn som stod inklämd i hennes välfyllda bokhylla och ställde in en kopp. Trettio tysta sekunder senare tog hon ut den igen och rörde ner en påse pulver med en sked. Ur en låda i skrivbordet fiskade hon upp en näve marshmallows som hon tryckte ner i drycken.

"Den här sockerhysterin som ni i er generation håller på med, den är bland det fånigaste av allt det fåniga som ni har hittat på. Socker, ska du veta Karin, är ett viktigt vapen i kriget mot barnen. Det lugnar, lindrar smärta och tröstar mer effektivt än något annat. På min tid stoppade vi det till och med i tandkrämen. Och jag har inte ett enda hål. Jag, gamla människan, inte ett enda."

Hon ställde ner muggen på golvet bredvid Alex rygg.

"Sitt du där en stund. Jag ska prata med din fröken så länge."

Karin tittade med runda ögon på Mia. Hjärtat slog dubbelt så fort som vanligt.

"Vad ska vi göra?" Hennes röst bar knappt. Hon ville helst av allt gråta. Kanske borde hon också be om varm choklad.

"Vi ska ta det lugnt. Sedan ska vi titta på honom, jag ska anteckna och du ska sitta med och lyssna på vad jag säger så att jag inte glömmer att anteckna något viktigt och inte antecknar något som inte stämmer."

Karin nickade. Mia vände sig mot krukväxten. Koppen var försvunnen. En tesked klirrade.

"Jag ska vara försiktig. Så att det inte gör ont."

Ett svagt ljud hördes från golvet. Det lät som om Alex slickade sig om fingrarna.

"Sedan ringer vi till socialen. Där ber vi att få prata med Lisa Zeiger. Jag har arbetat med henne tidigare. Hon är bra. Särskilt när man måste agera omedelbart. Hon är tillräckligt gammal för att inte orka vara rädd för att göra det som behövs. Hon får komma hit och hämta honom."

"Hämta?" Karin kände hur rösten försvann. "Vaddå hämta?"

"Vi får väl se hur han ser ut, men vi kan knappast skicka hem honom till stället där de använder honom som askfat, eller hur?" Mia vände sig om. "Hörru, grabben. Kom ut och hämta fler marshmallows. Ta med dig koppen, så får jag kolla på dina armar under tiden."

Han kommer aldrig ut frivilligt, hann Karin tänka innan hon såg hur Alex kröp fram och reste sig.

"Hoppa upp här." Mia klappade på den pappersklädda britsen. "Du kan ställa koppen där bredvid." Alex hoppade upp. "Armar-uppåt-sträck."

Hon borde ha blivit lejontämjare på cirkus, tänkte Karin, eller fredsmäklare i Mellanöstern.

Sedan såg hon barnets rygg och armar. Hon blundade

hårt en sekund, öppnade ögonen, sänkte blicken och höjde den igen.

Hur har jag kunnat missa det här? I mitt klassrum.

Mia drog åt sig Alex armar, tittade på dem, en sida i taget och strök honom sedan försiktigt på ryggen.

"Det är kanske bäst att du antecknar", sa hon. Rösten hade förlorat lite av sin styrka. "Du har papper och penna på mitt bord. Okej? Är du beredd?"

Mia såg ut som om hon tog sats. Karin svalde. Det smakade surt i munnen. Hon greppade tag i pennan och höll den så hårt att knogarna vitnade.

"Brännmärken på armar och rygg. Runda i formen, en knapp centimeter i diameter. Nygjorda ser det ut som. Samtliga märken är av samma storlek och form…" Mia tittade Alex i ögonen. "Du borde säga till pappa att det är farligt att röka."

Alex vred sig åt sidan, tog upp koppen igen och smuttade på chokladen. Mia vände sig mot Karin som skrev så fort hon kunde.

"Hänger du med? Jag räknar till åtminstone sju stycken. Plus fyra, nej, sex ärr av samma typ. På överkroppen. Ett par blåmärken på axlar och överarmar. Ett större blåmärke vid nedre delen av bålen. Vänster sida… sitt still killen, jag är strax klar… som ömmar vid beröring." Hon harklade sig. "Jag kan inte bedöma åldern på alla de här skadorna, mer än att de där cigarettmärkena är nya. Resten får de göra på sjukhuset."

Alex rätade på ryggen och lyfte på hakan. Han spände överkroppen. Den ena armen var böjd utåt, den andra höll krampaktigt i koppen. Nerför pojkens hals rann tårar, men han gav inte ett ljud ifrån sig.

"Det är snart klart, jag lovar", fortsatte Mia och blåste på barnryggen. De vassa skulderbladen vinklades ut som tunna fågelvingar.

"Grabben måste röntgas, sannolik fraktur på tredje revbenet, eventuellt också fjärde. Infekterad sårskorpa i nacken, vid hårfästet." Med en mjuk rörelse tittade hon snabbt bakom pojkens öron. "Tack...", viskade hon. "Inga blåmärken bakom öronen."

"Vill du att jag ska skriva det? Inga blåmärken bakom öronen."

Mia nickade.

"Lär ni er ingenting på studiedagarna längre? Det är där de tar tag." Hon vände sig mot Alex igen. "Du ska få lite medicin av mig så att det inte gör så ont. Och så ska vi åka till sjukhuset, du och jag. Tar du av dig brallorna också?"

Varken Mia eller Karin hann reagera. Alex gled ner från britsen och i samma sekund som han nådde golvet kastade han koppen rakt på Mia. Den studsade mot hennes käke och den choklad som var kvar rann nerför halsen på henne. Alex vred om nyckeln, slängde upp dörren och rusade ut i korridoren med bar överkropp och tröjan i handen.

Mia torkade sig med handen under hakan.

"Vi får be dem hämta upp honom hemma." Mia kände på underläppen. "Jag blöder...", mumlade hon. "Herregud, Karin, det var bland det värsta..." Hon skakade på huvudet, kinderna hade bleknat ännu lite till. "Stackars liten."

Mia vände sig mot britsen för att dra av papperslakanet.

"Vad i all fridens dar..." Hon sniffade i luften. Med pappret framför sig svängde hon runt och tittade på Karin. "Märkte du att han var så rädd?"

"Vad menar du?"

"Han kissade på sig. Han satt här på min brits och lät mig undersöka honom utan att ge ifrån sig ett ljud. Och kissade på sig." Mia gick till telefonen. Ilskan fick hennes ögon att svartna. Munnen stramade och hon hade knutit ena handen runt det blöta britspappret. "Har du bil?"

Karin nickade.

"Åk efter honom och plocka upp honom om du kan, så ringer jag till socialen. Den där ungen ska inte behöva vara kvar hos sin farsa en sekund till. Inte en sekund till."

* * *

Bokstäverna lekte hela havet stormar på pappret. Sophia rafsade ihop sina anteckningar, protokollen och rapporterna som glidit ner på Peters rygg, föste ner dem i mappen och hakade de fasthäftade snoddarna över hörnen.

Bredvid henne i sängen gav Peter ifrån sig ett smackande ljud, men vaknade inte. Sophia gnuggade sig i ögonen. Hon var osminkad. Inte för att det spelade någon större roll, hon hade ändå inte tänkt gå upp och tvätta sig med den där flytande specialtvålen hon aldrig använde. Men det kändes skönt att kunna klia sig ordentligt.

I morgon skulle Sophia ringa soc och fråga när hon kunde hälsa på Alex på jourhemmet.

Antagligen längtar han hem, tänkte hon. Barn i hans ålder och situation brukade göra det. Oavsett om "hem" var en knarkarkvart utan värme och el och oavsett hur mycket föräldrarna slogs.

Sophia kvävde en gäspning och lade ner akten på golvet

bredvid sängen. Hon kontrollerade att väckarklockan var ställd på väckning klockan sex och släckte lampan.

Länsrättens ordförande skulle fatta beslut redan på fredag. Om socialnämndens beslut fastställdes hade soc knappt sex veckor på sig att göra en grundligare utredning och sätta upp en mer detaljerad vårdplan. Den utredningen skulle Sophia få tillgång till ett par veckor före den muntliga förhandlingen. Först då brukade det finnas möjlighet att sätta sig in i ärendet närmare. Tills vidare fick hon nöja sig med det här.

Jag undrar om det är första gången Alex Andersson sover borta, tänkte hon. Jag hann väl bli en bra bit över nio innan jag tjatade mig till att få sova hos Anna första gången. Och klockan var säkert över ett på natten när morfar fick komma och hämta mig igen för att jag tyckte att Annas lakan luktade så konstigt.

I morgon skulle hon ringa socialsekreteraren, ställa frågor om det som inte stod i pappren hon just läst. Sömnen kröp närmare, drog ner henne, suddade ut kanterna på alla tankar. Precis innan hon somnade vände sig Peter om och drog henne intill sig.

Sophia Weber skulle göra allt hon kunde för Alex Andersson. Lyssna på honom, prata med honom, försöka förstå vad han ville. Han var hennes klient och hon gjorde allt för sina klienter. Utom att byta blöjor på dem, naturligtvis. Det gjorde hon inte.

De bara dök upp. Hemma hos oss. Ringde på dörren och berättade att Alex inte skulle komma hem för att de hade tagit honom någon annanstans. Det var beslutat, det fanns ett papper. En blankett med små fyrkanter, i en av dem stod adressen. Där skulle han bo och om jag ville kunde jag hälsa på men inte på en gång och inte utan att de följde med och först sa att det var okej.

Allt hade någon bestämt som aldrig träffat Alex en enda gång. Han som bestämde, hans namn stod också i en fyrkant. Jag är mamman och kunde inte göra annat än att stå där och gapa som någon sorts fisk. Läste pappret gjorde jag. Sedan fick jag skriva under i en annan fyrkant.

Hur sjukt är inte det?

Alex fröken har små koftor, tofsar i håret och tycker jättesynd om Alex. Så mycket att det kommer tårar i ögonen när hon pratar om honom. Som om hon verkligen brydde sig på riktigt, som om hon fattade. Men det gör hon inte. Hon har ingen aning.

Tanten på soc som luktar stjärt och inte har några vrister pratar med mig hela tiden. Hon ser nästan ut som om hon lyssnar. Jag kan säga vad som helst och hon nickar hela tiden. Hon säger att hon förstår. Men hon tog Alex i alla fall.

Mig åkte de med till ett kvinnohus. Soc tyckte det skulle vara bra. Alla där älskar att hjälpa. De sitter i fikarummet med de vir-

kade gardinerna och äter hembakta mazariner i sina pösiga jeans från Coop Forum och känner sig som om de betyder något i världen. Som om de gör en insats. Pratar om förtryck och att de hatar män, skriver på listor och tänder marschaller på Sergels torg.

På kvinnohuset vill de kramas. Alla talar om för mig hur jag känner.

"Åh, det måste kännas fruktansvärt", säger de. Men inte en enda har frågat något. Ingen frågar mig: "Hur känns det?"

Myndighetsmänniskor behandlar alltid mig som om jag vore dum i huvudet. Det syns på dem vad de tänker. Stackars henne, tänker de. Men de bryr sig inte.

Jag är inte dum i huvudet. Men jag är hans mamma. Det borde till och med de fatta, att det betyder något. Jag, bara jag. Ingen annan. Alex är min. Inte deras, ingen annans. De har ingen rätt att ta honom från mig.

Men det gjorde de ändå.

Bara så där.

Stackars liten, tänkte de. Och stackars Linda. Sedan tog de honom. Utan att fråga mig. Jag fick skriva på ett papper.

4

DET VAR MORGONRUSNING i Stockholms innerstad, men fortfarande mörkt. Bilköer kröp i alla riktningar från Slussens infarter och utfarter. Regnsvart asfalt, några enstaka taxibilar parkerade i backen upp mot slottet. Chaufförerna hukade över körscheman, kvällstidningar, korsord och sportbilagan, med både motor och värme påslagna. En av dem sov i sitt säte med munnen öppen, lutad mot en ryggmatta av träkulor. Ingen stod ute och pratade väder. Någon kvinna med tvillingvagn försökte krångla sig genom Gamla stans tunnelbaneuppgång. Folk trängde sig förbi henne, framåtlutade, med händerna fulla av mobiler, paraplyer och väskor av olika slag. Vid rulltrapporna satt en uteliggare på en uppslagen tidning och snarkade. Runt huvudet hade han virat en stickad halsduk i fyra färger.

Sophia var på kontoret, satt vid datorn i strumplästen. Med ärmen torkade hon av skärmen och sträckte sig efter telefonen. Numret kunde hon utantill, det var knappast första gången hon ringde. Bara den här morgonen hade hon hunnit med sex försök. Ingen svarade. Inte ens växeln verkade vara öppen.

Man skulle alltså ha jobbat på soc, tänkte Sophia, slog på högtalartelefonen och lutade sig tillbaka. Lisa har uppenbarligen inga problem att ta sovmorgon.

Medan signalerna gick fram tittade Sophia ner i sin halv-fulla mugg.

"Lisa Zeiger."

"Åh." Sophia kastade sig på luren och slet upp den. "Sophia Weber här. Hur mår du? Allt bra? Jag är utsedd till ombud för en Alexander Andersson i ett paragraf-sex-mål som vi fick in i går. Vänta. Du ska få målnumret, jag har det här. En sekund."

"Jag vet vad du pratar om. Jag sitter med det framför mig. Väntar på att klockan ska bli nio så att jag kan ringa till killens jourhem och höra hur han mår."

"Jaha." Sophia tittade förvånat på datorns högra hörn. Var klockan bara åtta? "Ursäkta, då kanske det är bättre att jag ringer senare."

"Nej, det var inte så jag menade. Det är ingen fara. Är det något speciellt du vill veta?"

"Absolut. Ja, det är det." Sophia bläddrade i akten. Hon försökte hitta pappret hon hade skrivit ner sina frågor på. "Ursäkta mig… först kanske bara något om misshandeln, jag är särskild företrädare i den utredningen. När ska han förhöras?"

"Jag har bett norrort att boka in oss senast nästa vecka. Torsdag eller fredag, funkar det för dig?"

"Det får lov att göra det. Har ni haft samråd redan?"

"I går."

"Okej. Om ni bokar in ett nytt samråd så vill jag gärna vara med."

"Jaha…" Lisa lät tveksam. "Vi brukar inte bjuda in barnets särskilda företrädare."

"Såvitt jag vet 'brukar' ni ingenting", avbröt Sophia. "Ni har väl just börjat arbeta som ni gör nu? Jag tycker att det verkar vara ett bra tillfälle för mig att uppdateras om förundersökningen. Det borde inte vara så krångligt att ordna? Är det något som ska sägas som inte jag får lyssna på lovar jag att gå ut."

"Jag ska se vad jag kan göra."

"Tack, det är verkligen snällt av dig. Då räknar jag med det. Var har ni placerat killen? Jag tänkte åka dit och hälsa på honom."

"Mariefred."

Sophia suckade.

"Lisa." Hon försökte låta som om hon skämtade. "Finns det något särskilt finurligt skäl till varför ni alltid placerar ungarna så långt bort från Stockholm?"

Sophia kunde inte hjälpa att hon blev irriterad. Det kostade pengar att hyra bil, men hon var tvungen, annars skulle det bli omöjligt att hinna.

"Det skulle vara så trevligt om jag någon gång slapp ta mig ut på landet för att träffa mina klienter. Två timmars restid, tror du att jag kan dra det från pojkens veckopeng?"

"Sophia." Lisa skrattade motvilligt. "Nu får du sluta. Vi gör så gott vi kan. Har vi inget ledigt hemma får vi placera dem där det finns plats. Det vet du. Vi gör allt vi kan för att få det att fungera. Det vet du också."

"Mm. Vad kan du berätta om utredningen om barnmisshandeln?"

Sophia slog på högtalartelefonen igen och skrev ett snabbt email till Anna-Maria och bad henne beställa en hyrbil, billigaste modellen. Det här skulle nog ta en stund. Lisa

Zeiger kunde prata i timmar.

"Tja. Vad ska jag säga? Jag vet nog inte mer än du. Vi kör vår utredning medan polisen borde göra sin. Men numera börjar de åtminstone förhöra på en gång, så vi kan väl alltid hoppas att de inte tänker skylla på att vi har bränt ungens trovärdighet eftersom han har pratat med för många vuxna när de väl kommer till skott."

"Har de fått tag i pappan ännu?"

"Nej. Inte för att jag tror att det är något högprioriterat ärende. Den överbelastade ordningsmakten använder som bekant bara pitolerna i nödfall. Om jag säger så. Men jag har pratat med dem och de har bett mamman ringa om han dyker upp och hon verkar förstå att det ligger i hennes intresse. Vem vet? Hon kanske gör det också. Jag skulle också behöva åka till jourhemmet. Har du något emot att jag följer med?"

"Naturligtvis inte. Är det något jag behöver veta innan jag skriver mitt yttrande? Något som inte framgår av akten?"

"Nej, nej, inget särskilt. Inget är tyvärr ovanligt med det här fallet." Socialsekreteraren blev tyst en stund innan hon fortsatte. "Det som förvånade mig mest var att vi inte har fått höra något tidigare. Jo. Kollegorna hade visst fått ett samtal från läraren för ett par månader sedan, det finns en tjänsteanteckning om det. Men läraren hade inte sagt något konkret, bara frågat i generella termer vad 'man' ska göra. Jag vänjer mig aldrig vid det, att vi får sådana här akuta samtal och när vi pratar med folk visar det sig att de har misstänkt problem sedan dag ett men inte velat höra av sig tidigare. De tänker att de måste ha bevis och inte en sekund på att när bevisen kommer då är det redan... det är för sent när man har bevis. Vad nu bevis är för något. Det verkar som om alla har en klar uppfattning om det utom jag. Och att ingen annan har reagerat på dagis eller på barnavårdscentralen, att den ena efter den andra vuxna människan passerar det här barnets liv och tänker att det är säkert bara jag som inbillar mig, ser saker. Men i torsdags, alltså, ja, då gick det inte att... då blev det för sent."

Sophia tryckte upp volymen till max. Hon hörde hur det brusade på linjen. Det lät som om Lisa väntade på att Sophia skulle reagera.

"Hmm." Sophia Weber visste inte vad hon skulle säga. "Har vi några datum som jag behöver boka förutom förhöret med Alex nästa vecka?"

"De ringde mig från Länsrätten i går, beslutet kommer på fredag. Förmiddag. Men de vill gärna boka tid för muntlig förhandling så fort som möjligt också. Vi får antagligen en kallelse redan i veckan efter nästa. Skulle något hända som gör att vi måste boka av så gör vi det då. Hör av dig till mig om du inte har hört något om fjorton dagar."

Det plingade till i Sophias inbox. Anna-Maria hade ordnat en bil.

"Kan jag hämta upp dig om en timme utanför World Trade Center vid Klarabergsviadukten? Jag har rätt bråttom tillbaka." Lisa Zeiger behöver inte veta att jag ska träffa morfar, tänkte hon. "Jag har en... muntlig förberedelse i ett annat ärende uppe på Stockholms tingsrätt klockan tre."

När de tagit adjö, lutade sig Sophia tillbaka i stolen och blundade.

Klockan var inte ens halv nio på morgonen. Solen blänkte i det knöliga fönsterglaset. Om mindre än en timme skulle den ställa sig över takåsarna och lämna hennes rum i halv-mörker.

Sophia drog fram sin handväska och fiskade upp en tom karta huvudvärkstabletter. Hon slängde den i sin pappers-korg. I en skrivbordslåda hittade hon två vita, släta piller som såg ut som alvedon. De var lite dammiga, hon blåste på dem för att få bort det värsta. Hon svalde dem utan vatten. Med ena handen knep hon om näsan, gapade och svalde. Det klickade i öronen, hennes puls bultade mot trumhin-norna. Hon tryckte fram axlarna och försökte dra efter andan.

Varför har jag så svårt att dra ett vanligt, djupt andetag, tänkte hon och gäspade. Det kan inte vara riktigt friskt att inte ens kunna andas ordentligt.

5

EN TERRIER KOM rusande mot grinden som ledde in till Alex Anderssons jourhem, en röd stuga med vita knutar ett par meter från en landsväg som en gång lett någon annanstans. Stugan var köpt i modul, formad som en skokartong och omgiven av nyplanterade och snabbväxande barrträd. Hunden skällde, gnydde, pep och knäade under tyngden av sin egen förtjusning, gladare än en programledare för TV4:s fredagsunderhållning.

Tillsammans med socialsekreterare Lisa Zeiger väntade Sophia vid staketet. En kvinna i träningsoverall och träskor öppnade ytterdörren och kom ner till den låsta grinden för att släppa in dem. Kvinnan såg lika uppgiven ut som hennes hund var exalterad. På höften bar hon ett barn i treårsåldern.

Vid sidan om grusgången revirpinkade hunden glädjestrålande små, gula hål i en kvarglömd snöhög, grovkornig som grus. När han var färdig ställde han sig med sträckta ben framför Sophia. Han stack ut tungan och tittade uppfordrande på henne, viftade på svansen. Sophia skulle just böja sig ner och hälsa när hon blev avbruten.

"Annette." Kvinnan sträckte fram en slokande hand, med den andra rättade hon till barnet. Hunden kastade sig baklänges och försvann tillbaka upp mot huset. När Sophia hälsat klart nickade Annette mot Lisa, de kände uppenbarligen redan varandra.

"Han är på baksidan. Och gungar."

De gick till en lekplats med lekstuga, sandlåda och en stadig timmerställning med gungor.

Sophia betraktade pojkens rygg. Han stod upp på den ena av de två gungorna och gav fart med sin egen tyngd. Hans jacka var oknäppt och håret lite för långt. Annette släppte ner barnet och satte handen i ryggslutet.

"Minst sagt en hel del. Han har gungat praktiskt taget oavbrutet sedan han kom. De första två dagarna fick vi bända bort händerna från de där förbaskade kedjorna och bära in honom i huset när han skulle sova."

Annette drog upp en näsduk ur byxfickan, snöt sig ljudligt och torkade näsan omsorgsfullt. När hon var klar vek hon upp pappret och betraktade innehållet en stund innan hon lade tillbaka fliken och stoppade ner alltsammans i fickan.

"Och ni vill inte veta hur vi gör för att borsta tänderna på honom. För att få honom ren skulle vi behöva använda högtryckssprutan. Något badkar får vi i alla fall inte ner honom i." Hon höjde rösten och vände sig till Lisa. "I går sparkade han Engla i magen så hårt att vi trodde att vi skulle bli tvungna att ta henne till sjukhuset. Ungen är livsfarlig. Du vet att jag står ut med det mesta, men den här killen kan jag inte behålla."

Sophia sneglade på Alex, inte mer än högst fyra meter längre bort.

"Jag vet. Du har sagt det. Jag gör vad jag kan. Så fort jag

kan hitta ett annat alternativ lovar jag att komma och hämta honom." Lisa viskade.

"Det måste gå fort. Vi står inte ut med honom."

"Jag förstår inte." Sophia tittade på Lisa. "Det är alltså inte nog med att han tvingas bo åtta mil hemifrån, hemma hos någon som verkar... hur ska jag uttrycka mig... måttligt förtjust över att få förtroendet. Dessutom ska ni flytta på honom innan ni ens har gjort klart utredningen. Var ska ni placera honom den här gången? Sjöbo?"

Sophia väntade inte på svar. Hon skakade på huvudet, vände sig om och gick fram mot Alex. Han gungade ännu högre nu. En fot fram, en fot bak, så högt att kedjorna slackade. Minnet av hur det kändes att stå på det där viset fanns kvar i kroppen på Sophia.

Nuförtiden har barn möjligen annat att göra än att titta på *Fem myror är fler än fyra elefanter*, tänkte hon, men inte mycket har hänt med gungtekniken.

Egentligen skulle Sophia ha velat sitta ner ett tag, visa att hon gärna väntade. Men det var för blött på marken, för kallt, hon hade fel sorts kläder och dessutom bråttom. Istället gick hon runt ställningen och försökte hitta en bra plats, en plats där hon åtminstone kunde se sin klient i ögonen. Hon bytte fot några gånger, ville inte vara stressad, ville ha all tid i världen.

Att ställa sig nära gungan, riktigt, riktigt nära och se glad ut hjälpte knappast, Alex fortsatte gunga med samma ursinne. Att harkla sig lockade inte heller fram några reaktioner. Pojken hoppade ändå inte ner för att hälsa. Han inte så mycket som såg på henne. Inte ens när hon stack in huvudet i gungbanan för att få ögonkontakt fick hon någon respons.

"Hej." Sophia andades så långsamt hon kunde, in och ut, in genom näsan, ut genom munnen. "Jag heter Sophia", försökte hon igen. "Hrm… Weber."

Alex tryckte upp gungan ännu högre. Kedjorna vek sig vid hans händer. De var svagt röda, samma färg som hans öron.

"Jag är din advokat. Det betyder att jag ska hjälpa dig och därför tänkte jag börja med att försöka förklara vad som händer just nu. Du vet, varför du inte får vara hemma med din mamma och pappa och så där."

Gungan kom farande rakt emot henne och hon backade ett halvt steg.

"Det viktigaste är att se till att ingen slår dig. Du vet väl att ingen får slå dig? Det är jätteviktigt. Verkligen superjätteviktigt."

Äntligen dunsade Alex ner på gungan och tittade upp. Han såg Sophia rakt i ögonen. Medan gungan stannade fortsatte han att stirra utan att blinka. Långsamt klev han av. Ställde sig bredbent några centimeter från henne och spottade henne rakt på foten. Sedan vände han sig om och försvann mot lekstugan.

Sophia tittade på skon. En blekvit spottloska gled från tåhättan ner på marken. Den lämnade inget märke efter sig, torkade i samma sekund som den rann av skon.

Tystnaden efter hennes ord försvann ut i skogen och Sophia stoppade händerna i fickorna. Blåsten tog tag i jackan och hon drog upp dragkedjan ett snäpp till. Luften var outhärdligt kall. Några kilometer därifrån, vid Gripsholms slott, hade isarna legat blanka hela vägen till inloppet mot Stockholm för bara några veckor sedan. Den kylan fanns kvar i marken, under hennes sulor. Hon frös om fötterna.

Regnet väntade, molnen sjönk. Hygget såg övergivet ut, den nakna industrijorden berövad på allt det som gjorde en samling träd till en riktig skog. Det gick inte att få mossa och blåbärsris att växa snabbt här. Huldrorna och vättarna hade antagligen flyttat någon annanstans. Näcken skulle knappast välja ett hundratal räta rader barrträd för att locka någon i fördärvet.

Sophia såg inte vart Alex hade tagit vägen.

Utan att vänta på att Lisa fått på sig bilbältet vred Sophia om startnyckeln och backade ut från parkeringsplatsen. Bilen sladdade till i kurvan mot vägen, en kvarglömd cd-skiva med klassiska hits snurrade igång och Pachelbels Canon svajade mellan högtalarna.

Sophia försökte andas i takt med cellons vibrato. Hon tittade snabbt på sina skor. Ingenting syntes längre på det svarta lädret.

Lisa satt bredvid och tittade ut genom sidofönstret. Sophia tryckte gasen i botten och den lilla bilen lät som en skenande symaskin. Instrumentpanelen darrade. Utanför bläddrade granskogen förbi, tätare nu, med äldre träd.

När Sophia kom tillbaka till kontoret skulle hon be Anna-Maria skriva utkast till ett skriftligt yttrande till Läns-rätten. Hon skulle tillstyrka vård. Det borde räcka med den vanliga mallen på knappt en sida. En kostnadsräkning skulle hon också sätta ihop, begära betalt för en och en halv timme, 1 500 kronor ungefär. Sedan skulle hon prata allvar med Lisa. Hon orkade inte ta det just nu, men de måste hitta ett annat boende för Alex. Här kunde han inte stanna.

Regnet kom. Sophia slog på vindrutetorkarna. De gnisslade mot glaset.

Hon höll så hårt i ratten att knogarna vitnade. Hennes hjärta rusade ikapp med de två översta violinstämmorna, hon skruvade upp ljudet på bilstereon, växlade upp till femman och tryckte ryggen mot sätet.

Jätteviktig, tänkte hon. Du är faktiskt det.

Jag har inte bäddat hans säng ännu. En väska fick jag packa åt honom. Med pyjamas, lite kläder, tandborste och några leksaker. Soctanten frågade om han hade någon nalle som han brukar sova med. Hon tyckte att jag skulle skicka med den i sådana fall.

Men han har inte det. Ingen sån där snuttefilt heller.

Ibland suger han på tummen. Han tror inte att jag vet att han gör det fortfarande, men det är klart jag vet. Fast jag skiter i att han ska fylla åtta år och borde sluta. Varför skulle jag lägga mig i vad han gör med sin tumme? Vill han, får han väl suga på tummen tills han blir pensionär, det är inte mitt problem.

Jag hittade ett mjukdjur som låg i vardagsrummet, någon sorts hund. Jag stoppade ner den.

Hans rum ser ut som vanligt, för jävligt. Det är prylar överallt. Sängen är obäddad. Lakanen luktar som de brukar.

6

SOPHIA HÖLL PÅ att gå rakt in i den breda dörr med fönsterglas som ledde in till Fjärilsgården. Hon var van vid att de gick upp automatiskt. Istället vinglade hon till och fick fösa upp den sidledes med axeln eftersom händerna var upptagna. Hon bar på en portfölj med viktiga papper, hennes alldeles för kalla jacka, röda rosor och matvaror från NK:s livsmedelsbutik.

Fjärilsgården var ett äldreboende med sjukvårdspersonal, en matsal som serverade två – enligt morfar oätliga – mål om dagen och all tänkbar markservice. Sophias morföräldrar hade köpt en av hemmets finaste lägenheter på två rum och kök när Sophias mormor Brita blev sjuk. Numera bodde Sture där ensam.

Varje förmiddag gick hemmets husfru och kontrollerade att en liten skylt som hängde från ett snöre på dörren var vänd åt rätt håll, tecknet på att invånaren inte låg död och ruttnade i sin lägenhet. Husfrun knackade aldrig på i onödan. De boende skulle absolut inte störas om de fortfarande levde. Inte heller skulle någon som bodde på Fjärilsgården behöva sprida onda lukter in till sina grannar, i alla fall inte av just den anledningen.

Med stressen tryckt mot mellangärdet halvsprang Sophia

genom korridoren. Laminatgolvet gnisslade, morfars lägenhet med altan ut mot Fjärilsgårdens privata park låg på bottenplanet. Sture gillade inte när hon var försenad, men en av hennes klienter hade ringt för att berätta att han råkat ut för en olycka. Polisen hade hindrat honom när han karvade på altandörren till en villa i Täby med en kofot. De hade fått för sig att han försökte bryta sig in. I själva verket var allt ett missförstånd och han naturligtvis oskyldig.

Dessutom hade Sophia talat med Lisa Zeiger för att höra hur lång tid det skulle ta att hitta ett nytt boende åt Alex. Det bästa vore om han kunde komma ifrån den där sörmlänningen och hennes fina hund så snart som möjligt. Redan i bilen hade Lisa lovat ta itu med frågan när hon kom tillbaka till kontoret. Sophia hade tagit henne på orden, ringt exakt en timme efter att hon släppt av henne inne i stan. Om Alex fick flytta i dag skulle det bara vara några dagar för sent.

Väl framme vid sin morfars dörr öppnade Sophia med egen nyckel, torkade av skorna på hallmattan och smög snabbt in i sovrummet.

"Se där. Hon bestämde sig för att komma i alla fall. Jag trodde att mitt enda barnbarn möjligen hade blivit överkörd av ett av alla de där rattfyllona hon envisas med att försvara."

Sture låg påklädd ovanpå överkastet. Han hävde sig upp till sittande ställning med betydligt mer vilja än styrka. Sophia kysste honom snabbt på den nyrakade, strävar kinden.

"Det var jobbet."

"Minsann. Ännu en upphöjd medborgare som har blivit felaktigt anklagad på fjorton punkter för vållande av annans oreda. Vilken tur att just du finns. Så att någon tar udden av vårt korrupta samhälles nyslipade spjutspets."

Sophia struntade i att svara. Istället böjde hon sig över honom, drog hans hand till sig, lade den mot sin kind och dröjde kvar vid det följsamma skinnet. Veckat silke, morfars händer med rakt avklippta naglar, en gång i tiden stora som dasslock och fortfarande lika trygga som godnattbön.

"Ja, ja", muttrade Sture, drog tillbaka handen och klappade henne på armen. "Hur mår min lilla advokat då? Är de snälla mot dig?"

"Jodå", svarade Sophia. "Din advokat mår bara bra." Hon slog sig ner på Stures sängkant.

"Har du hyrt bil? Och köpt blommor?" Sture stönade och tog sig om vänsterarmen.

"Jodå." Sophia tittade Sture i ögonen. "Men hur mår du själv?"

"Käraste Fia. Vad vill du egentligen att jag ska svara på det? Bra? Jag mår toppen! Verkligen utmärkt. Jag klagar inte."

Hon tittade på fotografiet på Stures nattygsbord och räckte honom handen, lade den andra om hans rygg tills han kommit på fötter. Han hade gått ner i vikt sedan de sågs sist.

"Jag är verkligen ledsen för att jag blev så sen, jag försöker hjälpa en liten kille som har fått flytta hemifrån. Han har blivit tvångsomhändertagen och... ja, det var ett par andra grejor också."

Sture var tvungen att stå stilla en stund och finna balansen. När han rätat på nacken och ryggen tog hon honom under armen.

"Jag måste äta något innan vi åker." Han hostade och

drog sig ur hennes grepp. "Jag är så satans hungrig. Lyckades du komma ihåg att köpa det jag bad dig om?"

Sophia nickade.

"Det är klart att jag gjorde. Mamma ringde förresten. Hon kände sig inte så pigg. Skulle försöka åka ut i nästa vecka istället. Men hon hälsar så mycket."

"Tror du att du skulle kunna göra lite mat innan vi åker?" Sture hasade ut i vardagsrummet och knäppte på tv:n. "Något enkelt, bara. Jag måste få käka, annars kommer jag att svimma."

Sophia gick ut i köket och packade upp maten hon tagit med sig. I en stor stekpanna av järn lade hon tre lammkorvar och ett ägg. I kylskåpet låg ett par kalla, kokta potatisar. Dem kunde hon steka i smör.

Mormor hade älskat stekt potatis med mycket salt. I dag var det två år sedan hon dog och ibland hade Sophia svårt att komma ihåg henne som hon varit när hon var frisk. Skrattet som inte gjorde henne andfådd. Kvinnan med penninglotterna och korsorden, som varje fredag satt framför tv:n och smuttade på ett och ett halvt glas sherry. Hon som valde att stanna, att inte lämna, en personlighet som bara gick att förknippa med sådan sorglöshet som följer av att man aldrig behöver oroa sig för vädret. Som om hon hade varit syditalienska och inte alls från Djursholm.

På en blank bricka ställde Sophia maten och ett glas kranvatten. Hon skakade på huvudet för att få tankarna att försvinna. Snart var det dags att åka och lägga blommor på graven. Efteråt skulle de till Ulla Winbladh. Sophia tänkte äta köttbullar och gråta lite i linneservetten. Sture brukade beställa stekt fisk, strömming om det fanns och antagligen skulle han klaga på att den senaste kocken krånglade till maten och att vinet var för kallt. Han skulle kanske också gråta.

"Tänk att du kommer hit och tar hand om din lille morfar." Sture log och makade sig upp i soffan. "Tror du att du kan hämta en kall öl också. Och en liten nubbe? Jag måste ha en nubbe om jag ska ta mig igenom den här dagen, det vet du."

Han tog tallriken i vänster hand och gaffeln i höger. Med munnen full av mat tittade han på Sophia.

"Vi borde flytta ihop du och jag, det vore något. Ta hela flaskan förresten. Den ligger i frysen." Han tuggade en stund. "Ska inte du äta?"

Sophia skakade på huvudet.

"Jag åt innan jag kom. Jag går ut i köket och städar upp så länge."

"Vill du verkligen göra det för din gamle morfar? Vad skulle jag göra utan dig? Oj, oj, oj. Utan min Fialiten skulle jag väl bli liggande här i min egen ålderdom. Och sätter du på diskmaskinen också? Jag begriper inte hur den fungerar. Den är kanske trasig. Du kan väl titta, vill du göra det? Och tror du att du skulle kunna ta en sväng i badrummet också när du ändå håller på? Du vet att jag inte kan sådana grejor. Där är det inte speciellt trevligt, badkaret ser ut som om någon har tvättat hunden i det och den där människan som kommer hit och städar, hon är nog säkert hjärnkirurg i sitt hemland och en förträfflig människa på alla vis, men städa, det kan hon inte. Hittar du snapsen förresten, den ligger i frysen?"

7

DET ÄR SVININFLUENSAN, tänkte Sophia. Huvudvärken var värre än någonsin och halsen brände. Inte hade hon fått sova ordentligt heller.

Middagen med Sture hade dragit ut på tiden. På Ulla Winbladh träffade de några av Stures gamla studenter från universitetet. Eleverna, nu medelålders män, gjorde vad de kunde för att få professorns uppmärksamhet medan Sture berättade historier som alla redan hört. Sophia försökte se till att hans glas inte blev påfyllt lika snabbt som samtliga närvarande utom hon verkade vilja.

Det hade alltid varit likadant med Sture. Han fick dem han träffade att omedelbart förhålla sig till honom först och främst. Det var aldrig tvärtom. När han var glad skratta-de folk, nervöst och lyckligt, när han var sur och irriterad fyllde det upp allt utrymme som rök. Om Sture blev tyst täckte det det allt och alla som radioaktiv aska. Det var ett själv-klart tillstånd, Sture märkte det inte ens.

Klockan var över ett på natten när Sophia äntligen kunde skjutsa hem sin morfar och fick åka till kontoret.

Natten därpå fick hon sova ännu mindre. Hon satt uppe och arbetade med ett avvisningsbeslut, gick och lade sig strax före fyra. Peter som haft nattskift kom hem en halvtimme innan hennes väckarklocka ringde. Han väckte henne för att fråga var hans glasögon var. Hon gick upp, plockade upp dem från hans eget nattygsbord, gav dem till honom och duschade sedan kallt. Medan han somnade och hennes kaffe svalnade satt hon i köket med knutna händer och pulsen blixtrande i pannan. När hon klev in genom dörren till kontoret låg Länsrättens beslut och väntade i brevfacket vid receptionen.

"Ordföranden i sociala delegationen i Liljeholmens stadsdelsnämnd i Stockholms stad beslutade den... att med stöd av 6 § LVU omedelbart omhänderta Alex Andersson. Som grund för beslutet angavs..."

Bla-bla-bla. Hon bläddrade snabbt fram till sista sidan.

"Med hänsyn till vad som hittills framkommit i utredningen finner Länsrätten att det är sannolikt att Alex Andersson behöver beredas vård med stöd av LVU. Rättens beslut om vård kan inte avvaktas med hänsyn till risken för hans hälsa och utveckling. Då grund för omedelbart omhändertagande sålunda föreligger skall det underställda beslutet fastställas. Det omedelbara omhändertagandet skall således bestå."

Det var väntat, men hon blev ändå lättad. Sophia drog åt sig ett gult post-it-block och kladdade ner en anteckning om att ringa Lisa på soc och fråga om Alex boende. Hon klämde fast den i kransen av gula lappar som satt runt hennes dataskärm. Ytterligare ett samtal hon måste ringa. En myndighet hon måste kontakta. En människa hon måste prata med, som hon måste övertala att lyssna utav skäl hon allt oftare hade svårt att komma ihåg.

Huvudvärken släppte inte taget.

Det enda som fattas för att min glamorösa tillvaro ska vara perfekt är en tom blankett som jag måste fylla i, tänkte hon. Blicken hade fastnat på den lilla fläck av mjölkvit himmel som skymtade genom hennes fönster.

Hon tände skrivbordslampan. Den i taket lyste redan. Det regnade inte, ändå var fukten så påtaglig att hon ville handdukstorka håret torrt. Göra något för att bli kvitt den här förkylningen, alla körtlar igentäppta av smog och dy från kajplatsen några korta meter från gatan där hon arbetade.

Jag ska gå och lägga mig tidigt i kväll. Äta popcorn, titta på *Sex and the City* och sova minst nio timmar.

Hon snöt sig och stoppade ner Länsrättsbeslutet i akten och akten i aktskåpet. Hon drog vad hon hoppades var ett beslutsamt andetag.

Vem visste egentligen hur det skulle gå för Alex Andersson? Det kanske skulle gå bra? Antagligen skulle hon i alla fall inte behöva arbeta med honom och hans problem på minst en månad och hon hade annat att göra. Pappren behövde inte ligga framme och skräpa.

Sophia knäppte på datorn och inväntade det ljud som berättade att det strax var dags för henne att mata in sitt lösenord och påbörja ännu en dag på arbetet.

Hurra, tänkte hon och gäspade. Pling!

II

8

STOCKHOLMS LÄNSRÄTT VAR inte på långa vägar lika motbjudande inuti som den var utanpå. En byggnad med jämna rader av smala fönster, omöjlig att minnas oavsett hur många gånger man hade stått utanför och glott på den gråa fasaden. Inomhus var det bättre. Där fanns konst i alla former, energislukande glasinstallationer, ljusa textiltavlor, oljemålningar och inramade fotografier. Det var högt i tak, ett enkelt inredningsbevis på att statsfinanserna undantagsvis faktiskt användes till annat än att skapa ett företagarvänligt Sverige.

Ett av de påkostade konstverken var en liten bronsskulptur av en naken dubbelvikt flicka eller kanske en småväxt kvinna. Figuren såg ut som om hon lagt ansiktet i knät för att gråta. Det var en passande bild, tyckte advokat Sophia Weber, hennes klienter brukade vara väldigt ledsna, i synnerhet i de här lokalerna.

Det hade snart gått sex veckor sedan Alex Andersson blivit omhändertagen. Länsrätten skulle pröva socialnämndens begäran om tvångsvård av pojken och hade kallat till muntlig förhandling. Sophia Weber kom nästan en halvtimme för tidigt, hälsade på säkerhetsvakten, vinkade åt receptionisten och gick raka vägen en halv trappa ner. Där stod statyn, på en piedestal utanför ombudsrummet. Inne i rummet hängde Sophia av sig sin kappa och handväska. Hennes kläder var fuktiga och håret täckt av en spindelväv små vattendroppar.

Förhandlingen var utsatt till klockan tio. Medan hon väntade på att säkerhetsvakten skulle öppna förhandlingssalen gungade hon sin portfölj fram och tillbaka. Dödtid, väntan, gjorde henne alltid lika nervös. Den här tiden hade hon kunnat ägna åt andra ärenden.

Klockan tjugo i tio öppnades dörrarna. Det var ett rymligt rum. Ett ellipsformat bord med ett tiotal stolar var placerat framför domarbänken som stod på ett upphöjt podium. Längst ner i salen fanns ett högt fönster med tunna linnegardiner.

Sophia gjorde sig som vanligt hemmastadd mittemot domarbänken. Bredvid henne skulle eventuella vittnen placeras medan de förhördes. Annars fick hon vara ensam, Alex var för ung för att få vara med.

På Sophias vänstra sida var socialsekreterare Lisa Zeigers och statsjuristens platser. Till höger satt föräldrarnas ombud och väntade på sina klienter. I övrigt skulle förhandlingen hållas stängd. Åhörarplatserna var nästan alltid tomma i de här målen. Ingen fick titta på, inte ens dokusåpaproducenter från TV3, trots deras väldemonstrerade intresse för barnuppfostran och samhällets baksida.

Två minuter efter utsatt tid klev en kvinna in genom dörren, andfådd, med en överdimensionerad gymbag över axeln och svarta ankelboots.

Rättens ordförande, lagman Stieg Jahve, tittade långsamt upp från sina papper.

"Välkommen", sa han syrligt. "Så vänligt av fru Andersson att dyka upp."

Linda Medner Andersson såg förvirrad ut. Hon hade inte hunnit få av sig sin jacka. Hennes ombud vinkade henne till sig och drog ut stolen närmast domarbänken.

"Jag är ledsen att jag är så sen", försökte hon. "Det var inte meningen."

"Ja, ja. Jag heter Stieg Jahve och är domare. Här är mina kollegor." Domaren muttrade, fortfarande inte det minsta blidkad, och viftade trött mot sina båda sidor. Han var knappast känd för att vara överseende med personer som kom för sent, eller nästan för sent, till hans förhandlingar. "Socialsekreteraren", han visade mot bordet mittemot Linda där Lisa Zeiger satt, "som handlägger ärendet, hon sitter där. Du känner väl henne redan, antar jag."

Linda tittade sig runt om i salen och sedan ner i bordet. Hon satte sig. Stieg Jahve fortsatte.

"Jag skulle gärna se att vi kom igång innan det blir dags att bryta för lunch. Var är pojkens pappa?"

En ung man i kostym och hårt knuten slips harklade sig. Han pratade snabbt, det lät som om han läste innantill.

"Jag är tillförordnat ombud för Christer Andersson. Tyvärr måste jag informera rätten att jag inte har fått kontakt med min klient. Jag kommer därför att vara tvungen att avstå från att avge något yttrande i avvaktan på en sådan kontakt."

"Jaså du." Domaren var däremot väl känd för att avsky advokater, i synnerhet dem med kostymer som såg skräddarsydda ut. "Jamen, se det var väl lysande. Har socialnämnden haft någon kontakt med honom?"

"Nej. Vi fortsätter att söka honom, men för närvarande är han försvunnen."

Lisa Zeiger svarade utan att titta upp från sina papper.

"Så vi vet inte hur han ställer sig till era föreslagna åtgärder?"

"Nej, det är riktigt."

"Men han är skriven på samma adress som den andra vårdnadshavaren?"

"Ja. Enligt våra uppgifter bor han där. Föräldrarna är gifta, har gemensam vårdnad och bor tillsammans."

"Vet du om din man tänker dyka upp?" Domaren vände sig mot Linda igen.

Linda skakade på huvudet och tittade en kort stund på domaren. Sedan lade hon upp armbågarna på bordet, tog sig om pannan och började gråta.

"Ni kan inte ta Alex ifrån mig. Ni får inte det. Jag vill inte ha något annat. Jag vill bara ha honom. Bara jag får ha honom hos mig så lovar jag vad som helst. Ta honom inte."

Linda Andersson grät sig igenom hela förhandlingen. Hennes ombud försåg henne med pappersservetter.

Den läkare som undersökt Alex kallades för att vittna. Det var mycket ovanligt att höra läkare i dessa mål, men socialen gjorde ett undantag. Antagligen för att han var ett utmärkt vittne. Ett sådant som domare Jahve gillade.

Läkaren började med att berätta att han undersökt Alex Andersson samma dag som socialnämndens ordförande fattat beslutet om omedelbart omhändertagande.

När pojken kom till sjukhuset hade han brutna revben, tre stycken. De små, runda brännmärkena på pojkens kropp var med största sannolikhet märken efter glödande cigaretter. Dessutom visade röntgenbilder på åtminstone fyra gamla frakturer: två på högerhandens långfinger, ett på revbenen och ett på vänster underarm.

Förutom brännmärken och brutna ben, fula ärr och blå-
märken kunde det också, vid en uppföljande läkarunder-
sökning, konstateras att Alex hade nedsatt hörsel på vänster
öra och störningar på balanssinnet.

"Patienten riskerar sålunda att få såväl bestående pro-
blem med *auditivus* som permanenta skador på *nervus vesti-
bularis*. Enligt min bestämda uppfattning går det inte att
utesluta att dessa skador uppkommit efter upprepade slag
mot kind och käkparti. Liknande skador går att hitta på
patienter som utsatts för tortyr. De är inte ovanliga hos vissa
grupper asylsökande. Jag har tagit mig friheten att ta med
en del fotografier, utifall rätten skulle anse att sådana vore
behjälpliga."

"Det behövs inte", sa domaren.

Lindas advokat skakade ut ännu en pappersservett och
räckte över till sin klient. Stieg Jahve lutade sig över domar-
podiet.

"Finns det något hoppfullt i allt detta elände?"

"Mycket tveksamt. Möjligen..." Läkaren funderade. "På
grundval av de undersökningar jag genomfört, måste jag
nog ändå säga att det är osannolikt att barnet utsatts för
några sexuella övergrepp. Det känns... inte hoppfullt, så
långt vill jag inte sträcka mig, men som en lättnad ändå. Det
vill jag nog påstå. Å andra sidan är det inte alltid sådant kan
upptäckas genom en okulär besiktning."

"Kan pojken ha skadat sig själv? Ramlat kanske?"

"Frakturerna kan vara resultatet av olycksrelaterade till-
bud. Barn har en tendens att ramla när de leker. Det är inte
min sak att spekulera i om det kan finnas en annan förkla-
ring. Men att pojkens skador skulle ha åsamkats genom

egen handåverkan kan enligt min mening uteslutas."

Domaren böjde nöjt på nacken. Inte heller han hade trott att Alex roat sig med att bryta sina egna revben och brännmärka sig själv på ryggen. Men han ville gärna ha det i protokollet.

"Är det något ni vill tillägga?" undrade han.

"Jag tar gärna tillfället i akt att göra rätten uppmärksam på en enligt min mening uppseendeväckande omständighet. Jag finner den... Jag gjorde lite efterfrågningar, ringde runt... och det finns faktiskt inga som helst uppgifter om att pojkens omfattande skador någonsin har kommit till sjukvårdens kännedom. Alltså... Det vore väl... Jag menar att... jag erkänner gärna att jag finner det en smula... anmärkningsvärt med en sjuårig pojke som aldrig någonsin besökt ett svenskt sjukhus." Läkaren stoppade ner sina läsglasögon i ett smalt läderetui. "I synnerhet ett så till synes remarkabelt olycksdrabbat barn som Andersson."

En av rättens kvinnliga ledamöter lade handen för munnen.

"Ni menar alltså att alla Alex Anderssons skador har fått självläka?" Lagmannen fick en djup rynka mellan ögonbrynen. "Att inte ett enda av hans benbrott har undersökts av en läkare?"

Läkaren nickade.

"Det verkar inte bättre. Anmärkningsvärt, eller hur?"

Linda Medner Anderssons advokat lade ner resten av paketet pappersservetter på bordet framför sin klient. Det var lättare om hon försåg sig själv.

När läkaren fått lämna salen redogjorde Lisa Zeiger i korta

drag för vad som framkommit under socialens utredning av Alex föräldrar.

"Båda föräldrarna uppvisar tecken på missbruksproblem. Båda föräldrarna är också kända av polisen. Linda Medner Andersson har gripits vid två tillfällen för störande av allmän ordning, men sedan något år före pojkens födelse finns det inte några ytterligare anteckningar avseende henne. Fadern Christer Andersson var som tonåring föremål för ett flertal utredningar om våldsrelaterad brottslighet och dömdes drygt arton år gammal till en månads fängelse för misshandel. Fyra år senare greps han för innehav av en mildare form av narkotika. Ett gripande som inte ledde till åtal. Inte heller han har haft några allvarligare incidenter med polisen efter pojkens födelse."

Christer Andersson var borta. Spårlöst försvunnen, något som i allra högsta grad gjorde det svårt för polisen att utreda omständigheterna kring den grova misshandeln av Alex.

Linda Medner Andersson hade också krånglat. Hittills hade hon motsatt sig all form av samarbete och den enda gång hon dykt upp på ett utsatt möte var hon både onykter och arg. Enligt socialsekreterare Lisa Zeiger var det uppenbart att Alex knappast kunde bo kvar hos sina föräldrar under nuvarande förhållanden.

Mot slutet av förhandlingen blev det advokat Sophia Webers tur att redogöra för sin inställning. Det gick snabbt.

"Min klient har inte velat uttrycka någon åsikt. Jag har träffat honom vid två tillfällen. Han vill inte diskutera saken. Mitt intryck är dock att det nuvarande familjehemmet fungerar bra, Alex visar redan tecken på att må bättre och att det är positivt för honom att bo i en stabil och lugn miljö. Så länge vården inte kan genomföras med samtycke från föräldrarna och Alex trygghet inte kan säkerställas i hemmiljön har jag inget annat att anföra. Jag tillstyrker vård i enlighet med socialens begäran."

Rättens ordförande Stieg Jahve var en man som gärna avlossade sina skarpa skott från höften. Han avslutade förhandlingen med att säga att dom skulle meddelas omedelbart. Samtliga advokater och andra inblandade fick vänta i knappt femton minuter i korridoren medan rättens ledamöter hade en kortare överläggning. Sedan blev de inkallade till rättssalen för att återta sina gamla platser.

När domaren läste upp domslutet tittade han rakt på Lisa Zeiger. Socialnämndens ansökan bifölls. Alex Andersson skulle beredas vård med stöd av lagen om vård av unga. Beslutet skulle gälla omedelbart. Med korta nickar mot ombuden fastställdes deras ersättningsanspråk och sedan vände sig Stieg Jahve till Linda Medner Andersson.

Jahve tyckte att han var bra på att vara pedagogisk och ville därför säga några ord om varför Alex Andersson inte fick flytta hem än på ett tag.

"Våår bedöömning", sa Jahve, "är att det är klaarlagt att den unge Andersson, din son alltså, att han har ett vårdbehov." Han harklade sig och tog en paus. "Alex behov kan inte... inte tillgodoses i hemmet, ja, alltså, det finns sådana brister i omsorgen att risken för att Alex hälsa och utveckling skadas är påtaglig... ja, pååtaglig... och samtycke... tja, alltså du har sagt nu i dag att du gör, som du uttrycker det, vad som helst, det är ju trevligt att höra, men det gäller att vi kan lita på att det är tillräckligt stabilt, att inte du fallerar i ditt medgivande... så vår bedömning, i dagsläget, är att ditt samtycke är så pass begränsat att det inte kan garantera den vård som behövs."

Stieg Jahve andades ut. Hans ansiktsfärg skiftade i rött. Han blev utmattad av att förklara saker på bönders vis. Linda Medner Andersson verkade inte begripa att hon var bonden. Hon bara grät. Tårarna rann av sig själva.

"Jag gör vad som helst", viskade hon. "Vad som helst." Hon hade gråtit så länge att hon blivit hes.

"Då säger vi så", sa domaren. Hans tålamod var slut. Det hade varit dags för lunch i drygt en timme. "Den skriftliga domen kommer inom en vecka. Ni kommer allesammans få en kopia till de adresser ni uppgivit. Lycka till, eller vad jag ska säga."

Så reste sig Stieg Jahve upp, nickade i alla riktningar och gick ut ur rummet. Hans kollegor följde efter.

När dörren slagit igen började Sophia Weber samla ihop sina papper och stoppa ner dem i portföljen. Det högra låset fick hon lirka med en stund innan det gick igen.

Det hade varit en bra förhandling, inte för lång, inga vittnen som sa saker de just kommit att tänka på. Hon var nöjd med sin egen insats också, det fanns sällan anledning att bli långrandig när man var överens med soc.

Socialsekreteraren och hennes kollega stod några meter bort och packade ihop precis som hon. Lisa hade skött sig utmärkt. Läkarens namn hade Sophia antecknat i sin mobil. De två advokater som företrädde Linda och hennes man höjde nästan samtidigt varsin hand för att vinka till Sophia.

Strax bakom advokaterna stod Sophias klients mamma och före detta vårdnadshavare Linda Medner Andersson. Hon hade rest sig upp från sin stol, hennes tårar verkade ha torkat nu.

Sophia skakade på huvudet. Det var för väl att rätten inte hade brytt sig om de där försäkringarna om att hon gjorde "vad som helst". En del domare var känsliga för sådant, söta mammor som grät.

För Linda Medner Andersson var snygg, det var hon onekligen. Den bag som hon släpat med sig in i förhandlingssalen låg på golvet. Hon hade inte plockat upp den, hon väntade, antagligen på sitt ombud. Under tiden tittade hon ut över salen.

Plötsligt såg hon rakt på Sophia. Hennes ögon var gröna, kinderna flammiga av gråten. Hon blinkade inte. Sophia tittade tillbaka. Något kallt rann utefter hennes ryggrad. Så slet hon loss blicken och gick snabbt därifrån.

Utanför ombudsrummet stannade Sophia till bredvid bronsstatyn av den nakna flickan, hon som såg så förtvivlad ut. Hon strök med handen över den glatta ytan, följde skulpturens konturer med pekfingret.

Egentligen föreställde den inte alls någon som grät. I själva verket hette konstverket *Meditation.*

Sophia kunde inte veta varför Linda Medner Andersson gråtit så förtvivlat. Hon visste bara att det irriterade henne. Möjligen visste inte Linda vad "klarlagt" innebar och varför hennes "begränsade samtycke" kunde avgöra vem som fick natta Alex, ge honom frukost på morgonen och tvätta hans kläder när de blev smutsiga. Möjligen grät hon för att hon så sällan hade nattat Alex, gett honom frukost på morgonen och tvättat hans kläder när de blev smutsiga. Oavsett vilka skäl hon hade, gjorde det Sophia förbannad.

Halvspringande tog hon sig uppför halvtrappan och genom den stora glasentrén. Receptionsvakten talade i telefon. Utomhus befann sig aprilhimlen fortfarande någonstans i knähöjd och det tunna regnet var lika envist som en plikttrogen byråkrat. Ytterdörren gled igen bakom henne med en suck. I den kalla luften lättade äntligen ilskan.

Nästa Länsrättsförhandling i ett helt annat ärende var inte förrän om en dryg vecka. Det var dags för ny misär och andra olyckor.

Sophia drog kappan tätare om sig.

Kanske vill den där bronskonstnären inspirera till eftertanke, tänkte hon. Få folk att tänka över varför det blev så fel. *Meditation.* Det är vad Linda Medner Andersson skulle behöva. Men det är aldrig någon som tänker efter, ingen gör någonsin det. Det är alltid någon annans fel att det går åt skogen. Ingen tänker på annat än hur synd det är om just dem.

Jag finns inte längre. Precis så känns det.

En advokat har jag fått. Han är gratis och ska hjälpa mig, antar jag. Vi träffades en gång före förhandlingen. Jag sa åt honom att jag ville ha tillbaka Alex.

"Mm", sa han. "Naturligtvis, absolut, det är klart, jag förstår."

Han verkade skitstressad. Efter en kvart fick jag gå. Han hade ett annat möte.

"Jag ska göra allt jag kan", sa han.

Men han har inte gjort någonting. Förutom att säga åt mig att göra vad soc vill. Att jag ska lyssna på dem och gå på alla deras möten och göra vad de säger åt mig att göra. Som om jag inte hade kunnat lista ut det själv.

Jag finns inte längre. Precis så är det.

9

SOPHIA WEBER HADE ingenting att invända mot vare sig Länsrättens beslut eller vårdplanen. Tanken var att vården skulle avslutas inom sex månader. Sophia behövde inte göra så mycket mer, i alla fall inte just nu. Ändå kunde hon inte koncentrera sig på det hon hade tänkt: läsa annat, byta tankar, tömma huvudet.

Nacken värkte. Hon låg nedhasad i soffan med datorn i knät. En utredning, tolv hovrättsdomar och ett lagrådsutlåtande hade hon tänkt ögna igenom innan hon knäppte på tv:n. Hon gillade att hålla sig uppdaterad. Men i kväll vägrade hjärnan att samarbeta.

Skönlitteratur läste Sophia sällan, hon hade slutat med det på juristlinjen. Det blev ändå aldrig som det hade varit när hon var barn. Anna hade försökt få med henne i en bokcirkel några gånger, men hon tackade alltid nej. Bara tanken på att sörpla på en tallrik hemlagad minestrone och försöka förklara varför en bok hade krupit innanför skinnet på henne gjorde henne illamående. Då kunde det lika gärna vara.

Peter däremot, läste jämt: i badkaret med en stortå på varmvattenkranen, i soffan liggande på sidan med armen hängande lealös över soffkanten och vid köksbordet på morgnarna. Deckare och lyrik, serier och relationsromaner, tjocka böcker om män som krigat för hundratals år sedan och tun-

nare böcker med krämfärgade omslag och ojämna margina-
ler som ägnade tjogtals sidor åt att beskriva tapetmönstret på
en vägg innan det avslöjades i en bisats att det låg någon på
hallmattan strax nedanför som skurit halsen av sig med en
japansk dubbeleggad kniv med snidat handtag.

När Sophia var liten kunde hon också hänge sig på det
viset. Då satt hon i mormors garderob och läste, kände
skogsdoften, såg häxor och det svaga ljuset från magiska
lyktstolpar och andra världar. Strök med handen utefter
bokryggarna i vuxenbokhyllan, över halvfranska skinnpär-
mar med titeln i relief. Ibland tog hon med en bok till sko-
lan, stoppade den i innerfickan på jackan och gick någon-
stans där hon fick vara ifred. Bäst var att låsa in sig på toalet-
ten. Men det gick inte alltid att stanna där ända tills det
ringde in, vissa rastvakter höll koll på hur länge man var
borta och knackade på den låsta dörren, frågade om man
mådde bra. Det var pinsamt. Att behöva svara på om man
mådde bra på det där viset.

Böckerna var hennes barndom. Kulla-Gullas frusna fötter,
Dina och Dorindas trädklockor, Lucys yllekjolar, Madickens
sidenband i håret. Bara Anna hade trängt sig emellan.

Från sovrummet hördes hur Peter började snarka. Han
hade somnat lika snabbt som vanligt och storknade nu på
sina egna utandningar.

Sophia sköt igen vardagsrumsdörren. Peters kvällsnarko-
lepsi irriterade henne. Det var så präktigt på något vis. Hav-
regrynsgröt och lågt blodtryck, Gunde Svan och karlakarl
med tajts och ärmlöst sportlinne.

Vad var det för fel på henne? Hon hade en pojkvän. Han
var läkare, gillade att ta på henne, var snygg och vältränad.

De hade ett bra liv ihop. Ändå tyckte hon att de hade det som allra bäst när han sov, läste eller var ute med sina kill-kompisar och skrek åt en fotbollsmatch på storbildsskärm. Det måste vara henne det var fel på.

Jag borde verkligen anstränga mig lite mer, tänkte hon och öppnade ett nytt dokument på skärmen. Vi borde prata mer med varandra. Ordentligt, om saker vi tänker på.

Egentligen tyckte Sophia att det var outhärdligt, pojkvän-nerna som pratade. Som krävde att hon skulle lyssna på deras pladder om ledningsgrupper, OS-hopp, fortbild-ningskurser och omstruktureringar. Enda gångerna den typen av pojkvänner höll tyst var när de parkerade sig i hen-nes soffa med den viktigaste fjärrkontrollen i ett järngrepp vid höften. Då brukade hela förhållandet ta slut. Där någonstans gick hennes gräns.

Peter var bra på det sättet, han struntade i hennes tv.

När hon var yngre träffade hon andra typer. De trasiga och passionerade, som gav henne ont i själen och skavsår på insidan av låren. Som trodde att bra älskare höll på längre. Män som reciterade rysk poesi, pratade om viljan att vara ett med sitt öde, bli sedd för den man är och hur pengar förhåller sig till döden. Dem hade hon vuxit ifrån.

Sophia hasade sig upp i soffan och drog åt sig en kudde från fåtöljen för att kunna ligga lite högre upp. För tredje gången de senaste tio minuterna började hon läsa om samma utredning, det var verkligen omöjligt att fokusera. I morgon skulle hon ringa till soc och höra om det inte gick att ordna färdtjänst så att Alex kunde bli körd till sin förra skola. Han borde gå där, i en miljö han kände igen. Det kunde knappast skada om hon påpekade det.

Tidigare på dagen hade Sophia försökt ta reda på om det fanns någon vuxen i Alex närhet som kunde vara en lämplig samarbetspartner och en pålitlig vuxen kontaktperson åt Alex. Ibland gjorde man så, letade reda på någon som ungen redan kände, gillade, och tog in dem i arbetsgruppen. Det var inte bara för Alex skull, utan också för att föräldrarna skulle få lite avlastning.

Bäst var om det fanns någon städad, välartad släkting som kunde engageras. Men Lisa Zeiger hade förklarat att i Alex familj var det inte bara ont om välartade släktingar, han verkade överhuvudtaget inte ha några släktingar förutom en senildement farfar och en farbror som satt inne på Kumla för rån. Ingen av dem kändes lämplig. Lisa Zeiger hade lovat att tala med Alex gamla lärare istället. Hon kanske hade lust att ställa upp.

Sophia blundade. Det var ingen idé att fortbilda sig just i kväll. Hon måste få tänka på något annat än jobbet. I det här ärendet hade hon gjort vad hon kunnat. Behövde soc henne skulle de höra av sig, inte tvärtom.

Snarkningarna från sovrummet tilltog i styrka. Sophia stängde ner datorn och sträckte sig efter fjärrkontrollen. Allt skulle säkert kännas bättre om bara hon och Peter fick lite semester tillsammans. Deras förhållande var bra för henne, hon hade haft betydligt värre pojkvänner.

Hon skruvade upp ljudet på tv:n och klickade sig igenom hela repertoaren ett par, tre gånger. Till slut fastnade hon på en kanal som visade en engelsk deckare. En rundhyllt, äldre, civilklädd superintendent försökte fånga en seriemördare som tagit livet av ett tjog adelsmän under en rävjakt. Brottsplatsen var ett slott byggt någon gång på sjuttonhundratalet som ägdes av en av de huvudmisstänkta och hans rara, skelögda mamma. Till synes tankspridd gick polisen runt i en höstfärgad skog och talade med de misstänkta. Han behövde ingen anteckningsbok och hans medhjälpare var alltid försenad. Mellan varje reklamavbrott råkade superintendenten sparka upp ytterligare ett lik i lodenrock ur en brandgul lövhög, vilket blåste nytt liv i den ytterst tröga utredningen. Men döden gjorde polisen melankolisk och då satte han sig på den lokala puben och suckade över en skummig sejdel.

Sophia tryckte fram programinformationen med fjärrkontrollen. Det var drygt en halvtimme kvar innan den rara mamman skulle avslöjas som den hämndlystna mördarkvinna hon var. När den vackra pubservitrisen kom med en ny öl, lade Sophia ifrån sig fjärrkontrollen, vände sig in mot soffryggen och slöt ögonen. Hon somnade omedelbart. Tv:n fick stå påslagen.

Någon gång under natten vaknade Sophia och stängde av, raglade in i sovrummet och lyckades få av sig åtminstone en tröja och sina byxor innan hon rasade ner i sängen bredvid Peter. Hon lade sig ganska nära. Försiktigt placerade hon sin hand på hans höft och somnade om.

Hon drömde om öl och våta löv, murgröna och en jagad räv. Räven kastade sig i hennes famn, hon var alldeles naken och slöt sina armar om den vassa pälsen. Djuret andades snabbt, hjärtat syntes rött genom den vita buken. Medan den spann som en nöjd katt rev den henne på bröstet och slickade henne på halsen med sträv tunga. Tassarna knöts och klorna spärrades ut, om och om igen. Sophia ville inte ha räven där, hon fick så svårt att andas, men hon vågade inte släppa taget.

Kanske trodde jag att allt skulle bli annorlunda när Alex kom. Annorlunda på ett bra sätt. Men BB var för jävligt.

Det var bara för mycket på en gång. Hans naglar och kladdiga händer som vägrade att släppa taget. Han sög, bökade och stönade, fäktade med armarna och knuffade med huvudet. Han letade efter mig, med tomma ögon liksom, han såg helt stenad ut. Käkarna tuggade, upp och ner, slet i bröstvårtorna. Öppnade och stängde munnen, gapade, svalde. Inga tänder, bara det där sjukt hårda tandköttet.

Hela tiden skrek han, väckte mig, krävde grejor. Hela tiden. Jag ammade honom, bar honom, bytte blöja, vaggade, ammade igen. Jag, jag, jag. Jag trodde att det skulle ta slut, men det gjorde inte det.

Jag hade ont överallt. Började svettas bara av att tänka på att gå på toa. Och sjuksyrran kallade mig för lilla mamman.

"Hur-mår-den-lilla-mamman-då?"

Vad svarar man?

"Jotack, den lilla mamman ville tvätta sig när hon stod i duschen och blödde mörkbruna slemklumpar rakt ner i avloppet. Då kände den lilla mamman det där som hängde ut mellan benen och hon skulle nu gärna vilja veta när hon kan få tillbaka sin kropp. Den lilla mamman mår för jävligt. Men tack ska du ha, schysst av dig att fråga."

10

HELA KLASSEN HÖRDE när Karin Lidstrand tappade pennan i golvet. Det var inget högt ljud, men raderna av barnaögon vändes upp en knapp sekund för att titta på Karin innan de återvände till sina papper.

Sju veckor hade gått sedan Karin och Mia larmat socialen och Alex flyttats hemifrån. Ett sista snöoväder hade dragit över Stockholm. Under ett par dagar var det så kallt att inte ens de könsmogna flyttfåglarna vågade yttra sig. Vårvärmen, tussilagon och gyttjepölarna kom tillbaka, men under Karins lektioner var det fortfarande knäpptyst.

Så försiktigt hon kunde plockade hon upp pennan och lade den på katedern. Ingen reagerade. Hennes elever skötte sig exemplariskt. Sedan Alex försvann hade Karin fått massvis med tid över till att vara pedagogisk. Numera lärde hon Love att hålla pennan rätt och hon räknade på fingrarna tillsammans med Sanna. Hon utarbetade tema-projekt om istiden och anordnade studiebesök på Naturhistoriska museet. Ungarna läste och ljudade så att det susade som vind i vass. Fyra krokus uppslitna ur skolans rabatt slokade i ett glas på katedern.

Tjugosju sju- och åttaåringar instängda i ett illa isolerat klassrum, rena rama vilohemmet. Flickorna satt längst fram med händerna i vädret och gnydde av längtan efter att få svara på frågan, vilken fråga som helst. Det närmaste Karins klass kom något som kunde likna bråk var när de manliga klasskamraterna på sista raden försökte träffa någon av tjejerna med en pappersboll i nacken, vilken nacke som helst. Barnen lärde sig det de skulle i precis den takt som det var meningen. Ett blankpolerat äpple, en krinolin och en fiolspelande bonde var det enda som skilde Karins klassrum från ett skolhus någon mil från *Lilla huset på prärien.*

Karin var så fruktansvärt uttråkad att hon höll på att bli knäpp.

Hon plockade upp pennan igen och snurrade den som en taktpinne mellan fingrarna. Sedan snodde hon ihop håret på huvudet och tryckte in pennan i knuten.

Kanske fanns det ett slut på den här vansinnesframkallande idyllen. I går hade Karin i alla fall anat hoppet om en mer normal lärartillvaro. Sent på eftermiddagen ringde socialsekreterare Lisa Zeiger och berättade att det lagts upp en plan för Alex. Inom de närmaste sex månaderna, antagligen tidigare än så, skulle han flytta hem. Då skulle han också komma tillbaka till hennes klass.

Lisa frågade om Karin kunde tänka sig att ta kontakt med Alex och kontrollera att han inte halkat efter för mycket. Det bästa för honom vore att återvända till en miljö som han kände igen. Karin blev så glad över att bli tillfrågad att hon började skratta.

Karin saknade Alex. Hon var antagligen den enda i klassen som kände så, utan honom var samtalen från andra oroade föräldrar betydligt färre. Men hon ville ändå ha honom hos sig, Alex Andersson, alla hans bråk och problem.

Sakta reste sig Karin upp från katedern för att gå ett varv runt klassrummet, stolen skrapade i golvet. Så fort den här skoldagen var slut skulle hon ringa till familjehemmet och höra om hon kunde komma och hälsa på, kanske redan i morgon. Det skulle göra både henne och hennes elever gott om hon fick något annat att göra än att gå här i skolan och rätta ungarnas skrivböcker lika strängt som om hon tränade kinesiska gymnastiklandslaget.

Hon satte sig ner på huk bredvid Linus. Han hade sitt linjerade anteckningsblock framför sig. De noggrant nedtecknade bokstäverna blev större och större, klättrade från mittenraden där han börjat, till raden ovanför, en halv rad i taget. När han nådde den översta kanten av pappret gick han från att öva på "lilla t" till att smula sönder bänkgrannens kritor.

Karin tog kritorna ifrån honom, svepte bort smulorna från bänken och vände upp ett nytt linjerat blad i blocket. Sedan satte hon en blyertspenna i handen på honom. De första bokstäverna skrev hon med hans hand i sin. Sedan fick han fortsätta själv.

Hon reste sig, lade händerna på ryggen och fortsatte gå långsamt utefter bänkraden. Alla barn satt böjda över sina böcker. Någon snorade, Sanna rev av ett papper från sitt block, knölade ihop det och släppte ner det på golvet.

Karin tittade på pappersbollen. Den rullade en bit och stannade intill hennes vänsterfot. Hon kunde inte sluta glo. Kallsvetten började rinna utmed ryggen. Rummet krympte, väggarna kröp snabbt närmare, golvet gungade.

Socialsekreterare Lisa Zeiger räknade med Karins hjälp.

Alex Andersson, samma lilla sjuåriga pojke som suttit

svårt misshandlad i hennes klassrum så många månader och kastat saker omkring sig medan hon sa åt honom att lugna ner sig, han skulle snart sitta här igen. Försiktigt knöt Karin sina händer, tittade på fingrarna, vecklade ut dem igen. Lederna var stela, blodet tjockt och trögflytande.

Frågan var inte om det var bra för henne att han återvände. Det hon egentligen borde fundera på var om det var bra för honom. Om hon kunde skydda honom nu, trots att hon inte kunnat det tidigare.

I månader förstod hon att Alex behövde hjälp, hon försökte prata med sina kollegor men ingen utom sjuksyster lyssnade. Redan före jul hade hon diskuterat saken med rektorn.

Med ena handen på bänken räknade Karin till tio. Sakta återtog rummets väggar sina vanliga platser. Sanna tittade på henne med en rynka mellan ögonen. Karin klappade henne på handen och gick på någorlunda stadiga ben tillbaka mot katedern.

"Det förstår du väl att vi inte kan begära att socialen tvångsomhändertar vartenda barn som bråkar på skolgården", hade rektorn sagt när hon frågat honom vad de skulle göra.

Karin hade känt sig ensam. Var hon verkligen den enda i hela världen som brydde sig om Alex? Ändå gick det flera månader innan hon faktiskt reagerade. I flera månader avstod hon från att slå larm, övertygade sig själv om att hon inte kunde veta säkert, att hennes magknip och vaknätter berodde på att hon sett för många dramaserier efter klockan tio på kvällen.

Innerst inne visste Karin att det inte var hennes förtjänst att Alex äntligen hade fått hjälp, det var tack vare slumpen och skolans modiga sjuksyster.

Själv var jag för feg, tänkte hon. Alldeles för feg.

Knäna skakade när Karin satte sig vid katedern igen. Hon lade händerna på bordet framför sig för att de inte skulle darra.

Och jag är fortfarande lika ynklig.

Vi brukar leka lekar ihop, Alex och jag. Tävla. Det är kul.

"Jag vågar", säger jag. Då vet han. Han blir glad då, han tycker om när jag leker med honom.

"Jag vågar mera", svarar han.

Vi gör läskiga saker. Klättrar upp på klippan ut mot vattnet, bakom vårt hus. Sätter oss precis vid det brantaste. Alex gör det fast jag ser att han blir rädd, men han gillar att sitta där, hålla mig i handen. Den blir svettig, liksom hal. När jag släpper honom för att torka av mig säger han nej och håller mig i kläderna istället.

Simma på det djupa, gå rakt in i skogen när det är mörkt. Det är som när Ronja hoppar över Djävulsgapet. Fast jag är också med. Jag skyddar honom. Han vill det. För egentligen är han ganska feg.

På tunnelbanan. Vem vågar gå närmast kanten? Jag vågar stå jättenära, med tårna utanför. Vevar lite med armarna på låtsas. Det är inte farligt, jag flyttar mig alltid i tid.

Men det gillar inte han. Han började gråta en gång, drog tillbaka mig fast tåget inte ens var på väg och ville inte släppa mig. Det var pinsamt, folk glodde. Han fick sitta i mitt knä och lugna ner sig. Herregud, vad rädd han var då.

Jag var faktiskt också rädd för tunnelbanan när jag var liten. Ofta, ibland flera gånger i veckan, drömde jag att jag ramlade ner på spåret. Någon knuffade mig, jag såg aldrig vem. Och så låg jag där och skrek och visste att jag skulle dö. Mina ben gick inte att röra i drömmen, jag kunde inte gå, satt mitt på spåret, mellan skenorna. I drömmen trodde jag att jag skulle stekas till döds. Som en kyckling, styckad och grillad, begravd i delar. Men jag vaknade alltid precis innan tåget träffade mig, någon millimeter innan.

Alex tycker inte om när vi leker "jag vågar" i tunnelbanan. Kanske har han ärvt mina drömmar. Kan man ärva sånt? Eller är alla barn lika fega?

När vi träffas nästa gång ska jag berätta för honom att han ska sluta bry sig. Man måste lära sig. Så är det bara.

11

"SKRIVER NI PÅ närvarolistan?"

Socialsekreterare Lisa Zeiger föste ett vitt papper över bordsskivan till Sophia Weber som satt bredvid henne. Sophia skrev under och skjutsade pappret vidare.

Det var samråd på Barnahus Norrort ute i Sollentuna, det andra samrådsmötet sedan ärendet inleddes. Polisen hade först genomfört ett förhör med Alex. Det kallades förhör, trots att Alex inte sagt någonting. En psykolog hade också försökt samtala med honom i ett av lekrummen. De ville få honom att känna sig tillräckligt trygg för att prata. Men det var hopplöst. Alex Andersson sa inte ett ord och ritade inte en enda psykologiskt analyserbar teckning. Inget porträtt av en pojke som blir slagen av sin pappa och tårar som rinner nerför pojkens kinder, inga våldsamma blixtar och mörka moln. Däremot lyckades han slita sönder ett mjukisdjur och det gjordes en anteckning om att barnet visade våldstendenser.

Det var bestämt sedan tidigare att de efter förhöret skulle passa på att genomföra ett snabbt samråd för att uppdatera varandra om vad som hände i de respektive utredningarna. Under tiden satt Alex med en praktikant från Socialhögskolan och drack saft i köket. Åklagaren hade sprungit därifrån för att hinna till ett annat möte.

"Vi fick en första kontakt med pappan i går."

Polisens utredare, kriminalinspektör Adam Sahla, tittade ut över bordet. Han satt med benen brett isär, på en bakvänd stol med ena armen över ryggstödet. Dessutom hade han dragit ut stolen långt från bordet som om han var på språng, redan på väg därifrån.

"Han har bott hos en kompis. Verkade någorlunda nykter. Det var han själv som ringde in."

"Har det gett något då?" Sophia ritade förstrött i blocket som hon lagt framför sig.

"Tja." Adam Sahla suckade och kavlade upp ärmarna på skjortan. "Jag vet inte vad jag ska säga. Vi satte upp en tid för ett förhör. Han kom inte. Vi har satt upp en ny tid. Kommer han inte då får vi väl åka och hämta upp karln."

Han lutade sig framåt, vägde på stolen, nu med båda händerna på ryggstödet.

"Har han sagt något på telefon då?" Sophia började skissa på en gris med tryne.

"Jo, det är klart. Sådana som han snackar alltid. Det är sällan problemet."

"Vaddå? Vad har han sagt?"

"Det gamla vanliga. Hans fru är galen, vill hämnas för något, oklart exakt vad, hon är mytoman, sjuk, mest i huvudet, super för mycket, är arg på honom, också oklart varför, men hon hittar alltid på en massa saker, vill vända ungen emot honom, hon är inte klok, bla-bla-bla. Det vanliga tugget. Jag kan typen."

Alla nickade. Sophia fortsatte rita. Grisen fick en batong inkilad i den ena klöven och ett revolverbälte runt magen.

My name is Bond, tänkte hon. Adam Bond.

"Vad ska ni göra då?" Sophia tittade på barnpsykologen Anneli Lind som satt mitt framför henne och rörde i en vit plastkopp. "Har ni någon plan?"

Efter att ha sneglat på Lisa Zeiger som verkade ha bestämt sig för att just nu var ett bra tillfälle att städa handväskan, lade Anneli varsamt ner skeden på bordet. Anneli Lind hade mörka ögon och blankt hår i en tjock fläta som hängde snett över ena axeln.

"Vi har satt upp två uppföljande samtal och vi ska prata med mamman om hur hon kan öva aggressionskontroll med honom."

"Räcker det?"

"Det får nog lov att göra det. Vi har inte pengar till allt vi skulle vilja göra. På BUP har vi artontusen patienter och hundratjugotusen besök per år ska du veta. Våra sexton mottagningar tar emot var tjugonde unge i Stockholm. Hörde du det? En unge på tjugo kommer till oss. Vet du hur många vi är som ska ta hand om alla dem? Alla dessa barn och tonåringar som skär sig, svälter sig och försöker ta livet av sig?" Barnpsykologen skjutsade bak flätan på ryggen med en vispning. "Ärligt talat… om du vill att jag ska tala klarspråk?"

Sophia nickade med blicken ner i anteckningsblocket.

"Alex verkar inte ha den typen av problem som motiverar att han ska prioriteras av oss. Vad vill du att vi ska göra? Skicka familjen till Dr Phil? På samlevnadsläger i Dalarna? Bara vara? Vi har inga sådana resurser. Förhoppningsvis blir det bättre när han kommer tillbaka hem. När ni får lite ordning på problemen runt omkring."

Psykologen började röra i sin kopp igen. Engångsskeden

gnisslade, hon slickade av plasten och grimaserade lätt innan hon fortsatte.

"Men det bästa hade varit om han fått en diagnos, det borde ha ställts en diagnos för flera år sedan. Hans temperament kan knappast vara något nytt, enligt mamman har han varit aggressiv och utagerande så länge hon kan minnas. Det är alltid lika obegripligt att de här ungarna kan ta sig genom BVC och dagis utan att någon reagerar. Någon borde kolla om han har en av bokstavskombinationerna. Sådant kan faktiskt medicineras med goda resultat." Med en suck ställde hon ner koppen och skrev något i anteckningsboken hon hade framför sig. "Jag ska kanske... Vi ska se vad vi kan göra åt den saken."

"Det har inte gjorts ännu?"

Barnahusets samordnare Kattis såg förvånad ut. Lisa rengjorde korken till ett cerat med en tunn pappersservett. Ingen svarade.

"Vi vet alltså inte om ungen måste behandlas?" Det var fortfarande tyst. "Om han behöver medicinsk hjälp?"

Sophia tittade ut genom fönstret. Det stod på glänt och utifrån hördes en ambulans arbeta sig igenom rusningstrafiken.

En unge misshandlas och vi diskuterar hur störd ungen är. Och att det inte finns tillräckligt med resurser för att få honom frisk. Alex ska lära sig aggressionskontroll och testas för adhd. Men han är för frisk för vårdprioritering. Den kriminella pappan, som vi tror har misshandlat Alex, honom bokar vi snällt och artigt tid för samtal med och när han inte dyker upp sätter vi lika snällt och lika artigt upp en ny tid för ett nytt möte. Så här kommer vi att hålla på tills ungen blir straffmyndig och inlåst på lämplig anstalt.

Sophia lade ifrån sig anteckningsblocket. Hon orkade inte ställa fler frågor. Hon orkade inte lyssna på ännu en föreläsning om någon annans outhärdliga arbetsvillkor.

Vilket meningslöst möte det här var, varför hade hon egentligen bett att få vara med? Hon avskydde möten.

"Det var det fånigaste jag har hört på länge", sa Adam Sahla och skrattade kort. "Ungen har blivit misshandlad, högst sannolikt i hela sitt liv. Man behöver väl knappast vara psykolog för att räkna ut att om det är någon som ska ha medicin i den där familjen, så är det inte Alex Andersson."

Kriminalinspektören satte en penna bakom örat, särade ytterligare på benen. Sophia tittade förvånat på honom. Han nickade mot hennes block.

"Snygg teckning. Ganska likt."

Med blossande kinder lade Sophia handen över pappret hon hade framför sig. Sedan knöt hon handen, slet av pappret och rev noggrant sönder sin gristeckning, bitarna föste hon ihop i en prydlig liten pyramid.

Meningslöst, det här mötet var verkligen meningslöst.

"Sophia?" Kriminalinspektör Adam Sahla kom ut i tamburen och lade handen på Sophia Webers axel. "Har du några minuter? Jag tänkte att jag skulle passa på att ge dig en mer informell uppdatering av förundersökningen om du vill. Och föreslå en sak."

"Gärna." Sophia strök luggen ur pannan och drog tillbaka axlarna. Vaddå föreslå? Ska han bjuda ut mig nu? Jag har inte tid, jag måste vara i rätten om mindre än en timme. "Visst. Ska vi gå… eller nej, det kanske är bäst att vi stannar här?"

"Jo. Alltså, vi kan ta det här. Jag tänkte egentligen bara ge dig några papper som jag tycker att du borde läsa. Inte för att de ger några svar, men jag tycker du ska ha dem. Det känns som om du ligger lite efter oss. Om du ursäktar. Jag menar inget illa. På det stora hela sköter du dig säkert bra. Men... har du några frågor kan vi kanske gå till sammanträdesrummet. Det är ledigt, jag frågade."

"Okej." Jaha, han ska inte bjuda ut mig. Hon tvingade upp mungiporna i något som skulle föreställa ett artigt leende. Vaddå, efter? Jag ligger inte efter, hur skulle jag kunna göra det? Jag har lagt ner ungefär tre gånger så mycket mer tid på Alex Andersson än jag har tagit betalt för. Blev herr poliskonstapeln sur? Så här sur för en fånig liten teckning?

"Jag har nog egentligen... tyvärr... inte tid, men om du känner att jag inte förstår vad jag håller på med är det kanske bäst att vi går till det där sammanträdesrummet ändå."

Sophia kände hur läpparna smalnade och hon sänkte rösten. Hon sänkte alltid rösten när hon kände att hon höll på att bli arg. En advokat fick inte tappa kontrollen. Mycket få män hade tillräckligt med pondus för att kunna höja rösten utan att verka fåniga. För en kvinna var det ännu värre. Gapande fruntimmer var omöjliga att ta på allvar.

"Det låter som om det möjligen är du som har en och annan fråga? Till mig."

Adam rätade på ryggen.

"Nej, nej." Han skakade långsamt på huvudet. "Du måste ha missförstått. Jag ville ge dig mer bakgrundsmaterial, jag menade inte att vara oartig."

Det gjorde du visst det, tänkte Sophia. Det gjorde du

visst, men strunt samma. Säg vad du ville säga.

"Som du vet tillhör inte Alex Andersson kategorin prat-samma barn."

"Mm... nej."

"Han vill inte säga ett ljud. Och då blir knappast vårt arbete lättare."

"Jag vet det. Som du kanske vet är det mitt arbete att sitta med vid samtliga förhör med min klient, så jag har knappast missat den detaljen i Alex Anderssons personlighet. Men jag har svårt att förstå vad du vill att jag ska göra åt det."

"Som sagt. Du missförstod nog mig. Jag är minst lika angelägen som du om att ta reda på vad som har hänt. Eller, ja... mer angelägen antagligen. Men jag hade fått för mig att du skulle kunna hjälpa till med det. Jag har väl fått det om bakfoten."

"Det har du ingalunda fått om bakfoten. Jag hjälper gärna till." Nu pratade hon så lågt att han var tvungen att kliva lite närmare för att höra vad hon sa. "Om det gagnar min klient vill säga. Du har säkert förstått att min uppgift i första hand inte är att arbeta åt polisen utan att skydda min klients intressen."

Adam höjde händerna och backade. Hans telefon ringde och med den i handen tittade han på Sophia. Hans mörkbruna ögon flackade till och han fick en rynka mellan ögonbrynen.

"Glöm vad jag sa. Jag måste ta det här. Men ring mig för all del om du har några frågor." Han klickade fram sam-talet. "Vänta två sekunder." Med telefonen mot bröstbenet vände han sig mot Sophia igen. "Alltså, jag fick för mig att du kanske skulle få ungen att börja snacka om du visste mer om hans mamma. Men glöm det. Kan inte psykologerna så kan väl inte du. Det var dumt att mig att tro att du skulle…"

Han plockade upp telefonen igen och nickade mot Sophia, vände sig om och började gå, mumlande in i sin telefon. Sophia hörde hans steg försvinna bort.

Så du är en sådan där, tänkte hon. En som vill rädda världen, som tror att du kan hjälpa bara du förstår, hobbypsykolog och humanist, kroppsbyggare och idealist i en och samma trånga civila uniform. Tänk att jag skulle få träffa en sådan tjusig figur så här mitt i veckan.

Hon tittade på Adams ryggtavla. Han hade stannat längre ner i korridoren, vevade ilsket med ena armen medan han pratade i mobilen.

Du ville att jag skulle lära känna Alex Anderssons mamma bättre för att kunna prata med Alex. Du trodde väl att jag var en kvinna i mina moderligaste år. Men nu när du har pratat en stund med mig så tycker du att det var en dålig idé.

Sophia rättade till kavajslagen. Kinderna hettade fortfarande.

Är det något jag faktiskt inte behöver lära mig mer om här i livet så är det alkoholiserade mödrar som inte tycker att någonting är deras fel. Varför skulle jag behöva veta varför det är så synd om henne? Jag vill hjälpa Alex, men jag har svårt att tro att det är där lösningen finns. Hade jag pengar till det, fanns det pengar till sådant, skulle jag försöka hitta en barnpsykolog som verkar gilla barn istället för en människa som håller föredrag om BUP:s statistik. Det skulle jag göra. En bra psykolog kanske skulle kunna få Alex att börja berätta.

Alltid är det någon som tycker att jag borde jobba mer för att de ska slippa. Varför skulle jag vilja veta mer om Alex eländiga mamma? Som om jag kommer att få Alex att prata bara för att jag börjar tycka synd om Linda Medner Andersson. Jag är advokat, jag får inte betalt för att tycka synd om folk. Jag brukar få betalt för precis det motsatta. Vem tror han att han är, egentligen, den där kriminalinspektören Adam Sahla?

Sophia ångrade sig redan när hon öppnade dörren. Alex stod och tittade in i en bokhylla. När han hörde klickandet från handtaget vände han på huvudet. Psykologen satt och stickade i soffan vid den ena långsidan. Alex var tvungen att vänta på att Lisa Zeiger blev färdig med ett annat barn i salen bredvid innan han kunde få åka tillbaka till familjehemmet.

Hon borde ha gått på en gång, men hade velat säga hej då till Alex. Kanske prata en stund, visa för sig själv att hon kunde. Att polisen hade fel.

Men Alex tittade på henne som han alltid gjorde, med den tomma blicken.

Sophia satte sig ändå. Hon var för generad för att bara vända och gå utan att först göra något.

Hon lyssnade på ljudet från psykologens stickor. Alex lade sig ner med kinden mot en randig trasmatta. Han körde en leksaksbil fram och tillbaka. Den hade blinkande ljus på taket och surrade lågt när hjulen kördes baklänges.

Sophia reste sig igen.

"Hej då."

Alex svarade inte.

Det var dags att skynda sig till tingsrätten. Hon var sen.

"Vi hörs."

Psykologen tittade upp från sitt handarbete och nickade, hon hade en svag rynka i pannan och räknade maskor tyst för sig själv. Leksaksbilen surrade vidare.

Jag undrar vad det var för material om Linda Medner Andersson som polisen tyckte att jag borde läsa, tänkte Sophia. Jag måste ringa till kriminalinspektör Adam Sahla och be att han skickar över det. Naturligtvis ska jag titta på allt material polisen vill dela med sig av. Det är mitt jobb.

Dörren gick igen och Sophia sprang nerför trapporna.

Jag ringer honom lite senare, när den här förhandlingen är överstökad.

Hon drog upp telefonen ur fickan och tryckte på telefonnumret till taxi.

Jag ringer honom så fort jag kan. Så fort jag får lite tid över ska jag ta reda på allt ointressant som finns att veta om ännu en hopplös kvinna, medan alla andra ägnar sig åt att hitta en anledning att få medicinera min klient.

Alex har alltid varit konstig. Soc beter sig som om det är nya problem, men det är inte sant. På dagis till exempel, då bet han de andra ungarna, en unge bet han så hårt att hon fick ett skittydligt märke rakt över kinden. Varenda tand syntes nästan. Föräldrarna blev som galna. Man skulle kunna tro att de fått för sig att han hade rabies och bestämt sig för att döda deras fula dotter. Som om han hade något emot just precis henne.

Han bara bets. Så var det. Det har gått över nu, men han gjorde det rätt länge, i över ett år tror jag. Och så slogs han med alla, fröknarna också, och rev sönder grejor. Klippte vad som helst om han fick tag i en sax, högg, bankade, sågade, karvade. Sådant gör han fortfarande.

Dagisfröknarna bara klagade och klagade, jämt var det något nytt. Varenda morgon stod jag i den där bastuvarma dagistamburen bland alla torkskåp, svettades och nickade. Jag skulle lyssna på allt jag hade hört arton gånger förut och sedan skulle jag gå hem och få honom att bli en annan unge, någon lugn som tyckte om att rita utan att ha sönder alla kritorna. Som målade på papper och inte på möblerna. Och som ville vara inne när det var fruktstund, vila när det var vila och vara ute när det var utelek och alla fröknarna skulle ta rast, allesammans utom två som vaktade och inte hade tid att hålla koll på Alex hela tiden.

94

De klagade på att jag hämtade så sent. Barn ska inte behöva ha så långa dagar, sa de, barn ska inte behöva ha tio timmars arbetsdag.

Vilket jävla skitsnack.

Först och främst, varför har de öppet till sex om inte ungarna får vara där till sex? Tror de inte att jag fattar att de vill att man ska hämta tidigt för att de ska få lugn och ro och slippa göra det de får betalt för? Och det här fåneriet om att barn inte ska ha tio timmars arbetsdag. Som om det var barnarbete att sitta på dagis och lägga pärlplattor och äta skalat äpple. Jo, tjena. Det är så hysteriskt fånigt att hälften vore nog. Lata är de och så vill de inte ta hand om ungarna.

Men jag sket i dem. Jag kom minsann inte och hämtade tidigt bara för att det passade dem. Aldrig i livet.

Jag trodde det skulle bli bättre när han började skolan, men det blev det inte. Det är lika mycket gnäll där.

Jag fattar faktiskt inte varför det nödvändigtvis måste vara mitt fel att han inte gör det de tycker att han ska göra. Och hur är det meningen att jag ska se till att han inte gör de där grejorna när han är i skolan? Vill de att jag ska stanna där hela dagen eller? Jag fattar inte. Det är väl meningen att de ska ta hand om honom när han är där, inte jag. De ska väl vara ansvariga? Är det inte det som de får betalt för eller har jag missuppfattat hela systemet?

Så här tycker jag: på dagarna tar ni hand om honom och jag skiter i vad ni gör, men det är faktiskt ert jobb så kom inte och klaga hos mig efteråt. På kvällarna hämtar jag honom och då är det jag som tar över.

12

MAJSOLEN VÄRMDE FÖRSIKTIGT. Karin Lidstrand parkerade på grusplanen utanför en röd enplansvilla och drämde igen bildörren alldeles för hårt. Hon var nervös.

Nu var hon äntligen här. Varje kväll i snart två månader, precis innan hon skulle somna, hade hon sett Alex söndergråtna ansikte framför sig. Det söndergråtna ansikte han hade haft när de hämtat upp honom och skjutsat honom till sjukhuset för att röntga honom. Hatet i hans ögon när hon och socialsekreteraren hade lämnat honom hos jourfamiljen och han förstått att han inte fick komma hem. Nu skulle de träffas igen.

"Det är ett av Stockholms bästa boenden", hade Lisa Zeiger sagt när hon berättat om familjehemmet. "Möjligen har de lite för många ungar, Alex behöver en del uppmärksamhet och borde helst bo i en familj där han får vara ensam med två vuxna, men vi har inga sådana familjer lediga och Lena och Per som sköter det här stället är de bästa människor man kan tänka sig."

Karin hade inte kunnat låta bli att tänka på allt hon läst om fosterfamiljer som försörjde sig på att ta hand om så många barn som möjligt. Det gick att tjäna mycket pengar på utsatta barn.

"Välkommen!" En man i jeans och långärmad blå t-shirt kom ut ur boningshuset och gick snabbt emot Karin med utsträckt hand. "Det är jag som är Per."

Karin andades ut.

"Tack."

"Var det svårt att hitta hit?"

"Nej, nej… inte alls, beskrivningen var så klar och tydlig."

"Hur känner du dig? Nervös, förstår jag."

"Jo." Karin blev lite förvånad. "Syns det?"

"Ja. Dessutom är det väl ganska normalt. Alex betyder en hel del för dig, kan jag tro."

"Mm…" Karin kände hur magmusklerna slappnade av en smula.

"Vill du ha kaffe först, eller vill du att vi ska gå ut till Alex på en gång?"

"Jag säger gärna hej till Alex först." Karin trodde inte att hon skulle få i sig något kaffe om hon inte fick veta hur han såg ut, att han levde, att hans brännmärken läkt. "Om du inte har något emot det."

Dörren in till stallet var säkert två meter bred, av trä med en tvärslå av bankat stål. Per fick ta i för att få upp den och ställde den på vid gavel med hjälp av en hästsko som låg på golvet strax innanför.

Stengolvet såg nysopat ut. Varje box var bäddad med mörk, fyllig torv. En kille i fjortonårsåldern med rakad skalle och ett illrött ärr i pannan tittade upp från ett av båsen.

"Tjena."

"Har du haft tid att ringa? Det här är Karin förresten, en

kompis till Alex."

"Tja!" Han drog upp hakan i en rörelse riktad åt Karins håll. "Ja. Jag har lämnat meddelande. Ingen där."

"Nähä, du… försök igen är du snäll. Vet du var Alex är?"

"Hos Felix som vanligt skulle jag tro." Killen log. "Äkta bögkärlek. Det är fint det."

"Vem är Felix?" Karins mage fladdrade till av nervositet.

Om det ändå bara är någon i hans egen ålder, hann hon tänka, någon snäll. Det kunde knappast vara bra att en sårbar kille som Alex umgicks med kriminella tonåringar.

"Det ska du snart få se", sa Per med ett leende och öppnade dörren till en box fyra meter längre bort. "Oj, då", viskade han. "Vi får kanske ta det där kaffet först ändå."

Karin tittade in i boxen. Och där låg han. Hopkrupen på en frasig höbal som doftade så starkt att Karin ville nysa.

Han måste vara nyklippt, tänkte hon, och nybadad.

Alex sov. Handen var knuten och munnen halvöppen. Hans ena gymnastiksko hade glidit av foten och ner på golvet. Bredvid honom stod en rostbrun häst och hängde stilla med huvudet. Han höll mulen strax bredvid Alex kind. Hästen vände sig sakta om och tittade på henne.

"Får jag lov att presentera Felix, Alex nya bästis." Per viskade vidare. "Också något av ett problembarn. Ja, från början alltså. Men Felix är bara en gammal snäll gubbe numera, eller hur, killen?"

Per klappade Felix på den glatta bakdelen med öppen handflata. Felix spärrade upp näsborrarna och gav ifrån sig en ljudlig suck. Det lät som om hästen fnös.

Då vaknade Alex. Han sträckte på sig och såg Karin rakt i ögonen.

Hon hann knappt reagera, så snabbt gick det för Alex att svänga benen ner på golvet och springa de två steg han behövde avverka. Två steg för att kunna kasta sig om halsen på henne. Med Alex armar låsta om nacken lyfte hon upp de smala pojkbenen och lade dem på var sida om sina höfter.

Alex Andersson stannade där en stund, tätt intill Karins bultande hjärta, innan han krånglade sig ur hennes grepp, satte på sig skon han tappat och tog henne i handen för att visa henne runt. Stolt presenterade han sex hästar som stod inne i sina bås. Sedan viftade han iväg henne och Per. Han skulle komma efter. Först skulle han bara rykta, kratsa hovar och göra en rad andra sysslor som Karin bara hade en otydlig bild av vad de egentligen innebar.

"Finns sådant här på riktigt?" undrade Karin när de gick därifrån. "Jag trodde det var en myt, det där med att man ska ta ungarna till landet och låta dem umgås med djuren och naturen. Och ge dem en trygg fadersgestalt." Hon tittade på Per och log.

Per lutade sig mot staketet och skrapade med stövelklacken mot en sten som låg på marken.

"Nä, det finns nog inte på riktigt. Eller så finns det visst. Jag vet inte. Ibland tror jag…"

Per blev tyst en stund, Karin väntade på att han skulle fortsätta.

"Jag och Lena har hållit på med det här i tolv år och det är ont om lyckliga historier. Det är mest en massa jävligheter och ungar som hatar oss, sticker härifrån för att rymma till Plattan och tunnelbanan och det senaste horstråket. Och vi springer efter. Viker upp mögliga filtar för att se om det är någon av våra som ligger där under, kör med avslagna framljus och blir tagna för ett experimenterande förortspar som vill köpa gruppsex utav en tonåring från Baltikum som är så mager att hon ser ut att vara tio år gammal… allt för att hitta våra barn och få hem dem. Så att de kan sticka dagen därpå igen. Men Alex är en fin kille. Han…" Per harklade sig. "Han är ung. Liten på alla vis. Har inte börjat med droger ännu, tror jag. Vem vet, det kanske inte går åt helvete."

Karin svalde.

"Kan han inte bli lockad att börja med något här? Jag menar, jag antar att det är en del av de andra ungarna som håller på med sådant. Med droger."

"Mina ungar kissar i kopp varje morgon. De flesta i alla fall, inte Alex. Men de andra. Annars åker de ut. För de flesta med drogproblem finns det beslut på att de är tvungna att göra det. Och jag har beslut på att jag får hålla koll på att de inte super och sådant. Det täcker det mesta. Jag har ett kontrakt som de får skriva på, ja i alla fall de som är här för eget beteende som det kallas, knarkarna och småtjuvarna alltså. De måste lova. Inga slagsmål, inga droger. Jag och Lena har också skrivit under varsitt exemplar av det där kontraktet. Det sitter på väggen i köket. Vi dricker inte, vi knarkar inte och vi slåss inte. Vi bara gnäller och tjatar. Fast det står ingenting i kontraktet om tjatandet, det blir en trevlig överraskning. De flesta ställer upp på det och de som inte gör det, tja, visserligen kastar jag sällan ut dem, hur skulle jag egentligen kunna göra det? Men de ungarna brukar ändå aldrig bli långvariga. Vad gäller Alex tror jag faktiskt att han har betydligt mindre droger omkring sig nu än när han bodde hemma. Eller, ja, jag vet att han har mindre skit omkring sig nu. Helt klart. Det är egentligen underligt att han inte experimenterat mer med föräldrarnas grejor. Ungarna brukar göra det. Men Alex... jag tror inte att han har gjort det ännu, jag brukar se det på dem. Det kanske låter lite hokus pokus men det är något som försvinner ur ögonen på dem när de börjar knarka. Men antagligen, om inte föräldrarna hans skärper sig, dröjer det inte länge. De är sällan äldre än åtta, kanske nio år när de börjar, ungarna som växer upp som Alex."

Karin nickade, det var det enda hon kunde göra. Halsen värkte. Per fortsatte prata.

"Men han har inte... tappat det där, gudskelov. Får du chansen att se honom i ögonen ser du rakt in i själen på en livrädd liten sak. Och arg. Ja, han är fortfarande arg. Mig hatar han inte riktigt lika mycket av någon anledning, men Lena har det tuffare. Han hatar verkligen Lena. Det är i och för sig ganska vanligt att de här killarna saknar pappa mest, men ändå. Papporna försvinner, morsorna stannar. Och hans morsa är här och hälsar på en del. Även om jag nog tycker att han bara blir ännu argare av det."

"Tycker du att han har förändrats något sedan han kom?"

"Jo... det kanske han... Ja, maten förstås."

Karin tittade frågande på Per.

"Vad menar du?"

"När han kom gjorde han nästan inget annat än att äta. Han åt allt vi serverade, portion efter portion. Och när vi lagade mat, ja han gick knappt att få ur köket och så stal han mat och lade under madrassen i sitt rum. Jag hittade en falukorv där en gång."

Per skrattade. Karin svalde.

"Det är ganska vanligt. Ungar som svälter under föräldrarnas tyngre perioder, de lär sig att äta när det finns mat. Han är långt ifrån den första ungen som vi haft som har hållit på så där. Ibland får vi ha lås på kylskåp och skafferi. Inte för att de inte får äta när de vill, men de lämnar maten i sina rum och jag har ingen lust att få råttor i huset. Men det brukar bli bättre efter ett par veckor och det blev det med honom också. Sover bättre gör han också nu. Det är ett bra tecken. I början var han vaken varenda gång vi tittade till honom. Oavsett om klockan var tre på natten eller sju på morgonen så låg han där och glodde som en slagen byracka. Han sov aldrig. Nu får vi väcka honom för att han ska hinna till skolan."

"Hur går det för honom? I skolan alltså."

"Så där. Han hamnar i slagsmål en del. Fast det känner du väl till. Men han går på alla lektioner påstår hans fröken och förra veckan råkade jag komma in i hans rum när han låg och ljudade under täcket. Han vill inte erkänna att han gör läxorna och han vägrar göra dem med mig, men han gör nog faktiskt sina läxor. Och han gillar Felix, som sagt. Jag tror att han pratar en del med honom."

Karin kände hur tårarna steg i ögonen. Alex pratade med en kompis och han gjorde läxor. Hennes Alex låg under sitt täcke och ljudade och lärde sig stava.

"Så visst blir det bättre. Fast jag måste säga att jag gillar inte riktigt den här idén med att han ska börja få komma hem. Jag tycker att det är för tidigt."

"Men hon har visst kastat ut sin man. Och börjat på något missbrukarprogram."

"Jo, jo. Det brukar låta så. Det enda jag vet är att han är helt slut efter att hon har varit här. Hon är en… hon är inte bra för honom. Jag kan typen. Hon äter folk. Suger ut själen ur dem. Sina barn allra först och allra grundligast. Hon vet vad hon ska säga, vad hon ska göra för att få folk ombord. Det är klart att hon går på avvänjning. Snygg och charmig. Oemotståndlig och dödlig. Hon är en av de där som passar tider. Det är de farligaste."

"Men det är ju hans mamma."

"Mm. Hon påstår det. Själv tycker jag nog… jag tror att hon vill ha honom hos sig för att han älskar henne så där gränslöst som ungar gör. Hon verkar inte kunna älska någon, men hon kanske får ut något av att omge sig med folk som älskar henne. Om du förstår vad jag menar."

Per skakade på huvudet. Han boxade Karin löst på axeln med en knuten näve, släppte staketet och började gå.

"Nä du. Vad vet jag egentligen? Vem är jag att stå här och hobbyanalysera henne, gud så deprimerande. Nu skiter vi i den där morsan. Vi dricker kaffe med dopp istället. Så vi har lite energi över när Alex har mockat klart och börjar slåss igen. Stunderna när han är på gott humör brukar inte vara så länge. Kaffe ska vi ha. Vi är ändå på landet och det är sådant vi gör här. Räddar andras barn, bakar kakor och fikar. Luktar illa, går i gummistövlar året om och köper alla våra kläder på bensinmacken nere vid stora vägen. Men kaffe kan vi koka. Och det är skitstökigt i köket, bara så att du vet."

13

DET VAR EN av de genomskinliga junikvällar när ingenting kunde gå fel, när jobbet bara var ett jobb och livet handlade om något annat. Sophia gick direkt från kontoret för att äta tidig middag med Peter, Anna och hennes man Christopher.

Tidigare samma dag hade Sophia pratat med Lisa, fått en kortare uppdatering av ärendet. Alex Andersson verkade trivas allt bättre i sitt familjehem. Det gick enligt plan, pojkens mamma gjorde det hon skulle, pappan höll sig borta från familjen. Alex hade fortfarande inte fått någon tid för psykiatrisk undersökning, men det fanns planer på att få det gjort innan sommaren var över, eller åtminstone till hösten.

Sophia tänkte fira. Det var länge sedan hon haft tid att umgås med sin pojkvän, ännu längre sedan hon träffat Anna. Hon kunde kanske fira att hon fortfarande hade dem kvar.

Utefter Strandvägen var uteserveringarna fulla med folk, besticken skramlade. I Kungsträdgården hölls kulinarisk folkfest, en tunnhårig proggrockare med hästsvans i nacken och silverring på tummen spelade på stora scenen. Hemvandrande affärsmän lossade på skjortkragar och hårt knutna slipsar. Kvällssolen värmde inte mycket, ändå gick de nyutsläppta studenterna barbenta och vitklädda genom staden. De sjöng, högt och falskt, med unga röster.

Uppe vid slottet såg Sophia hur en familj tyska turister försökte få en treåring att titta in i kameran. Det var egentligen onödigt eftersom den unge man iförd bakvänd studentmössa som erbjudit sig att fotografera, ändå bara tänkte föreviga deras fötter. Hans flickvän stod bredvid, hon hade lagt handen för munnen och skrattade mot sina nymålade naglar.

Sophia log för sig själv hela vägen ner till Blasieholmen. Någon hade spytt strax utanför Bar Chapman, en flock fiskmåsar kalasade på lämningarna och vimplarna i stagen på det gamla seglarfartyget smattrade i vinden.

Sophia och hennes vänner hade tänkt gå på restaurangen som låg på den sydligaste delen av Blasieholmen, vid Skeppsholmsbron. Där det var "inget röj, men riktigt bra häng". Inne i lokalen var det däremot svårt att hänga. Det fanns nämligen inte någon bardisk att luta sig mot.

Tanken var att krogen skulle vara hemtrevlig, varje gäst skulle känna sig som om han eller hon inte alls var på restaurang utan hembjuden till en god vän. Men ingen tog emot dem vid dörren och garderoben var en tom vrå med galgar som dinglade obevakade från en klädstång i blank krom.

Allteftersom tiden gick utan att någon kom för att hälsa dem välkomna började Sophia misstänka att den imaginära vännen inte var överdrivet glad över att ha just dem på besök.

Det tog hovmästaren inte mindre än tjugofem mysiga

minuter att dyka upp och berätta att bordet som de hade beställt en vecka tidigare skulle bli "lite försenat". Då höjde Christopher artigt rösten över *Shelter from the Storm* som spelades så högt att högtalarna knastrade. Han undrade om de inte kunde få sätta sig ner och vänta i en av fåtöljerna som var markerade med "reserverat" lite längre in i lokalen.

"Slappna av", svarade hovmästaren medan han skakade bestämt på huvudet. De skulle bli tvungna att vänta stående. "Det är fredag, njut av att veckan är slut."

De gick. I trapphuset skrattade de lättat och kände sig modiga. Kvällen var fortfarande fylld av det där genomskinliga ljuset.

På Grand strax bredvid, fanns en stramt klädd hovmästare som verkligen inte verkade vilja vara deras polare. Han hade däremot plats vid ett bord bara för dem.

Annas man beställde in en flaska iskall årgångschampagne. "Jag bjuder", sa han. "Det är vi värda."

Peter tackade nej och bad om en Perrier utan is, med citron. Och med det var den gemytliga kvällen över.

Till förrätten berättade Peter om skillnaden mellan en vit bordeaux och en vit bourgogne. Till varmrätten talade han en stund om hur kött skulle stekas och hur entrecôte egentligen borde uttalas. Nu var de snart klara med desserten. Peter och Christopher grälade om vilken av Rolling Stones skivor som hade kommit först, *Exile on Main Street* eller *It's Only Rock and Roll*. Sällskapet var inne på den tredje flaskan rött vin och Peter hade inte druckit någonting.

"Funderar du fortfarande på att skaffa hund?" Anna vände sig mot Sophia för att försöka byta samtalsämne.

"Jo… kanske." Sophia tittade ner i bordet. "Men jag jobbar så mycket. Jag har inte tid för någon hund. Det vore inte rättvist mot hunden att lämna den ensam på dagarna."

"Fast det beror på rasen om det är en sällskapshund eller inte." Peter torkade sig om munnen och sköt ifrån sig tallriken. "Jakthundar vill jaga och vakthundar blir nöjda bara de har ett hem att vakta. De behöver inte sällskap, det är bara fånigt att tro."

"Vill du ha hund nu plötsligt?" Sophia tittade irriterat på Peter.

"Det har väl inte med saken att göra. Jag säger bara att det knappast är alla hundar som mår dåligt av att vara ensamma. Sällskapshundar gör det, vakthundar gör det inte."

"Men du har fel." Sophia snurrade på sitt glas. "Alla hundar mår dåligt av att vara ensamma. De vill vara med andra hundar eller med sin husse och matte. Precis som alla människor är flockdjur."

"Utom du förstås." Peters ögon smalnade. "Du är minsann inget flockdjur. Du vill helst av allt vara ensam hela tiden. Möjligen ha någon i bakgrunden som i all tysthet lagar mat åt dig och bäddar din säng. Vad är du då? Inte människa?"

"Tänk." Anna smuttade på sitt vin. Hon halvlåg i sin fåtölj. "Inte hade jag trott att du skulle vara hundexpert också. Inte en enda hund har du ägt i hela ditt liv och ändå vet du precis allt. Imponerande."

"Tack." Peter log obekymrat mot Anna. "Man har väl plockat upp ett och annat."

En telefon ringde. Peter ställde sig upp, mumlade osammanhängande och lågt i luren.

"Han är hemlig agent", sa Sophia och tog ytterligare en klunk vin. "Ni får inte säga det till någon, men jag bor ihop med Carl Hamilton."

Anna började skratta okontrollerat och de böjde sig mot varandra och fnissade med nedböjda huvuden. Annas mascara hade runnit och hon hade gnidit ut den mörkbruna kajalen mot ena tinningen.

Peter kopplade bort samtalet och bockade kort åt Annas man. Han kysste Anna på kinden och vände sig om. Hon skrattade fortfarande. Sophia sjönk djupare ner i fåtöljen.

"Han har jour", mumlade hon och riktade glaset mot Peters rygg som försvann bort mot garderoben. "Och blev just väldigt arg på mig som ni kanske märkte."

Anna höjde på ögonbrynen.

"Se inte ut så där. Han blir bara nervös av att träffa er. Mindervärdeskomplex."

"Mindervärdeskomplex, det var det löjligaste jag har hört. Kan han inte bara stanna hemma då och titta på *På spåret* eller skälla på facit i *Trivial Pursuit* så att jag kan få prata med dig i lugn och ro?"

"Så farligt var det faktiskt inte."

Sophia drog till sig vattenglaset som stod på bordet.

"Men för det behöver han väl inte behandla dig som om du var mindre vetande. Eller får han mindervärdeskomplex av dig också?"

"Det är inget fel på honom. Han blir så där ibland, men inte speciellt ofta. Du vet det."

Anna lade handen på Sophias armstöd.

"Det är inte meningen att du ska tillbringa resten av ditt liv med någon som 'det inte är något fel på'." Hon vispade i luften för att illustrera två gigantiska citattecken. De verkade hamna lite snett. "Du är värd bättre än så. Faktiskt. Men det är egentligen inte Peter som irriterar mig, vet du."

Sophia gapade. Anna fortsatte.

"Du håller på att tappa greppet. Du vet det och jag vet det. Vad har hänt med dig? Det undrar jag. Bara det, det andra har jag inte med att göra. Jag skiter i vem du är tillsammans med, varför du är tillsammans med en kille som du inte är det allra minsta kär i. Men att du mår dåligt är mitt problem. Det är nog inte Peters fel, han är väl bara ett symptom, men vi märker det jag och Christopher. Dina gudbarn ringer du aldrig till, vi ses aldrig, åtminstone inte ensamma och ditt jobb klagar du bara på. Du älskar ditt jobb, har du glömt det? Ditt jobb är du. Så har det alltid varit."

"Jag förstår inte vad du menar. Varför skäller du på mig, vad har jag gjort? Det är väl inte mitt fel att inte du gillar min pojkvän."

"Jag skäller inte på dig."

Anna hade satt sig på Sophias armstöd. Armen hade hon lagt runt Sophias axlar. Gästerna runt omkring tittade nyfiket på dem. Anna viskade obekymrat rakt in i Sophias öra.

"Och det spelar ingen roll att jag inte gillar Peter. Jag älskar dig. Jag vill bara se dig lycklig och du är inte lycklig nuförtiden, Sophia. Du har alltid velat välja den enkla vägen, i allt annat än jobbet. Men livet är inte lätt, det ska inte vara lätt. Jag vet att man inte får det kul genom att bara smita bakvägen. Man ska faktiskt vara rädd för att bli ensam. Det betyder att man har något som är värt att kämpa för."

"Jag kanske vill ha det så här, har du tänkt på det. Eller så har jag väl blivit gammal. Jag kanske inte orkar mer."

"Så gammal är du inte. Men du blir inte yngre. Då blir det faktiskt allt viktigare att göra rätt."

Sophia reste sig. Anna halkade av armstödet och tittade förvånat på henne. Sophia svalde hårt ett par gånger och satte pekfingret i urringningen på Annas sidenblus.

"Hur vågar du? Hur vågar du prata med mig på det här viset."

Hon tog upp plånboken ur väskan och rafsade ur alla kontanter hon kunde hitta och slängde dem på bordet.

"Vem tror du att du... du tror att du vet allt. Sitta där och prata om att smita och att vara kär och att välja ensamheten. Jag har alltid varit ensam. Alltid. Du tror... att du har alla svar. Att alla skulle kunna välja ditt liv bara de verkligen bestämde sig. Du sitter där med din kära, perfekta man och dina barn som du har skaffat dig för att du kan minsann skaffa dig precis vad du vill och... alla dina pengar och..."

"Tyst, Sophia. Vilket skitsnack. Du är väl inte ensam? Varför säger du sådana saker? Alla människor känner sig ensamma, alla tror att de är ensamma om att känna att universum kretsar kring just precis dem. Släpp det. Sluta tro att du är så himla speciell att ingen kan ge dig något, att ingen kan förstå dig. Det är faktiskt inte snällt sagt." Annas röst raspade till. "Jag tycker du ska gå nu. Jag orkar inte lyssna på det här. Jag förtjänar inte det här."

"Oroa dig inte. Jag ska inte säga något mer. Den här egoisten utan eget liv ska... inte säga... någonting. Jag ska gå hem nu."

Sophia gick raka vägen ut genom lobbyn, genom den breda

porten och ut på gatan. Den mjuka mattan var ostadig att gå på. Ut, ville hon, så fort det bara gick.

Annas ilska brände i ryggen. Ögonen brände, halsen brände. Nu måste hon ut i friska luften, genast.

Hon gick ner till Nybrokajen. Utanför Strand Hotell satte hon sig på en bänk. Hon tänkte inte gråta, verkligen inte gråta. Inte hon, inte för det här, inte nu.

Från Gröna Lund hördes de vanliga bergochdalbanegalna tjuten. Taktfast, ett fyrtorn som kastade människoröster ut över fjärden. Lukten av frityrolja och bränt socker var kvar på andra sidan viken. Sophia frös. Med händerna strök hon över sina tunna nylonstrumpor, upp och ner, upp och ner. Hennes armband hakade fast i tyget, lossnade och en smal maska rann ner över benet. Hon följde den med nageln.

Sophia bet sig hårt i underläppen. Nu satt hon utanför ett hotell, full, ensam och med trasiga kläder. Det var hög tid att åka hem. Annars skulle hon bli tagen för en helt annan typ av tjänsteförsäljare än hon faktiskt var.

Vid trottoarkanten väntade fyra taxibilar, Sophia torkade snabbt ansiktet med en pappersservett, stoppade ett tugggummi i munnen och gick fram till den andra i raden, drog ner kjolfållen så långt hon kunde och frågade artigt om han var ledig.

Sophia satte sig i framsätet och talade lugnt och sansat med taxichauffören hela vägen. Han hade fyra barn, ett som hade tagit studenten för två dagar sedan. Familjen hade åkt från skolan i en stor öppen lastbil med flak. Vilka fina traditioner ändå.

De skrattade. Taxichaufförens fru hade klätt sidorna av lastbilsflaket med både björkris och lila och vita syrener. Vilken tur, de hade kommit i tid i år, det var inte alltid som syrenerna hann slå ut innan skolavslutningen. De skrattade igen.

I handskfacket låg några fotografier, Sophia tittade, nickade och log.

Jag har inga problem med människor, tänkte hon medan taxin stannade framför hennes port och hon gav chauffören för mycket dricks. De här relationerna är jag bra på.

Hon gick ur bilen och stängde bildörren efter sig lagom hårt. Taxichauffören körde inte därifrån förrän han sett att hon fått upp porten och kommit i säkerhet på andra sidan. Det var en omtänksam man. Han brydde sig om henne, han ville vara säker på att hon inte råkade illa ut.

Jag är bäst på de korta relationerna. De som man betalar för.

14

KLOCKAN VAR INTE mer än åtta på morgonen och det var lördag. Socialsekreterare Lisa Zeiger satt vid sin dator på jobbet. Hon måste få undan det värsta av det som inte hunnits med under veckan, om bara ett par timmar skulle hon hämta upp barnbarnen. De skulle gå på Skansen.

I början av nästa vecka var det sagt att temperaturen skulle sjunka med tio grader, men nu vällde sommarvärmen in genom det öppna fönstret. I två dagar hade det varit varmt och alla klagade högljutt. Så fort värmen försvann skulle de klaga över det istället. Men det var ingen ordning på vädret längre. Årstiderna verkade oavbrutet byta plats med varandra, flera gånger i veckan, ibland ett par gånger under ett och samma dygn.

Lisa längtade. Flera timmar med de där heta, små händerna i hennes, lunch på Stora Gungan vid Glasblåseriet, nybakta bullar från bageriet, sockerkringla och kladdig sockervadd. Torka barnen runt munnen, slicka dem på fingrarna för att få bort en bit fastkletad sockersmet. Lisa längtade så det värkte i bröstet.

Med högerhandens tumme och pekfinger gnuggade hon sig över tinningarna.

Veckan som gått hade varit en av de absolut värsta i hennes yrkesliv. Åtta dagar tidigare hade polisen brutit upp dörren till en lägenhet i södra utkanten av Stockholm och hittat en akut psykotisk mamma och hennes tre barn, ett, fyra och sex år gamla. Mamman hade suttit inlåst i badrummet. Barnen hade varit nakna, ordentligt uttorkade och undernärda. Sexåringen hade lyckats ta sig upp på en stol och nå till vattenkranen i köket, det hade antagligen räddat livet på dem. Polisen hittade ett tomt paket knäckebröd, förpackningen till en herrgårdsost och en noggrant urslickad burk lingonsylt i barnens rum. Det antogs vara det enda som barnen haft att äta under de minst två veckor som de varit instängda. Sängarna hade inga sängkläder, inga madrasser, telefon och tv var obrukbara, mamman hade släpat in alltihop i badrummet tillsammans med kyl och frysskåp och lagt det som fick plats i badkaret. Sedan hade hon låst dörren från insidan.

Tre år tidigare hade mammans två äldsta barn blivit tvångsplacerade i ett familjehem eftersom mamman ansågs inkapabel att ge dem den vård de behövde. Men så hade hon fött ett tredje barn och när socialen ville överta vårdnaden för bebisen också, då avslog Länsrätten ansökan. Kort därefter fick hon tillbaka vårdnaden även om de äldre syskonen.

Nu satt Lisa på sitt rum i sommarhettan och försökte ta reda på vad som gjorts fel.

Alla som arbetade med den här typen av ärenden visste hur svårt allt blev när soc fått avslag på en begäran om tvångsvård av ett barn. I teorin skulle övervakningen fortsätta, ibland var det till och med omnämnt i domen. Men verkligheten var en annan. Nästan alltid tappade soc kontrollen över sådana familjer. Återbesöken fortsatte, halvhjärtat, under ett par månader, men eftersom det inte fanns någon rättslig grund för att ingripa brukade de upphöra ganska snart.

Men i det här fallet hade det funnits några som vägrat ge upp: fosterföräldrarna.

Upprepade gånger hade de kontaktat socialen för att säga att de misstänkte att mamman återigen misskötte sina barn, utan resultat. När barnen varit borta från dagis i över en vecka hade den tidigare fostermamman ringt till polisen. Men polisen hade inte heller gjort något. Till slut åkte fostermamman dit själv. Ingen öppnade, men hon lyckades få syn på ett av barnen genom brevinkastet. Kvinnan satt kvar utanför ytterdörren, med handen instucken genom brevinkastet medan hon ringde polisen. Tre timmar senare skickade larmcentralen en bil.

Lisa hade ännu inte träffat barnen, bara fosterföräldrarna. De var överens om att försöka begränsa alla möten till ett minimum under de första veckorna. Men lägenheten där barnen bott med sin mamma hade Lisa besökt.

Värst hade lukten varit. Under minst två veckor, den tekniska undersökningen skulle snart visa om det var längre än så, hade de tre barnen uträttat sina behov i lägenhetens vardagsrum. Mamman hade inte låtit dem komma in i det enda badrummet och sexåringen hade inte haft några nya blöjor att sätta på den yngsta.

Bilder av barnens skador visade bebisens blödande impetigosår från underlivet, fyraåringens fotsulor som skurits med trasigt glas och sexåringens hårbotten, variga femkronestora fläckar där håret ryckts bort med rötterna.

Samtidigt hade Lisa också andra ärenden att ta hand om. Det var dags att fatta beslut om Alex Anderssons fortsatta vård.

Alex mamma ville samarbeta. Det här var en situation som kunde lösas. En mamma som försökte, det måste respekteras.

Lisa hade pratat med en av de psykologer som Linda träffat när hon inlett sitt behandlingsprogram. Hon hade också hört en anställd på kvinnohuset. Båda menade att Linda älskade sin son, hon ville inget annat än att få ett vanligt liv. De var övertygade om att pojkens pappa var det stora problemet.

Måsarna skrek hysteriskt utanför Lisas fönster medan hon loggade ut ur datorn och låste sitt aktskåp. Det var dags att åka till Skansen. Hon längtade så mycket efter barnbarnen att det gjorde ont i lederna. Ända sedan hon först hörde om lägenhetsstormningen hade hon haft värk, som om hon fått influensan. Det brukade bli så när jobbet var som svårast.

Barnbarnen skulle få kroppen att tänka på annat. Borra näsan i flickans hår och värma sig mot pojken, bära honom trots att han var för tung. Låta honom somna i famnen, lägga honom försiktigt i vagnen. Den mjuka pojknackens svettiga lockar, flickans kalvknän som krockade under kjolen när hon sprang. Hennes älskade barnbarn som alltid ränte runt, hoppade, studsade. Som om det var anatomiskt omöjligt att gå när det fanns tillräckligt med plats för att springa.

Alla ärenden är faktiskt inte lika hopplösa, tänkte Lisa.

Hon böjde sig ner och plockade upp Alex Anderssons

akt från golvet. Det var dags att sluta tänka på de tre miss-handlade barnen. Hon måste få bilderna ur huvudet, annars skulle hon bli tvungen att sjukskriva sig. Det fanns en gräns för hur mycket hon orkade, det visste hon. Hon måste försöka respektera den gränsen.

Jag ringer till Alex advokat på måndag, hon kommer att hålla med mig om att det här blir det bästa.

Lisa strök med handen över den blanka mappen. En tår föll ner på aktnumret och bläcket tjocknade.

Gud, tänkte hon och skakade på huvudet åt sig själv. Jag har blivit så blödig. Det här är det enda vi kan göra, det är ingen idé att sitta och lipa för det. Vi ska se till att det blir bra. Kan vi bara hålla pappan borta och mamman nykter kommer Alex och hans mamma att lösa sin situation. Med lite hjälp kommer det att funka.

Hon torkade sig om ögonen och lade akten överst på skrivbordet, bredvid tangentbordet. Så reste hon sig upp och ställde sig vid fönstret.

Något bra måste jag få åstadkomma, tänkte hon, något bra, någon gång. En av alla mina onda sagor måste få sluta lyckligt.

Lisa stängde fönstret.

Efter regn måste det komma solsken, trots de här förbas-kade klimatförändringarna.

15

MÅNDAG MORGON VAKNADE Sophia med en diffus känsla av att någon behandlat henne illa, antagligen i den dröm som hon inte kunde komma ihåg men som lämnat henne fuktig av svett, fyra minuter över fem.

Peter låg på sidan med armen tvärs över hennes midja och handen inkilad runt hennes bröst. De hade blivit sams redan på lördagsmorgonen. Vid frukostbordet hade hon börjat gråta och det var som vanligt det snabbaste sättet att få honom kärleksfull. Sedan hade hon snutit sig och pratat lite skit om Anna och då hade Peter blivit på riktigt gott humör.

Hon väckte honom inte, duschade, drog på sig kläderna, åt ingen frukost, gick ut genom ytterdörren och stängde den så tyst hon kunde.

Sophia var på kontoret redan kvart över sju. Första gången telefonen ringde var strax efter åtta. Det var Lisa Zeiger som ville meddela att soc tänkte göra några justeringar i Alex Anderssons vårdplan. När Sophia hörde vem det var knäppte hon på högtalartelefonen och började gå fram och tillbaka i sitt kontor. Hennes rum var inte stort så hon snurrade praktiskt taget runt sin egen häl.

"Vi har kommit fram till att det bästa är att omedelbart

börja slussa tillbaka Alex till sin mamma. Lite snabbare än det var tänkt i den ursprungliga vårdplanen. Men Alex får bo kvar i familjehemmet över sommaren medan hans mamma går på regelbundna drogkontroller. Pappan har flyttat ut, polisen har som du vet kontakt med honom och även om det inte verkar leda någonvart och även om vi inte har något fungerande samarbete med honom så tyder allt på att han inte bor där längre. Han utgör ingen akut risk."

"Vad är den nya planen då?" Sophia tog en runda till över parketten.

"Ja, det lär bli lugnare nu från midsommar och framåt, vi är lite kort om folk. Men till hösten är tanken att Alex ska ha flyttat tillbaka till sin mamma. Då kan vi sköta övervakningen bättre. Under sommaren får hon ta honom på helgerna och så bor han hos Lena och Per i veckorna. Det blir bra avlastning för henne. I augusti får han börja skolan och så, i sin gamla skola alltså. Han har kontakt med sin klasslärare och hon håller koll på att han lär sig det han ska. Som det ser ut nu behöver han inte ens gå om utan kan följa sina gamla kompisar upp till nästa årskurs."

"Är Alex informerad?"

"Inte av oss. Jag skulle föredra att du gör det, om både du och jag pratar med honom kanske det finns en liten chans att han begriper något. Men hans mamma har säkert berättat eller kommer att berätta. Du vet hur det brukar vara, vi säger åt dem att de inte ska prata så mycket med ungarna innan det är säkert hur det ska bli, men det är klart att de gör."

"Hur tycker du att deras umgänge ser ut? Hur ska ni ändra på det?"

"De har träffats två gånger i veckan på familjehemmet. Det har funkat så där. Men nu har vi kommit överens om att hon ska ta hem honom på helgerna som sagt. Förhoppningsvis blir det bättre när de får vara hemma, när de slipper känna sig så övervakade."

"Vad säger Alex?"

"Ja, vad säger Alex? Inte så mycket. Du vet hur han är. Inte direkt någon pratkvarn."

"Är familjehemmet lika negativt inställda som tidigare?"

"Ja, fast det är de alltid. Per och Lena är bra, väldigt bra, det vet du att jag tycker, men de är alltid negativt inställda mot föräldrarna och det är inte så hjälpsamt alla gånger."

"Men hade de inte sett tecken på att killen var undernärd när han kom till dem?"

"Nja. Inget var ju så allvarligt att det fick sjuksystern eller läkaren att reagera. Många barn i den där åldern är väldigt smala. Och som du vet är det knappast tillräckligt för att hindra mamman från att träffa honom. Vi får väl informera henne om att han måste få mat."

"Skulle det vara ett skämt, så var det faktiskt inte speciellt roligt."

"Nej, ursäkta. Det är bara det att jag är så trött. Jag behöver semester. Vad jag menar är att det antagligen var när hon söp som värst som hon inte gav honom tillräckligt att äta. Kan vi bara hålla koll på att hon inte knarkar, eller super, eller vad hon nu sysslar med, då kan vi säkert se till att han får mat. Vi har naturligtvis tänkt göra täta hembesök."

"Täta hembesök, vad betyder det?"

Sophia satte sig.

"En gång varannan vecka."

"Behöver han inte äta oftare än så?"

"Du." Lisa suckade. "Jag behöver inte det här. Du vet precis lika väl som jag att jag vill den här killens bästa. Jag vill inte att han ska behöva svälta och jag vill inte att han ska behöva bli misshandlad. Men jag tror inte att han ska behöva det heller. Han har en mamma som sköter sitt jobb, som vill samarbeta, som numera gör allt vi ber henne om. Hon har haft ett jobbigt liv. Det är på tiden att hon får försöka göra något bra av det hon har: sin son. Vad tycker du egentligen att jag ska göra? Ta hand om honom själv? Adoptera bort honom för att hans mor skaffade sig barn med en idiot och för att hon i perioder dricker för mycket? Jag kan inte det. Även om jag skulle vilja det, vilket jag inte vill, så kan jag inte det."

"Du tror att det här är det bästa."

"Ja. Det tror jag verkligen. I alla fall tror jag inte att vi någonsin kommer att lyckas få en domare att gå med på tvångsvård. Inte med en mamma som går med på precis allt man föreslår. Tror du det? Du har träffat henne, hon älskar sin son över allt annat, det är uppenbart. När hon är nykter är det en bra människa, en bra mamma. Som har haft det tufft. Tycker du inte det?"

"Så du tror att han får en trygg uppväxt nu. Med sin mamma."

"Med sin mamma."

"För ett barn ska vara med sin mamma, eller hur? Det är det allra bästa?" Sophia snurrade på stolen ett halvt varv och tittade ut genom fönstergluggen.

Himlen var koboltblå. En kort sekund fick hon för sig att hon kände hur blodet rusade från hennes hjärta, fyllt av syre.

"Ett barn ska vara med sin mamma. Det vet ju alla."

Barnavårdscentralen var nog bland det allra värsta. Man var tvungen att gå dit, annars ringde de hem och undrade varför man inte kom. Bara en sån sak, Staten som kontrollerar allt. Alla dessa byråkrater som liksom tittar och tänker: Vad gör det här lilla blonda personnumret med sitt lilla fåniga liv? Det ska vi minsann kolla.

Barnavårdscentralen alltså. Där satt jag i väntrummet som luktade simhall och våta blöjor. De andra mammorna pratade om vita krämer och droppar mot kolik. Sedan blev de kompisar typ, viskade om såriga bröstvårtor och feber och chefer och karlar som inget förstår. Visk-visk.

Ingen av mammorna sa någonsin något till mig. Det var skönt, men ibland blängde någon. Fast jag inte gjorde något, störde ingen, jag satt bara och lyssnade. Och glodde, jag kunde inte låta bli det förstås, att glo.

Folk är faktiskt inte kloka i huvudet. Morsorna är värst. Hela tiden pillar de på sina ungar. Tar av tröjor, tar på tröjor. Öppnar dragkedjor, drar igen dem igen. Sätter upp nio hårstrån fjunbarnlugg med meningslösa minihårspännen som ramlar av fyra sekunder senare. Om inte ungen hinner slita av spännet innan förstås, då sitter det inte ens så länge. Och så pillar de lite till. Blöter fingret och gnuggar bort smuts kring munnen, gnugg, gnugg. Plockar av vantarna och känner på händerna om de är kalla. Blåser pfhu-

pjhu, pussar puss-puss. Pillar, pillar, pillar. Hela tiden. Helt sjukt är det. Sinnesslöa femtiotalsbrudar. Jättepatetiskt.

På BVC drog de in sina barnvagnar ända in till soffan i vänt-rummet. Och de där vagnarna var enorma, de vaggade, gungade i sidled som amerikanska raggarbilar. Ungarna bara satt och stirra-de dumt och deras stora huvuden stack upp ur vagnfodret. Gigan-tiska jättehuvuden, det såg ut som tivoliballonger på sugrör. Så satans fult.

Jag vet inte, men de där bebisarna var skitäckliga. De tuggade på allt, klossar och sina egna händer, saliv precis överallt. Blött och snorigt. Och alla barn hade fodrade overaller med reflexband och alla mammor torkade ungarnas näsor och pratade om namnfester och tygblöjor med sådana där Pernilla Wahlgren-röster.

Alla gjorde så där på BVC. Alla utom jag. Aldrig i livet. Jag sa inget och jag pillade inte.

En gång var jag tvungen. Det var en av morsorna som gav mig en näsduk, så då torkade jag honom om näsan och munnen. Som om det skulle hjälpa. Han började bara skrika när jag gjorde sådant.

När man hade suttit där i en evighet fick man komma in. Det var alltid försenat. Men det fick man liksom ta, ingen bad om ursäkt. Man skulle vara glad för att man hade fått tid, för det fina samhället som gav en allt det där. Glad och tacksam, men absolut inte det minsta kåt.

Alex började alltid gråta. Han skrek så mycket att barnmorskan eller vad hon var för något knappt kunde prata, i alla fall hörde man inte vad hon sa. Det kändes lite skönt, fast jag blev irriterad, svettades och visste inte vad jag skulle göra. Hon tyckte säkert att jag skulle trösta honom så där som de andra gjorde, sitta med näsan mot hans kind och viska något som gjorde honom lugn på direkten. Men det gjorde inte jag.

Då pekade hon på kurvor på sin dataskärm istället, det var längden och vikten och huvudet, hon skrev ut alltihopa på printern som stod precis bredvid hennes skrivbord. Det pappret skulle man vika ihop och ta med sig hem. Sätta upp på kylen med en magnet kanske? Titta på när man ville veta exakt, precis hur lång ungen var sist man var på BVC, jag vet inte? Jag fattade aldrig grejen. Skulle det ha varit något problem hade hon väl sagt det? Och jag begrep aldrig varför huvudet var så viktigt. Men det gällde att låtsas som om man var skitintresserad. Det var viktigt.

"Mm", sa jag. "Aha! Hmm…" Och så frågade hon om amningen funkade som den skulle. Jämt frågade hon det. Typ andra frågan efter "hur var det här då?".

Jag ammade bara i några veckor, men det hade inte hon med att göra.

"Javisst", sa jag alltid, i över ett år sa jag det, "javisst-amningen-funkar-toppen". Sedan sa jag att jag hade slutat och att det var svårt. Hon förstod det, sa hon då. Hon förstod att det hade varit svårt att sluta.

Men ibland tittade hon på mig med konstig min. Då såg hon ut som om hon trodde att jag ljög. Så jag brukade hitta på något problem för att hon skulle tycka att jag var orolig. Alla gillar oroliga mammor.

"När ska man börja med smakportioner", frågade jag en gång, för det var det någon som hade undrat i väntrummet. De hade pratat länge om det, alla de andra mammorna verkade tycka att det var viktigt.

"Åh, du kan nog börja med en gång", sa hon då och log, den frågan gillade hon. "Börja med potatis, det brukar gå bra. Vänta med banan, det är hårdsmält. Lite i taget, stressa inte. Gröt kanske. Du märker när han blir redo, när du kan ge mer och experimentera med *andra saker. Låt honom smaka. Det ska vara roligt att äta."*

Jag köpte faktiskt en potatis och kokade den. Skalade den, koka-de och mosade. Men bara en gång. Det var skitkrångligt och han åt ändå ingenting, verkade inte ens fatta att det var mat. Vilket fak-tiskt inte var så konstigt för vem skulle vilja käka en sådan där klisterklump som det knappt gick att dela på? Sedan snodde jag några burkar på Ica med persika och majs-och-potatis. De fick plats i fickan och hade samma konsistens som snor, färg också nästan. Jag hällde upp det på en tallrik, gav honom en sked och han åt själv. Tröjan blev blöt och allt kladdet torkade in i bordsskivan, men han fick faktiskt in en del i munnen tror jag.

Nästa gång jag var på barnavårdscentralen sa jag det, att jag-är-så-stolt-för-att-han-fixade-det-så-liten-som-han-är. Att han lyck-ades pricka rätt med skeden i munnen.

Sådant gillade de nästan lika mycket som när man var orolig. Stolta föräldrar som skrek hurra så fort ungen lyckades vinka eller hålla en kloss med en hand.

Jesus, så dumt.

"Åh! Han är så duktig, äter alldeles själv! Redan, tänk va! Åh, vad stolt jag är?"

16

"**MÅR DU DÅLIGT?**" Peter klev ut ur badrummet, naken, med vått hår. "Ont i magen, eller så?"

"Nä, varför skulle jag göra det?"

Tidigare under dagen hade Sophia hälsat på Alex. Ingenting oväntat hade inträffat. Han var lika tystlåten som vanligt och visade inte speciellt många känslor överhuvudtaget. Åtminstone inte några det gick att förstå sig på.

Hon hade kört bil dit tillsammans med Lisa Zeiger. På vägen stannade de på en vägkrog, drack varsin mineralvatten och pratade.

Som det såg ut nu skulle inte Sophia behöva göra så mycket mer för Alex, soc klarade det här själv. Om mamman fortsatte samarbeta skulle Alex växa upp utan hjälp från sin advokat. Att hon skulle behöva göra något mer i utredningen om misshandeln verkade också osannolikt, den skulle säkert läggas ner.

Antagligen ses vi inte förrän någon vecka efter att du fyllt femton, när du åker fast för väskryckning, hade Sophia tänkt.

"Varför tror du att jag mår dåligt?"

"Det ligger något i en skål bredvid toaletten som ser ut som det du brukar äta till frukost. Du har väl inte kräkts upp den där fågelmaten som du häller på filen?"

"Det är lufttorkade ekologiska luktgräsfrön. Jag har fått dem av min sekreterare."

"Luktgräs." Peter lät som om han tänkte efter. "Vad ska det vara bra för?"

"Det luktar gott."

Peter skakade på huvudet och började gå mot sovrummet.

"Har du funderat på att ställa in en kattlåda i badrummet istället? Och skaffa katt. En inkontinent hankatt. Eller en kåt honkatt. Jag kommer aldrig ihåg vilka som luktar äckligast. I vilket fall som helst skulle det säkert lukta godare med kattpiss."

Sophia log. Anna hade helt enkelt fel, hon förstod inte Peter. Hon förstod inte hur bra Sophia hade det, egentligen.

Sophia kände hans doft när han gick förbi. Han var fortfarande fuktig på ryggen, mitt emellan skulderbladen och i svanken just där skinkorna möttes.

"Ska vi inte åka ut och segla på midsommarafton?" Hon ångrade sig redan när hon hörde sig själv ställa frågan.

Peter stannade och vände sig om.

"Varför vill du det?" Han gick fram till henne och ställde sig så nära att hon kunde ana hans värme.

"Du kanske, jag tänkte, vi kanske kan umgås lite själva för en gångs skull. Eller ja, nästan själva, morfar följer väl med, morfar och en flaska norsk snaps. Men du vet, han brukar ju somna strax efter nio, vi skulle kunna… Alltså." Sophia skakade på huvudet och tittade ner i golvet. "Nej, jag förstår verkligen om du inte vill. Bry dig inte om det. Glöm det! Jag kan segla själv med morfar, så kan du åka på den där festen."

"Och jag som hade tänkt supa mig redlös med mina polare och deras ungar. Pensionärsparty med flickvännen eller stor fest på Värmdö." Peter log och vände sig om. Med ryggen mot henne fortsatte han. "Har jag något val? Om man har en brud som är så galet kär i en som du får man göra vissa uppoffringar. Annars bryter du väl ihop. Tjatar ihjäl dig. Börjar förfölja mig, trakassera mig utanför jobbet, sådana saker."

Sophia skrattade.

Det vore bra om vi åker bägge två, tänkte hon. Vi behöver det, lite frisk luft och att hålla varandra i handen. Anna kommer snart att be om ursäkt. Hon gick över gränsen. Dessutom är Peter faktiskt ändå läkare och morfar blir knappast piggare. Han kan ramla, slå i huvudet, få en ny hjärtinfarkt och vad ska jag göra då? Segla hem själv med en döende gamling fastsurrad på durken? Det är bra att Peter följer med, bra på alla vis.

Jag tänker inte säga förlåt. Det får Anna göra.

17

DET VAR DAMMIGT i manegen. Solen hade legat på några dagar och underlaget behövde vattnas. Det luktade lite fränt, inte illa, men starkt och okomplicerat, av djur, torv och halm. Över staketet hängde syrenbuskarna. De blommade för fullt och gräset var ljusgrönt. Alex svettades redan.

"Håll i dig här. Och sätt foten i min hand."

Alex lyfte upp den stövelklädda foten så högt han kunde. Han hade fått låna ett par ridstövlar i svart gummi och de var lite för stora. Det var omöjligt att få upp benet högt nog, men han nådde nästan halvvägs. Det gick blixtsnabbt för Per att ta Alex fot med sina knäppta händer och hissa upp honom med sådan fart att det sög i magen. Sekunden senare satt Alex uppe på hästens rygg utan att riktigt veta hur det hade gått till.

Det var annorlunda i sadeln. Vinden fläktade, lyfte hans korta ärmar på t-shirten, den fladdrade i midjan. Alex kände värmen från Felix genom lädret och från halsen.

"Du ska hålla tyglarna så här. Låt dem glida mellan tummen och lillfingret och så vrider du upp händerna. Du ska alltid kunna se dina naglar. Så här, förstår du?"

Alex nickade. Han knep hårt om läderremmarna och

ryckte till när hästen slängde med huvudet. Han halkade på lädret i sadeln och drog upp armarna så högt att han nästan hade dem under hakan. Felix blev irriterad och fortsatte kasta med huvudet.

"Inte så hårt. Mjuka tyglar. Tänk på att Felix har järn i munnen. Du får vara försiktig med honom så att det inte gör ont. Vi lägger bort stigbyglarna i dag."

Per lyfte upp de tunga läderremmarna med järnhållarna och lade dem i kors över sadeln. Alex halkade ner ett par centimeter. Fötterna kändes tunga.

"Det är bättre att du får hitta balansen först. Men håll ner hälarna. Hälarna ska vara nedtrampade och du ska luta dig bakåt. Som om du satt i en fåtölj. Lite till. Det skadar inte om du överdriver det där i början. Det ska du göra, sitta ner ordentligt och vara lite lätt tillbakalutad. Och dra tillbaka benen lite grann. Såja."

Alex nickade igen och drog häftigt efter andan när hästen klev framåt. Han drog upp knäna och kände omedelbart hur han höll på att ramla av. Han tvingade sig att slappna av och när han flyttade fötterna kom balansen tillbaka.

"Bra, Alex. Såja, gubben." Per log och tog tag i tyglarna. "Jag ska gå bredvid en stund, men snart ska jag låta er vara ifred. Det här ser bra ut. Vi skrittar i dag. I morgon ska du få prova på att trava och om ett par veckor kommer du att vara ute i skogen själv, som värsta indianen."

Alex kände hur händerna darrade. Hjälmen klämde, han svettades i hårbotten och jeansen hade korvat sig kring knävecken.

"Försök sitta djupt i sadeln, så djupt du kan. Så där, ja! Och så ska du ha kontakt med Felix mun. Du ska inte dra.

Det gör ont och då blir han irriterad. Men du ska hela tiden känna att tyglarna är sträckta, du får försöka följa med hans rörelser. Känner du att hans huvud åker fram och tillbaka lite grann när han går? Försök att följa med i den rörelsen. Inte släppa på tyglarna, men inte dra i dem heller. Väldigt känsliga fingrar måste du ha. Låtsas att tyglarna är gjorda av bomull, drar du i dem så går de av. Och så ska du krama om magen på honom med dina ben. Inte knipa, men liksom krama, så här."

Per tog tag i Alex ben och tryckte lår och vad, hårt, mot hästens sida.

Alex svalde ett par gånger. Det var så mycket på en gång. Han kom inte ihåg hälften. Det här skulle aldrig gå. Han skulle aldrig orka trycka så där hårt, det var för jobbigt, han var inte så stark i benen.

"Det ser jättebra ut, Alex. Känner du hur bra det blir när du slappnar av så där?"

Alex nickade. Han bet sig i underläppen.

"Skitbra."

Solen stod snett in i köket. Katten sov på en av köksstolarna, mitt i värmen. Lena torkade av spisen och diskbänken, sköljde av wettextrasan och satte sig vid bordet.

"Den här killen är en riktig naturbegåvning!" Per log med hela ansiktet och sträckte sig efter mjölken.

"Ja, jag förstod nästan det." Lena strök försiktigt luggen ur pojkens panna.

Alex tittade ner i tallriken med hemgjorda fiskpinnar och mos med bitar av potatis i. Det låg en smörklick ovanpå, den blänkte i guldgult. Han tog två stora tuggor och en klunk med mjölk. Håret var fortfarande fuktigt efter duschen, det lockade sig i nacken och t-shirtkragen var blöt.

"Kan vi rida i morgon igen?" sa han med munnen full av mat och en vit strimma på överläppen.

"Det är klart vi kan."

"Och nästa dag och nästa?"

"Lugn nu, min lille cowboy. Du måste väl göra något annat än att rida? Läsa serier kanske? Och så vet du att Karin vill att du jobbar med matten. Så att du kommer ikapp till nästa år. Hon ska komma så ofta hon kan och jobba med dig."

"Jamen." Alex tittade upp från tallriken. Han tuggade så fort han kunde. "Det är ju sommarlov. Säg att jag får, säg att jag får."

"Det är klart att du får." Per tittade på Lena. Hon rynkade pannan, nästan omärkligt.

"Du glömmer väl inte…", mimade hon tyst.

"Men i helgen ska du åka hem till mamma och fira midsommar. Det ska väl bli roligt? Det är midsommar och ni ska ha fest. Riktig, mysig midsommarfest. Det ska bli vackert väder, tror jag, i alla fall på eftermiddagen."

"Men i morgon…"

Alex kände hur rösten darrade. När det var fest måste han vara där, annars kunde vad som helst hända. Hårt bet han sig i läppen.

Om han började gråta skulle kanske Lena vilja kramas, klappa på huvudet. Det var flera dagar kvar till helgen. Alex kunde alla dagar i veckan och det var flera stycken kvar. Han ville absolut inte gråta.

"Om jag inte kan åka till mamma och pappa mer, får jag bo här då?"

Lena vände sig om och gick bort mot diskbänken, böjde ner huvudet och tittade rakt ner i vasken. Per gick fram till Alex, ställde sig på knä framför honom och klappade honom på benet.

"Du vet, din mamma och pappa tycker väldigt mycket om dig och de vill vara med dig. Men de får inte vara dumma mot dig och slåss och hålla på."

"Men om de gör det, får jag bo här hos er då?"

Det gick inte längre. Alex kände värmen utefter kinderna, tårarna som släppte och rann.

Fan, tänkte han. Fan, jävla skit.

Han blev våt ända ner på halsen, näsan gav ifrån sig en klar droppe snor och han torkade sig med handflatan. Händerna luktade vit tvål, men tröjan luktade fortfarande häst. Alex tryckte näsan mot axeln och drog in Felix skarpa doft.

Han måste mocka och sköta Felix, ingen gjorde det så bra som han.

"Snälla." Gråten kom allt fortare. Han hann inte andas ordentligt. "Jag vill inte. Snälla, snälla, snälla. Kan jag inte få stanna här?"

"Om jag fick bestämma…"

"Per!" Lenas röst skälvde. "Du får inte säga så där."

Per vände ner blicken rakt i golvet. En lång stund var han tyst. Alex fortsatte gråta.

"Vet du, killen", sa Per till sist. "En sak kan jag i alla fall lova, för det är det ingen socialsekreterare som bestämmer. I morgon ska vi rida igen. Det lovar jag." Per harklade sig. "Vi tar en dag i sänder. På något sätt ska vi få det att funka."

Alex drog in snoret i näsan och svalde. Per satt stilla framför honom.

"Jag hatar dig", sa Alex och slog bort Pers hand, inte speciellt hårt. Per lät handen hänga efter sidan.

Tårarna hade torkat och kinderna stramade när Alex klev in i rummet som inte var hans. Han lade sig på sängen.

Fest, tänkte Alex. När det är fest hemma hos Per och Lena skrattar säkert gästerna för att de är glada. De spelar musik lagom högt och skruvar ner när man vill sova. De blir inte osams och skriker aldrig att grannen är en jävla kukjävel och att mamman är en hora.

Per och Lena fattar inte hur det låter när någon skrattar för högt, fast den egentligen är arg, hur det luktar och att jag aldrig får vara ifred och sova. Alltid måste vuxna prata när festen är slut och de blir ledsna och kommer in och sätter sig på sängen och börjar gråta och ångrar sig. Jag hatar när de ångrar sig. Det är det allra värsta.

Tallriken stod kvar på bordet borta i köket. Smöret hade säkert stelnat på tallriken, fiskpinnarna var nog kalla nu.

Det spelar ingen roll, tänkte han. Jag är ändå inte hungrig.

18

LINDA MEDNER ANDERSSON klev in genom dörren utan att knacka. Hon fällde ihop sina solglasögon och lade dem i handväskan. Handväskan gled ner från axeln och fick dingla i armvecket medan hon plockade upp glasögonen igen, stack dem i håret och vinklade upp dem på huvudet. Luggen spretade runt karmarna.

Karin reste sig upp från katedern. Hennes elever hade haft sommarlov i två veckor redan, i morgon skulle hon också gå på semester. Det kändes skönt att få det här avklarat innan.

"Jag är glad att du kunde komma. Hej Linda. Ja… jag får väl, ja, det är så bra att du är här, det är så mycket bättre att hålla en öppen dialog."

Karin kom av sig. Linda hade börjat vanka runt i klassrummet. Hon ignorerade Karins utsträckta hand. Karin drog tillbaka handen och strök bort handsvetten mot byxbenet.

"Vill du ha något?"

"Vaddå?"

Linda vände sig om, lite för snabbt. Hon lade handen på en av bänkarna för att återfå balansen.

"Kaffe, kanske? Eller vatten?"

"Nä. Jag har lite bråttom. Jäkligt bråttom faktiskt."

"Du vill inte sätta dig ner?" Karin pekade med handen mot en skolbänk som stod mittemot. "Sätt dig. Det blir lättare att prata då."

"Jag har redan fattat. Jag fattade när vi snackade på telefon. Så korkad är jag inte. Du tycker att Alex bråkar för mycket och nu ska han komma tillbaka och då är det meningen att jag ska göra något så att det försvinner. Så att det inte blir som förr, som innan. Jag ska snacka med honom. Absolut. Jag ska säga till honom." Linda ställde sig bakom bänken och höjde rösten och båda händerna. "Han är så jävla bråkig, jag vet, men jag ska säga åt honom, okej?"

"Jamen. Det är inte det. Jag menar, jag ville mest prata om hur vi ska göra för att Alex ska känna sig trygg, för att det inte ska bli för jobbigt för honom att komma tillbaka. Eller..."

"Du vill att det inte ska bli för jobbigt för honom? Alex skulle inte behöva komma tillbaka om inte du hade... Det är tack vare dig, tack-så-jävla-mycket, som Alex bor två mil härifrån. Kul att höra att du vill ha tillbaka honom."

Linda klev ett steg närmare, Karin lutade sig bakåt.

"Jag har en advokat. Han har förklarat en sak för mig. En viktig sak. Och det är att du inte kan bestämma ett dugg över mig och min unge. Inte ett dugg."

Vad som såg ut att vara ett kilo armband klirrade kring Lindas ena handled. Så böjde hon på nacken, plockade bort en liten rund noppra från koftan i halvsyntet och knäppte iväg den. Sedan började hon gå igen. Ögonen fladdrade, såg allt utom Karin, tittade i alla riktningar utom rakt fram.

"Behöver du inte hjälp med något?" Karin hörde hur desperat hon lät, nästan gråtfärdig.

"Vad menar du?"

"Behöver du hjälp med något? Det finns massvis med saker som jag... som vi... skulle kunna hjälpa er med, bara du frågar, bara du ber om hjälp."

Linda satte sig, långsamt, som om hon var ledbruten. Hon sträckte på fingrarna och lade de utbredda händerna på bänken framför sig.

"Är du dum eller? Hela mitt liv har folk försökt bestämma över mig. Mitt liv. Jag har aldrig fått vara ifred. Idioter har bestämt var jag ska bo, var jag ska gå i skolan och vad jag får göra. Det skulle ha tagit slut när jag blev myndig. Men nu börjar det om. Mig ska man fortsätta att ha koll på. Du måste vara dummare än tåget." Hon lutade sig fram. "Vad hade du tänkt hjälpa mig med? Berätta. Jag är jättenyfiken. Du träffar Alex ett par timmar om dagen i ett par månader och vips så känner du både honom och mig, vips ska du se till att ordna upp grejor. Det är ju skitbra. Jobbar du på någon sån där amerikansk tv-grej? Tänker du renovera vårt hus, ge mig ett par nya tuttar och fixa min mans lån på bilen? Som om jag hade haft hus och bil, något sådant? Absolute Life Makeover, eller vad det kan heta?"

Karin svalde. Hon hann inte svara. Istället såg hon hur Linda reste sig upp, tog tag i bänken underifrån och hävde den tvärs över klassrummet. Ljudet när möbeln landade var märkligt lågt. Men någon tiondels sekund senare rasade fyra glasburkar med jord och söndertorkad krasse ner från en hylla. Vattenkannan som stått bredvid ramlade också i golvet. Krossat glas krasade under fötterna på Linda när hon klev genom klassrummet.

"Tack för i dag", sa Linda lugnt medan hon öppnade klassrumsdörren och gick ut.

När Karin hörde dörren gå igen rätade hon långsamt på ryggen. I säkert en minut tittade hon på hur vattnet från den trasiga kannan rann i en smal rännil mot henne.

Tack för i dag, tänkte hon. Tack för i dag och slut för i dag.

Ibland blir det bara för mycket.

De tog fotografier och gav till mig. Inte de där porträttbilderna som kostar pengar utan en av fröknarna hade tagit kort på ungarna när de lekte. Jag fick dem gratis. Du kan sätta in dem i hans album, sa de. Javisst, sa jag och tackade.

Han har inget fotoalbum. Vad skulle det vara bra för? Jag ska ta hand om honom, passa honom och när jag äntligen får lite lugn och ro, då ska jag börja knäppa med någon kamera, framkalla en massa bilder och sitta hela nätterna och klistra in dem i album som han kan titta i när han blir stor.

Mig är det ingen som tar kort på, mig är det ingen som gör album till.

När jag var tonåring blev jag stoppad på stan flera gånger av gubbar som ville fota mig. En gång gjorde jag det, jag sa ja och gav mitt telefonnummer till en kostymsnubbe som hade ett sådant där skitdyrt visitkort med knöliga bokstäver. Vi träffades en vecka senare. Han tog mig till en liten studio på Smala gränd, bakom Birger Jarlsgatan i höjd med Humlegården. Jag fick dricka whisky ur en plunta och behålla trosorna på. Han gav mig femhundra kronor efteråt. Det var jävligt mycket pengar på den tiden.

För en vecka sedan fick jag träffa en läkare. Han frågade tre frå-

gor och sedan ville han ge mig medicin mot depression. Jag är inte det minsta deprimerad. Jag mår jättebra. Särskilt när jag också får ha ett liv.

Det är bara ibland.

Någon gång borde jag få slippa lyssna på allt den där ungen säger. Slippa ta i honom hela tiden. Klä på. Tvätta. Snyta. Torka snor, ta i hans händer, eksemfnaset.

På toaletten är det värst. Det luktar och jag måste torka honom för han säger att han inte kan själv, att han försöker men att jag måste hjälpa ändå. Han böjer sig fram, skrevar, är kladdig mellan skinkorna och har urin som droppar från den där smala pojksnoppen. Det ser ut som en vattensnok, en liten rosa hudslamsa. Jag andas genom näsan men vill ändå kräkas. Tvättar händerna efteråt, han får knäppa byxorna själv.

Bara ibland kommer äcklet. Då blir det för mycket.

19

STALLET VAR MÖRKT. Alex ville inte tända och gångarna lystes bara upp av sommarnattens svaga ljus som letade sig in genom fönstren. Han satt i Felix box, i hörnet under vattenkrubban, den som automatiskt sprutade vatten varje gång Felix lade ner mulen i den skålformade järnhållaren. Hästen sov, stående, med ena framhoven lyft. Då och då darrade hans hud, då och då drog han djupt efter andan.

Det fanns många nattljud i stallet och det kändes lite bättre här i boxen än det gjort i sängen uppe i huset. Men sova kunde Alex fortfarande inte.

Om tre dagar skulle han åka till mamma. Hon skulle komma och hämta, antagligen med taxi. Det var soctanten som betalade. Eller så åkte de tåg, det gick ett tåg i närheten och det åkte ända in till stan och därifrån kunde de åka tunnelbana. Två nätter skulle han sova i lägenheten i Berga, det hade soctanten sagt.

Tidigare under dagen hade han varit i stallet och jobbat som vanligt. Den där stallbruden Julia, hon som kom ibland och hjälpte till att rida hästarna, gick förbi honom när han stod i gången.

"Det ska väl bli skönt att få sova i sin egen säng", sa hon. "Komma hem."

Det var så fånigt att det var onödigt att svara. Men hon väntade inte på något svar, gick bara ner till andra sidan stallet och började mocka ur en av boxarna.

Det var då han såg den. En mus hade trillat ner i den tomma foderbingen. Väggarna var branta och den krafsade utan att kunna ta sig upp. Fram och tillbaka sprang den, runt, runt. Först gjorde inte Alex något annat än tittade. I vanliga fall var han lite rädd för möss, men inte nu. Den kunde inte göra honom någonting. Det låg en vattenslang inte långt därifrån och utan att sluta titta började Alex fylla bingen. Han visste inte riktigt varför, men på en gång kunde han se att den var rädd. Skiträdd. Det bara lyste i de där små, svarta ögonen. Och han kände det också. Att musen visste att den skulle dö.

Konstigt nog gjorde det Alex lugn. Hjärtat slog precis så fort som det skulle medan han fyllde skålen lugnt och stilla. Ingen stress, det tog tid för det var en stor binge, men det gjorde inget. Han hade tid. Vattnet virvlade runt och musen bara följde strömmarna.

Musen var så korkad, den gav upp på en gång. Den rörde sig inte överhuvudtaget, försökte inte ens simma. Nosen stack upp ur vattnet, men snart skulle vattnet bli djupt och den bara sjunka ner på botten. Snart skulle allt vara över. Musen protesterade inte det minsta lilla.

Alex märkte inte ens att Julia kom upp bredvid honom. Hon drog åt sig vattenslangen, bara tog den ifrån honom och stoppade ner den i botten på skålen, allra längst ner. Den där stallbruden med sina fula örhängen lät liksom strålen fatta tag i den lilla grå kroppen underifrån och spola ut den på golvet.

Det tog en sekund, ingen tid alls, så snabbt gick det. Musen slog i stengolvet, rullade runt och var borta. Sprang iväg, tvärs över gången och in i något hål i stallväggen. Den skulle ha dött, men Julia räddade den.

"Är du galen, Alex?" undrade hon och skrattade, precis som om det hade varit roligt. Precis som om det hade varit ett skämt. "Gillar du att plåga djur? Akta dig så jag inte berättar det för soc. De kommer att tro att du vill bli seriemördare när du blir stor."

Sedan skruvade hon av vattnet, hängde tillbaka slangen i en ring över kranen och gick därifrån. Alex stod kvar. Hjärtat slog så hårt att det smakade jord i munnen.

Då var han rädd. När han trodde att musen skulle drunkna blev han varm i kroppen, men när den åkte ur bingen, slog i golvet och sprang därifrån trodde han att han skulle svimma eller kanske skita på sig.

Det var flera timmar sedan. Hela dagen hade gått och han hade gjort en massa andra saker också. Ändå var det omöjligt att somna. När alla gått och lagt sig och hela huset blivit tyst gick han ut ur sitt rum och ner till stallet, barfota. Och nu satt han här, klarvaken. Pyjamasbyxorna var blöta i rumpan efter torven och stenväggen kall mot ryggen.

Felix frustade och ryckte med huvudet. Alex sträckte ut handen och strök valacken mellan frambenen. Musklerna var runda och varma. Han satt nästan under den stora hästen. Det var precis här han ville vara.

Ett par boxar längre bort hördes en dov duns när en av de andra hästarna lade sig ner på sidan med en djup suck. En av stallkatterna smög förbi, de gula ögonen blänkte i mörkret.

Alex blundade. Han såg musen framför sig igen och rös. Han hoppades att katten skulle ta den. Döda den och äta upp den. Med båda händerna drog han upp knäna närmare kroppen. Antagligen borde han ha tagit med sig en filt, eller åtminstone en tröja. Han skulle aldrig kunna somna så här, det var för kallt och obekvämt.

Kanske borde han gå och hämta lite hö. Men då vaknade väl hela stallet. Trodde hästarna att det var matdags skulle de bli som galna, börja gnägga och väcka både hundarna och Per.

Det var bäst att sitta kvar och vara tyst. Att frysa var inte så farligt, det värsta som kunde hända var att han blev sjuk, hög feber, frossa kanske. Då måste han säkert stanna. Stanna här.

Det var tre dagar kvar till midsommarafton. Egentligen var det ingen idé att fåna sig, han kunde inte stanna här. De skulle fira tillsammans, mamma hade faktiskt ingen annan.

Det skulle regna, det hade han hört på tv. Så de skulle väl vara hemma som de brukade. Efteråt måste han sova i sin egen säng. Hem ljuva hem.

*Sover han? Det frågade de också på BVC. Jämt frågade de om söm-
nen. Ja, brukade jag svara. Men det var inte riktigt sant. Han sov
aldrig bra, inte förrän jag tog tag i det på allvar.*

*När han var två år hade han en rund mage med en navel som
stod rakt ut som en knapp. Säkringen på en handgranat, brukade
Chrille säga. För Alex var stark. Förbannat stark. Skrek högt. Men
han kunde inte ta sig ur spjälsängen, så det gjorde inte så mycket. Så
länge han stannade kvar i spjälsängen funkade det någorlunda.*

*Ibland när han sov tittade jag på honom, strök honom över
håret. Böjde mig fram och drog in hans lukt. Han luktade surt,
ganska äckligt faktiskt. Men någon gång somnade han på min
säng och det var lugnt och jag kände att jag klarar av det här.
Fixar hela grejen. Det borde gå. Varför skulle det inte kunna gå?*

*Men så vaknade han, började skrika, springa och hålla på. Jag
trodde jag skulle bli galen, de där första åren. När ska jag få göra
det jag vill, brukade jag tänka. När ska jag få sova tills jag vak-
nar?*

*Han ville så mycket, men jag bara väntade på att han skulle
somna. Så fort han vaknade kunde jag bara tänka på hur jag
skulle få honom att somna igen. Få honom att vara tyst. Och stilla,
jag hatade verkligen det där sättet han hade när han var liten, när*

han rörde sig hela tiden. Liksom okontrollerat. Som om han var nervös på något sätt. Vad fan hade han att vara nervös för?

Jag har också ett liv, brukade jag tänka. Det kan inte vara meningen att det ska ta slut bara för att jag ska passa upp på honom hela tiden. Det kan inte vara bra för ungar att ha en morsa som håller på att leka och fixa hela tiden, han måste väl ändå lära sig?

Jag tycker det fortfarande. Och det står jag för. Jag har aldrig gjort något som jag inte var tvungen att göra, för att det skulle funka, för att jag inte skulle bli galen. Det skulle jag ha velat säga till den där kärringen på BVC. Men det gjorde jag inte. Hon hade inte fattat.

Jag berättade inte att han fick dricka välling framför Teletubbies. Han kunde sitta så skitlänge. Jag drog in spjälsängen framför tv:n så att han inte kom någonvart och gick ut. Och handlade, eller bara gjorde vad som helst.

Ibland gav jag honom hostmedicin och flytande alvedon fast han inte var sjuk, då somnade han lättare. Jag tycker inte att det var fel. Vad spelade det för roll att jag gick ut när han ändå bara sov? Skulle jag sitta där och glo på honom när han dreglade i sömnen, det är väl ingen vits med det?

När han grät för mycket men vägrade somna brukade jag gå ner i tvättstugan. I tvättstugan hörde jag ingenting. Granntanten stod utanför ytterdörren en dag när jag kom tillbaka därifrån. Jag hade faktiskt tvättat och hade hela famnen full av skrynkliga kläder. Fyrtio minuter hade jag varit borta, en timme högst. Men kärringen var orolig, oj vad hon var skitorolig, stackars henne. Hon hade hört honom skrika och undrade varför jag lämnade honom när han var så ledsen.

Vaddå lämnade? Som om jag åkt på semester, jag var för fan bara i källaren. Men så klart att jag bodde granne med någon spionerande kärringjävel. Så har det alltid varit i mitt liv, jag har alltid varit omgiven av sådana.

Fast jag var bara lugn och sa att han sov när jag gick och att jag inte hade trott att han skulle vakna. Jag såg orolig och ledsen ut med tårar i ögonen. Jag är söt när jag gråter lite grann. Grannen slutade vara arg.

Egentligen sov han inte när jag gick. Han var vaken och hade skrikit så länge att han var hes. Men det var fan inte hennes problem. Dessutom var jag faktiskt tvungen att tvätta ibland och det har väl aldrig tagit livet av någon unge att den skriker. Folk nuförtiden är helt hysteriska, de tror att allt är livsfarligt.

Det var inte förrän han blev nästan fyra år som han började sova ordentligt. Ingen bebis längre. Inga blöjor, ingen välling, ingen spjälsäng. Då löste jag problemet. Jag och ingen annan. Verkligen inte BVC om ni nu trodde det.

Det började med att han kom in i en mardrömsperiod. Han vaknade jämt. Härjade och gapade. Det var nog värre än någonsin då, han stod i givakt i sängen och bara gallskrek.

"Det är monster i garderoben", tjöt han. Tog man i honom kändes han som en planka. "Monster, monster, monster."

"Nej, nej", sa jag. Jag försökte faktiskt få ungen att förstå. Inte för att jag tänkte sätta mig på en stol vid dörren och vänta på att han skulle somna, eller klappa honom på ryggen och rabbla någon godnattramsa timme ut och timme in, sådant är bara fånigt.

Folk som gör de där sovmetoderna har uppenbart inga liv. Håller på att "lära honom att sova" hela kvällarna. Det är sinnessjukt, det står jag för att jag tycker. Bara att det finns "metoder" för att få ungar att sova bevisar väl att det är något knas med hela grejen. Vem vet, jag kanske borde lära honom att andas också enligt någon särskild dra-in-luft-genom-näsan-metod? Eller att äta enligt tugga-först-svälj-sedan-metoden?

"Låt honom skrika" var en "metod" som de pratade om på BVC, och det är väl en sak, men allt runt omkring, typ gå in en gång var femte minut eller "skapa en kvällsrutin", jag skulle aldrig någonsin ha tid. Men ändå, jag var så hjärntvättad av BVC att när han vaknade och skrek monster så att rutorna skallrade då stod jag där vid hans säng och försökte trycka ner honom på kudden.

"Nej, det finns inga monster. Lugn och fin, vyssan lull."

Det är klart att det inte funkade. Han skrek ändå, värre och värre för varje natt.

Han har alltid varit så trög, han har aldrig fattat sådant som andra ungar greppar. Efter sex mardrömmar orkade jag inte mer. Vad trodde han? Att jag skulle ägna hela nätterna åt hans monster som han hade hittat på själv? Dagarna var tillräckligt långa, jag var tvungen att få vara ifred på nätterna i alla fall.

Så jag gjorde min grej istället. Jag slutade protestera.

"Mm...", nickade jag. "Det är riktigt. Det bor ett monster i din garderob. Men han stannar därinne i garderoben om du bara är tyst och sover. Du får inte gråta, inte skrika, för då väcker du monstret, då kommer monstret ut ur garderoben och biter dig med sina tänder, river dig med sina klor. Du måste vara tyst annars dödar han dig."

Då nickade han minsann. Tittade och lyssnade. Stod helt stilla.

"Ligg ner", sa jag och han lade sig ner så snabbt att han slog huvudet i sängkarmen. Men han sa inget. Och så lämnade jag garderobsdörren på glänt innan jag gick därifrån. Bara en liten glipa, så att monstret kunde skjuta upp dörren och komma ut om han inte skötte sig.

Efter det fick vi sova ifred. Det är inte klokt, men det funkade på *en gång. Bästa metoden jag någonsin har hört talas om. Anna Wahlgren kan stoppa upp sina rutiner i sitt uttänjda arsle. Alex väckte oss aldrig mer efter det där.*

Det är fortfarande så. Han sover och väcker aldrig mig. När jag kommer in på morgnarna till hans rum, då ligger han där, vaken och glor på mig med sina runda ögon. Ibland har han kissat ner sig. Sparkat av sig underdelen på pyjamasen och sovit vidare hela natten utan att protestera.

Monster i garderoben och fuktiga, kalla lakan som luktar surt av ammoniak.

Men tyst är han. Jag lämnar alltid garderobsdörren på glänt. Alltid, alltid, alltid. Han väcker mig aldrig.

20

Anna-Maria stack in huvudet genom Sophia Webers öppna kontorsdörr. I handen höll hon en kopp rykande varm dryck som hon smuttade på. Alla på byrån drack kaffet svart utom Anna-Maria som drack chai-te med sojamjölk. Anna-Maria var också den enda på kontoret som låtsades vara vegetarian och hon hade en imponerande lista livsmedel som antingen absolut måste undvikas eller med nödvändighet inkorporeras i den dagliga kosten. Den kunde var och en läsa i lugn och ro, för Anna-Maria hade skrivit ut den och satt upp den med en jordgubbsmagnet på kontorets kylskåp. "Du är vad du äter" var rubriken.

"Besök?" Sophia tittade upp. "Jag har väl inga besök inplanerade i dag?" Hon höll på att slutföra en inlaga som hon hade arbetat med i snart två dagar. Den började äntligen likna något som hon skulle våga lämna ifrån sig och hon hade absolut ingen lust att bli störd.

"Det är en kvinna som heter Linda Medner. Hon har inte bokat tid, men hon…" Anna-Maria gick in på Sophias kontor och stängde dörren efter sig. Hon viskade. "Det är Alex Anderssons mamma, du vet den där sjuåriga LVU-killen."

Sophia kände hur huvudvärken lade sig över tinningarna

utan en sekunds varsel. Linda Medner Andersson var inte bara en person hon inte ville träffa, det var en person som hon antagligen inte ens borde träffa.

"Vad i all fridens dar gör den människan här?"

"Hon dök bara upp i receptionen."

Sophia himlade med ögonen.

"Ja, jag vet!" Anna-Maria nickade för att visa att hon förstod. "Antagligen har dörrlåset nere vid entrén gått sönder igen. Det var väl så hon tog sig upp hit. Jag har ringt hyresvärden, de ska komma och kolla dörren. Hon säger att hon inte vill störa, men vill lämna ett intyg från sin avvänjningsklinik, något väldigt ambitiöst ställe med både punkter och kognitiv terapi och urinprover."

"Säg åt henne att det inte är mig hon ska vända sig till. Hon ska prata med socialen om sådant."

"Jag har sagt det. Hon har redan gjort det, säger hon. Men hon vill absolut ge dig en kopia på programmet och så vill hon tacka dig för att du hjälper Alex. Hon har blommor med sig och hon har pratat i fem minuter non-stop om att hon tycker att det här egentligen var en bra sak, att det var vad som behövdes och att hon så länge har velat göra något åt sin situation men inte orkat. Att hon inte har kunnat ta sig ur sin relation tidigare. Hon gråter rätt mycket och jag får henne inte att sluta. Jag orkar inte lyssna mer. Hon verkar inte vara full eller något sådant, men jag orkar ändå inte. Kan du inte komma ut och hälsa och sedan hjälper jag dig att slänga ut henne?"

Sophia suckade djupt.

"Ja, ja. Jag kommer väl. Men om exakt fem minuter får jag ett telefonsamtal som är mycket viktigt och som jag absolut måste ta. Då åker hon ut, hör du det?"

Anna-Maria nickade glatt.

"Fem minuter. Då hinner jag ta lite frisk luft på gården. Jag kan ringa dig på mobilen därifrån."

Anna-Maria svepte det sista av sin heta dryck utan centralstimulerande substanser och försvann ut på gården för att röka dagens första cigarett och knapra i sig en näve gojibär.

Sophia reste sig långsamt från sin stol. Vad var det med det här ärendet? Visserligen var hon van vid att vissa fall kändes som att simma i vass med vikter fastspända runt midjan. Men hon hade fortfarande inte riktigt förstått varför det hade blivit så med just Alex Andersson.

Det var flera veckor sedan hon hälsade på Alex senast och tvångsvården skulle snart vara avvecklad. Allt gick enligt plan, inga problem hade uppstått. Ändå fortsatte hon att släpa runt på akten i sin portfölj. Alex Andersson höll henne vaken när hon borde sova och nu stod dessutom hans obehagliga mamma i hennes reception och krävde att få träffa henne när hon borde göra andra saker. Det här uppdraget verkade förfölja henne.

Innan Sophia gick ut i korridoren drog hon med sig portföljen. Hon tog upp mobiltelefonen, kontrollerade att den inte var inställd på ljudlöst, skruvade upp ringsignalen på högsta och stoppade den i kavajfickan.

Fem minuter, det borde hon klara av. Sedan skulle hon en gång för alla lägga akten där den hörde hemma, i ett låst aktskåp.

Hon skulle sluta ägna tid åt saker som det inte gick att ta betalt för. Sluta tänka på den här pojken bara för att hon inte kunde låta bli. Sluta övertolka en krånglande mage som egentligen bara betydde att hon stressade för mycket. Det var bara fånigt.

Det var inget särskilt med Alex Andersson. Allt skulle med allra största säkerhet gå åt skogen, men det var inget hon kunde göra något åt. Det var dags att släppa eländet.

Alla verkar ha glömt bort Chrille. De har fått för sig att han är borta. Att han har lämnat oss.

"När kommer din man", undrade den där sura domaren i Länsrätten.

"Ring om han hör av sig", sa polisen.

Men egentligen tror allesammans att han har stuckit för gott.

Jag inbillar mig inte att han kommer att dyka upp för att prata med någon byråkrat eller snut. Never. Så är det bara. Om han inte får en medalj minst så tömmer han inte ens diskmaskinen, så träffa fjorton fula domare, advokater med höga klackar och soc på samma gång, det kommer han knappast göra frivilligt. Det är bara att acceptera läget.

Men borta är han inte. Där har de fel.

Alex pratar om honom hela tiden. Min pappa hit och min pappa dit. Min pappa sa så och min pappa är negerkung i Söderhavet typ. Man tycker att han borde ha fattat för länge sedan, hur hans farsa är egentligen. Men, nej då, lilla Alex längtar och gråter.

Alex är så ful när han gråter. Ääää, låter han. Munnen är öppen. Ääää.

Han brukar försvara mig när Chrille blir arg. Om man nu kan kalla det för att försvara. Sätter sig på golvet och gråter, hänger sig fast runt benet på honom, bankar på hans byxor. En gång ställde *han sig i vägen. Som om han var en sådan där gammaldags väg-polis. Stopp i lagens namn, typ. En meter lång poliskonstapel, iklädd rutig flanellpyjamas, lika skräckinjagande som en tom plastflaska. Jag tror inte Chrille såg honom ens.*

Det hjälper knappast. Tvärtom, Chrille blir bara ännu galnare när Alex håller på så där. Jagar upp både sig och ungen. Väcker grannarna om vi har riktig tur, så de ringer polisen och då blir det verkligen party.

Det brukar gå över snabbare om jag får sköta det själv. Som det var innan. När vi var själva, jag och Chrille. Dessutom är det så fånigt. Alex ser bara löjlig ut, det gör mig förbannad när Alex är så där korkad.

Man tycker att han borde fatta sitt eget bästa, springa in i sitt rum och lägga sig under sängen eller gömma sig i garderoben, något sådant. Men, närå, jag behöver naturligtvis räddas. Kvinnan. Den försvarslösa. Utav en sjuårig snorunge i brist på annat. Han tittar på mig med de där hundögonen, blanka och svarta, och så gör han det. Vad som helst. Kanske är Alex besatt av mig, som Chrille var förut.

Chrille kommer tillbaka. Jag har svårt att tro att han skulle kunna låta bli. Men då får han kanske passa sig så att han inte åker på stryk. Plastflaskans gruvliga hämnd, det vore något.

Alex älskar mig mest i hela världen. Jag är hans mamma. Ingen annan kan vara det, bara jag. Ändå längtar den dumma ungen efter sin pappa. Han har inte glömt, men kommer inte ihåg ett dugg.

Inte Chrille heller förstås. Det är klart att Chrille kommer tillbaka. Han har inte lämnat någon.

21

DET VAR NÅGOT med luften. Något hände med det utspädda sommarljuset ute på havet: molnen, i ständig rörelse, alltid på väg någon annanstans. Och tiden som försvann i samma takt som fallen dunkade i masten.

De hade tillräckligt med vind, fyra sekundmeter. Pontonbryggan i den västra delen av Gräddöviken låg en knapp timme bakom dem. Morfar hade protesterat när de valt att gå ut mellan pontonerna för motor. Men morfar protesterade å andra sidan alltid, tjatade och gnällde. Ända till i höjd med båtmacken där de satt storseglet hade Sture tjafsat om att riktiga seglare minsann kryssade även om det bara fanns femton meter segelbart utrymme.

"Vaere för vits med att ha segelbåt om man inte klarar av att ta sig in och ut ur sin egen hamn? Då kan man väl lika gärna skaffa sig en sådan där Björn Borg-flotte som drar tjugo liter per sjömil och låter som en brunstig flodhäst när den går på tomgång?"

Sture tyckte det var ett bevis på att världen snart skulle gå under att alla numera gick för motor så fort det blev lite spännande. Men det hade han alltid tyckt, det var inget nytt. När han var klar med att klaga på det brukade han övergå till att klaga på Östersjön som inte hade någon av de

egenskaper som gjorde hans Nordsjön till det hav han alltid
saknade.

"Tunnelbana har de kanske, men några riktiga vågor det
har de aldrig sett. Skvalp i ett badkar för nollåttor, det är
det värsta som kan hända mellan Fjäderholmarna och
Huvudskär."

Peter verkade inte tycka att det var jobbigt att bli utskälld
med hjälp av båttermer som Sophia aldrig hade hört trots
att hon seglat i hela sitt liv. Han var på förvånansvärt gott
humör. Istället för att sura hade han skrattat, ställt sig
bakom Sophia och knutit fast en björkruska i akterstaget.
Vid laxodlingen utanför Lidö hissade de genuan och då slu-
tade morfar äntligen jämra sig, vände ansiktet mot solen
och öppnade en pilsner. Sedan dess gick de för läns, med
ett segel på varsin sida om masten och vinden rakt i ryggen.
Regnmolnen som följt dem under hela bilresan låg kvar
över land. Himlen ute på havet var ljusblå.

Sophia lutade sig emot Peter som tagit över rodret
medan hon hjälpte Sture med ölen. T-shirt och bomullsbyx-
or, hans hår lockade sig i nacken när han svettades. Hon
vände näsan in mot hans tröja och blundade. Solen värm-
de. Peter lade handen över hennes huvud.

Det var inte någon stor båt och den var knappast anpas-
sad för Sture och hans rullator. Men Sture hade haft den så
länge Sophia kunde minnas, hon hade inte hjärta att göra
sig av med den. När de flyttade från västkusten sensomma-
ren 1980, hade Sture och Sophia seglat båten från Hogdal
till Rådmansö, bara de två. I vattnet utanför Bohuslän pilka-
de de vitling och plockade musslor. Vid Skånes långgrunda
stränder fick Sophia brännsår på näsan av solen och

vaniljglass på pinne, i Santa Annas skärgård fyllde de näten med strömming. Resten av tiden levde de på ett imponerande förråd torrmjölk och varmkorv.

Båten var en Shipman 28, knappt nio meter lång med fyra trånga kojplatser och bra plats för minst fyra vuxna i sittbrunnen. Hon var byggd i Visby, hade vitt skrov, masten på däck och var döpt efter Stures pappas båt. Titteli II var limpsmörgåsar med kaviar och hårdkokta ägg på en solvarm klippa. Hon var fuktig trygghet för en liten flicka som sov middag i förpiken med ryggen mot skrovet och rullande bytte sida varje gång det blev dags att slå. Hon var minnet av hur det ilade i magen när båten lade sig så djupt ner i vind att vattnet skummade upp över däck, ljudet av regn i storseglet, patiens med en svullen kortlek, kortvågsradio och korsord. För Sophia var Titteli II mycket mer än bara en vanlig svensk plastbåt. Det var hennes barndom. Peter brukade säga att Sophia borde ha sålt båteländet för länge sedan.

Båtplatsen i Gräddö hamn hade Sture haft ända sedan de kom fram till Rådmansö den där flyttsommaren. Sture vann den i ett mycket långt kortspel i serveringen utanför Gräddö Ica. Medan Sophia åt fyra våfflor med hemvispad grädde och jordgubbssylt förhandlade Sture sig till en årshyra som fortfarande var den Sophia nu betalade. Båtägaren med platsen bredvid hennes, fick hosta upp mer än fyra gånger så mycket.

Det kunde vara hårt arbete med en båt. Ändå hade Sophia aldrig bett Peter om hjälp. Istället hade hon hittat en kille som såg till att få upp båten ur sjön på hösten, ner med den i vattnet till våren och dessutom kontrollerade att motorn och seglen höll en säsong till. Med hans hjälp hade hon installerat rullgenua, bytt ut motorn och tagit bort toaletten för att få bort lukten och in mer stuvutrymme. Killen som hjälpte henne var frisörlärling, hade ont om pengar och fick segla båten när Sophia inte ville. De var båda nöjda med det arrangemanget.

Förra året hade hon och morfar bara varit ute två gånger. Han hade inte mått så bra efter infarkten och hon hade haft mycket på jobbet. Men tre sommarveckor varje sommar seglade hon ensam. Hon brukade hinna till Finland och tillbaka, ner till Gotland och upp igen utan att stressa. Det var den enda semesterrutin hon hade och anledningen till att hon brukade vara solbränd till långt in i oktober. Förra året var Peter med en av veckorna. I sommar tyckte han att de skulle åka på charter till Medelhavet.

Sophia hade seglat i hela sitt liv. Märkligt nog dröjde det tills mormor dog och morfar fick sin första infarkt innan hon såg till att skaffa förarbevis. Hon hade visserligen aldrig behövt ett formellt intyg på att hon kunde navigera, inte så länge hon seglade med morfar, men nu kändes det viktigt att ha bevis på att hon kunde läsa ett sjökort. Om hon skulle vilja hyra båt någon gång, en större båt för många vänner kanske, om hon kände för att byta liv. Hon hade till och med gått på seglarläger för vuxna. Det varade i fem dagar och hon kände sig fånig precis hela tiden. Men hon lärde sig en del nytt och slapp äta varmkorv.

Seglarläger var en annan sak hon aldrig hade fått gå på när hon var liten. "Vad ska det vara bra för?" brukade morfar undra. "Du gör inget annat än seglar hela somrarna."

Hennes kamrater gick på seglarläger, inte hon. Men

ändå gjorde morfars båt att Sophia slapp ljuga om vad hon gjorde på somrarna. "Jag har seglat hela sommaren", var godtagbart, till och med i Sammis, högstadieskolan i Djursholm där det i vissa kretsar var mycket viktigt att ha rätt svar på sådana frågor.

"Jag tycker vi går till Botveskär. Småöarna öster om borde ha lä där, både i kväll och i morgon bitti. Och även om vi kommer att vara tvungna att stå ut med en del gastande från Fejan så får vi vara rätt ensamma." Sophia gnuggade sig om näsan och justerade storseglet som börjat fladdra i mastliket. "Det är inte så många onyktra tonårsseglare som klarar av att ta sig in där i sundet."

"Ger du mig ett sjökort och visar var detta paradis ligger, ska jag nog klara av det." Peter kisade mot solen. "Även om det här inte är mina vatten."

"Aj, aj, kapten." Sophia gjorde honnör med två fingrar mot pannan. Hon log. "Om du bara håller kurs medan jag sätter på potatisen. Det räcker gott och väl." Håret vred hon ihop till en tofs på huvudet, snodde om gummibandet hon hade runt handleden och gick ner under däck.

Midsommarmaten var köpt färdiglagad i Saluhallen på Östermalm, ännu en källa till Stockholmsirritation för hennes morfar som fortfarande ansåg att fisk skulle köpas tidig morgon vid en hamn på västkusten, vid det riktiga havet av fiskare som varit fattiga i minst tre generationer. Morfar brukade säga att han inte hade något till övers för de rika köpmännen på Östermalm. Men de gånger han handlade med Sophia stod han alltid länge och pratade med "spolingarna Elmqvist" eller någon av de breda herrarna bakom Melanders disk.

Egentligen trivdes Sture med alla människor som tyckte lika mycket om vällagad mat som han. Intresserade de sig dessutom för Sture och hans pengar var kärleksrelationen etablerad. Och trots att Sture helst velat få sin fisk inlindad i tidningspapper och trots att han föredrog växelpengar kladdiga av fiskfjäll framför betalkort med pinkod, så gillade han ändå Melanders rökta ål, Lisas inlagda sill och den nybakta kavringen från Amandas brödbod som nästan smakade som mormors hembakta.

Sophia tände gasolen med en tändsticka och ställde på kastrullen med skrubbad potatis. En efter en öppnade hon de runda plastbyttorna, lade en sked av skagenröran och löjrommen på tre tunna skivor mörkt bröd. Hon slickade av tummen och plockade fram en skärbräda i trä. På den lade hon fem smörpapperpaket: två sorters skinka, två sorters lax och den obligatoriska ålen. Sedan gick hon mot fören för att hämta tre kalla öl och norsk snaps. De skulle kunna äta så fort de lagt till.

Det här borde bli en bra midsommar.

"Skitsnack!"

Sophia bet ihop käkarna så hårt att musklerna knöt sig. Ska du förstöra det här nu, morfar? Vi hade faktiskt riktigt mysigt. Varför måste du förstöra det? Som om jag inte var här, som om jag aldrig förstått, som om vi allesammans inte alltid har begripit hur du levde ditt liv medan mormor försökte hålla skenet uppe.

"Skitsnack, säger jag. Jag har alltid haft tumme med flickorna." Sture satt med ansiktet vänt mot solen och tre pilsner och två ordentliga snapsar tryggt placerade under den tunna dunvästen. "Din tumme däremot." Han viftade åt Peters håll. "Inte ens under det som borde vara din tummes glansdagar har den väl håvat in en enda tjej... för känner jag henne rätt", han bytte riktning på tummen och viftade mot Sophia, "så var det väl snarast hon som förbarmade sig över dig och din hopplösa frisyr."

Peter skrattade. Sture höjde sin pilsner mot Peter och han skålade tillbaka.

Hon tittade ut över vattnet och försökte lugna ner sig. Din tjusartumme är faktiskt ingenting att vara stolt över morfar, tänkte hon, du har fortfarande inte begripit att du egentligen borde skämmas över alla dina brudar.

"Men du vet ingenting om mig och mina förmågor." Peter lutade sig bakåt, ställde ifrån sig den tomma ölflaskan och knäppte händerna över magen. "Jag skulle vilja påstå att ditt kortaste, bredaste och viktigaste fingers främsta uppgift är att sitta fastklistrad på fjärrkontrollen. Åtminstone nuförtiden, min gamle man. With all due respect."

Sture fnös. Det kröp i kroppen på Sophia. Hon ville bara bort.

"Jo, jo. Om du bara visste." Sture tog en klunk öl och torkade sig om munnen. "Men ingen storstadsslyngel ska i alla fall komma och påstå att inte jag vet en hel del om långa relationer."

Okej, tänkte Sophia. Nu är det dags igen. Nu kommer den också: Stures obligatoriska lektion i sex och samlevnad. Varför har Sophia inga barn? Varför kan inte Sophia binda sig? Jag hade hoppats på att få slippa den, men icke... Och det är klart, varför skulle jag få ha lite trevligt, bara för att det är midsommar?

Sture fortsatte med ännu högre röst.

"Så nu undrar jag..." Han vände sig demonstrativt mot Peter och sträckte ut pekfingret. Sittbrunnen var så liten att fingerspetsen hamnade strax under Peters nästipp. "Har du funderat på familj, min unge man? Barn? Något beständigt? Göra en hederlig kvinna av min tjej?"

"Visst", mumlade Sophia, "den perfekta relationsexperten, det är du det."

"Va? Sa du något?" Sture flyttade långsamt blicken mot Sophia.

"Nej, ingenting. Det var ingenting."

Det hade inte varit meningen att han skulle höra. Det var aldrig meningen att ställa honom till svars, inte ens när hon var modig nog att våga låtsas som om hon ville ge honom svar på tal. Hon sa ifrån, men aldrig så att han faktiskt förstod. Förut hade hon låtsats att det var för mormors skull, men hon borde erkänna för sig själv att hon var för feg.

"Men morfar." Hon kände hur kinderna hettade. Hon svalde för att bli av med den sura smaken i munnen. "Vi kanske inte behöver prata om det just nu. Jag tycker inte att det är så roligt att prata om."

Det blev tyst en stund. Sophia satt fortfarande och petade i resterna av de små, söta jordgubbar med vispad grädde som hon serverat till dessert. Hon var den enda som drack dessertvin, i ett litet duralexglas missfärgat av kalkavlagringar. Kaffet kokade redan på gasolspisen, bubblade i en liten italiensk mockakanna som snart skulle rymma tre starkt koncentrerade koppar. Sture sov gott på kaffe och Sophia och Peter tänkte inte lägga sig än på många timmar.

"Det är ingen fara." Peter drog henne intill sig och

Sophia försökte slappna av. "Jag har inget problem med att prata om det. Vi har inte bott ihop så länge. Vi tar väl en sak i sänder, jag vet inte riktigt vad jag ska svara. Händer det, så händer det?"

"Inga sådana fånigheter." Sture viftade avvärjande med handen. "Du verkar vara en bra karl, Peter. På det stora hela i alla fall. Usel på att kryssa i hamn, men visst, det kan säkert gå bra ändå. Inte för att jag har fått träffa så många andra pojkvänner, men jag är en gammal man. Jag har inte tid att vara kräsen och du min käre farbror doktor har inte heller tid att hålla på och förlita dig på ödet. Sophia är min enda levande släkting i fertil ålder. Jag tycker hon borde få ett par, tre ungar och en karl som gör livet hennes outhärdligt och omöjligt att lämna. Och det börjar bli bråttom. Hon bara ser ung ut, min tjej, hon är inte ung egentligen. Vet du det?"

Peter nickade, försökte se allvarlig ut.

"Hon behöver... nej, förresten, vad ska jag hyckla för? Jag behöver det. Jag." Han vände sig mot Sophia och tog hennes hand. Han vevade den ett par gånger fram och till-baka. "Du vet att jag inte tycker att du måste skaffa barn. Att det inte är barnen egentligen. Utan något annat, du vet det, älskling. Du vet precis vad jag pratar om." Han återgick till Peter, suckade och fortsatte med lättare tonfall. "Jag bör-jar bli trött på att ha ansvaret för henne. Det är bara det." Sture såg väldigt gammal ut.

"Vi jobbar så mycket, morfar. Vi har inte... Jag tror fak-tiskt inte att vi ska prata om det här just nu."

Sophia reste sig upp och började duka av. Varför försök-te hon egentligen svara? Han ville bara ställa sina frågor. Ju mindre hon sa, desto snabbare skulle det här vara över. Det var mormor som brydde sig på riktigt, som ville förstå. Morfar lade sig bara i sådant han inte hade med att göra. Det var mormor som hämtade på alla discon, polisanmälde henne försvunnen om hon var försenad hem från stallet och plockade undan spriten när morfar blev för full. Nu var mormor inte här längre.

Jag borde i alla fall våga ta undan spriten, tänkte hon. Det borde jag faktiskt våga.

Nere under däck plockade Sophia fram tre koppar. I Stures kopp lade hon två bitar socker och en liten sked. Hon drog ut en chokladkaka från en av hyllorna strax ovanför spisplatsen och klämde fast den under armen.

"Du glömmer väl inte konjaken?" Sture tittade på henne när hon dök upp med brickan.

"Det blir ingen konjak."

"Nähä." Sture körde upp de buskiga ögonbrynen långt upp i pannan och tittade på Peter som inte sa ett ljud. Armarna hade Peter lagt i kors över bröstet.

De är som hundar, tänkte Sophia, små hundar. Låter man bara som om man har bestämt sig, som om man verkligen vet vad man vill, då vågar de inte säga emot.

"Så det blir ingen konjak. Minsann. Och jag som trodde att det var midsommar och vi hade trevligt. Tänk så man kan bedra sig."

Sophia kände hur magen knöt sig. Sture vände sig mot Peter igen.

"Det går väl inte att tjäna några pengar på att vara läkare nuförtiden?" Han hade höjt rösten och fått två röda fläckar på kinderna. Sophia visste vem han var arg på egentligen och inte var det den svenska sjukvårdens lönepolitik. "Vad tjänar en sån som du? Tjugo efter skatt? Tjugofem?"

"Men morfar! Kan du inte bara... Jag vill inte prata om det här, jag vill inte att vi... Jag tycker faktiskt inte att du är rätt person..." Strupen snördes ihop. Hon var tvungen att sluta prata för att inte börja gråta.

Sture och Peter tittade ner i durken. Peter hostade ett par gånger.

"Ja, ja. Det var värst vad det var känsligt. Ursäkta då. Förlåt så mycket för att man frågar." Sture svepte sin kaffekopp i en klunk och harklade sig ljudligt. Han plockade upp en näsduk och torkade sig omsorgsfullt i mungiporna. "Fånig italiensk sörja", fnös han och skakade på koppen. "Vad är det för fel på hederligt bryggkaffe? Kan någon säga mig det? Eller snabbkaffe. Vi är ändå på sjön och inte på någon taverna vid Medelhavet. Det är en bra uppfinning det, snabbkaffe. Nåja. Mig är det ändå ingen som lyssnar på. Jag ska gå och lägga mig nu. Gammal och trött är jag. Orkar inte sitta här och underhålla er hela natten. Men jag hör inte ett ljud när hörapparaten är avslagen. Bara så att ni vet. Så känn er inte blyga på något sätt. Låt inte mig störa. Kör hårt. Gör henne på smällen för all del, då blir hon väl ändå tvungen att göra något annat än att jobba och packa undan spriten för en gammal man som antagligen inte har så många festtillfällen kvar i sitt gamla, trötta liv."

Peter log. Sophias tänder gnisslade. Precis när hon trodde att hon inte skulle stå ut längre och börja skrika rakt ut lutade sig Sture fram och tog tag i Sophias arm.

"Hjälper du mig, Fialotta?"

Sophia reste sig upp och kände hur gråten steg upp i strupen igen. Varför reagerade hon på det här viset? Varför kunde hon inte bara vara tyst och låta honom hållas? Det spelade väl ingen roll om han drack lite för mycket, det blev inte så ofta nuförtiden. Läkarna hade visserligen sagt att han borde vara försiktig, men någon gång då och då kunde väl inte spela någon roll.

"Morfar", viskade hon. "Du kan väl stanna? Jag hämtar konjaken, jag är bara så orolig. Du förstår väl?"

"Lilla älskade, finaste Fia." Sture klappade henne på kinden. "Du ska inte oroa dig för mig. Det är ingen fara, jag lovar. Men jag är trött. Vi struntar i det här nu. Det är väl en dag i morgon också. Det brukar folk i alla fall påstå. Och vem vet? De kanske har rätt. Jag kanske lever flera dagar till."

Med ryggen ner mot ruffen klev Sophia framför den gamle mannen så att hon kunde hålla honom i bägge händerna när han tog sig ner under däck genom den smala öppningen. När de kommit ner och morfar satt sig på britsen stängde Sophia igen den tredelade luckan för utgången. Morfar skulle få vara ifred. Hon kunde gå ut genom förluckan och när Peter och hon ville gå och lägga sig kunde de gå den vägen också. Sedan slog hon på strömmen. Sture brukade tycka om att läsa innan han somnade.

Utan att säga något drog Sophia för gardinerna över de långsmala ventilerna. Sedan plockade hon fram sängkläder ur stickkojen och började bädda, Sture hade satt sig ner mittemot och tittade på henne medan hon arbetade. De var tysta en lång stund innan han började prata.

"När du skulle till dagis var det jag som tog dig dit", sa han. "Alltid jag, det var på vägen till universitetet och du fick sitta på styret till min cykel. Kommer du ihåg det?"

Han tog Sophias hand och tvingade henne att sluta

bädda. Hon blundade och skakade på huvudet.

"Det här är viktigt, du måste lyssna. Du satt på mitt styre, men den allra sista biten, när vi gick uppför grusgången till dagisdörren, då fick du sitta på mina axlar. Du satt där, klämde om halsen på mig, det hårdaste du kunde, som om du var rädd för att ramla. Och innan vi kom fram till dörren böjde du dig ännu längre ner och viskade i mitt öra: 'Jag älskar dig morfar, hela du älskar jag.' Du sa så varje morgon. 'Jag älskar dig morfar, hela du älskar jag.' För att jag inte skulle glömma kanske."

Sture slöt de vattniga, ljusblåa ögonen en kort stund innan han fortsatte.

"Och jag har aldrig glömt. De där smala armarna, dina svettiga händer, jag kan känna... det är som om det är ett minne som sitter i huden för jag kommer ihåg precis hur det kändes. Att du fanns där hos mig. Är det säkert att du inte kommer ihåg det?"

Hon skakade på huvudet igen och Sture började långsamt knäppa upp sin skjorta. Med ryggen mot den uppfällbara trappan knöt Sophia upp hans skor och drog av honom strumporna. När hon skakade dem släppte de ifrån sig ett tunt regn av vita hudflagor. Hon rullade ihop dem, en strumpa i taget och stoppade dem i Stures skor.

"Om du vill klipper jag tånaglarna på dig i morgon. Du behöver det. Vi kan göra fotbad först."

"Vill du det?" Sture lät trött. "Du är snäll du, mot din gamle morfar." Han drog pyjamasen över huvudet. "Gå nu", mumlade han. "Jag klarar mig själv. Gå ut och underhåll karlen din."

Sophia svalde, hon kom inte på något att säga. Det var nästan mörkt i båten, sommarnattsljuset klarade knappt av att ta sig in under gardinerna. Sophia försökte fånga hans blick, säga att hon förstod att han ville väl, att även om hon tyckte att det var svårt var det så klart svårast för honom.

Det var mycket hon ville säga. Hon fick inte ur sig ett enda ord. Mest av allt ville hon att han inte skulle skämmas för att han hade blivit gammal och inte var som förr. Att han fortfarande var stor och stark för henne.

Sture tände kojlampan och lade sig ner. Han tittade inte på henne längre. Han hade sträckt sig efter sin bok och slagit upp den. Så hon kysste honom på pannan, lät läpparna vila en stund på den tunna huden och det stenhårda skallbenet. Sedan gick hon tillbaka ut i sommaren.

Det var mitt i nattens mörkaste timme. Lyktan med värmeljus brann stadigt på bordet i sittbrunnen och myggspiralerna glödde. Morgondimman och knotten virvlade i en genomskinlig ringdans några centimeter ovanför vattenytan.

Sophia låg med ryggen mot Peters bröst, han hade lagt armen om henne och hon hade en filt över benen. De hade badat nakna i det iskalla vattnet och havslukten hade letat sig in i kroppen. Håret var oljigt, salt.

Båten låg förtöjd för ankar, tampen var slak och sjön blank. Från krogbryggan borta vid Fejan hördes den fasta pulsen av musik som spelades på för hög volym, elektroniska trummor som färdades fritt, bort över den sovande fjärden. Ljud som lade sig ovanpå, som inte hörde hemma här. Någonstans i tystnaden mellan två låtar skrek en flicka, kanske i fyllan, ett ordlöst rop, det lät som glädje.

Peter andades i Sophias öra. Det kittlade, susade. En kort stund fanns inget annat än just det.

"Vill du ha barn med mig?"

Hon svarade inte. Allt var fortfarande stillhet, klipporna svarta i det ljusa mörkret. Så kom kylan in från det ännu kalla havet och Sophia drog filten närmare intill sig. Peter kysste henne på kinden.

"Mm…", sa hon och blundade.

Jag ska aldrig ha barn, tänkte hon. Aldrig i livet.

22

SOLEN VÄNDE I samma stund som havets konturer försvann. Inga stjärnor hann komma fram på den gråblå himlen. Det blev aldrig natt på riktigt. Midsommardagens morgon, lördagen den 20 juni, klockan tjugotvå minuter i två var det redan ljust som mitt på dagen.

Då gick larmet.

III

23

ETT HYSTERISKT FRUNTIMMER hade ringt in till larmcentralen.

Precis som vanligt, tänkte kriminalinspektör Stefan Olsson, en fyllekärring. Blod och bråttom, kom genast, gråt och tandagnisslan. Förälskade fyllon tyckte om att ha ihjäl varandra under den svenskaste och mest poetiska av nätter, alkoholisternas egen nationaldag.

Den ena har väl stuckit kniven i den andra. End of story. Så obeskrivligt banalt att det passar utmärkt i en Shakespearepjäs. Stefan brukade gå ofta på teater. Nu senast hade det blivit *Singin' In the Rain* på Oscars.

Lägenheten låg på tredje våningen, tre rum och kök, sjuttiosju kvadratmeter. Det fanns hiss i fastigheten, men den var trasig, så de fick gå upp. Trasig var också säkerhetskedjan på insidan av ytterdörren, Stefans kollega knäppte med nageln mot det lösa fästet innan hon drog igen dörren. Innanför ytterdörren fanns en liten hall. Längs med den vänstra långsidan stod ett par stövlar med spindelmannenmotiv, tre par skor i storlek 38 och ett par betydligt större slitna gymnastikskor.

Kärringen kutade runt i tamburen och skrek. Hon var blodig i håret, blodig på kläderna, blodig om händerna.

Och riktigt snygg för att vara fyllo, konstaterade Stefan.

Smal om midjan och rund strax ovanför. Massvis med tovigt, blont hår. Om några år skulle hon vara ett svullet alkoholistspöke, men än så länge hade hon en hel del att bjuda på. Nyduschad skulle hon vara riktigt intressant, det kunde Stefan se. Men så hade han också alltid varit väldigt observant.

Till höger låg ett badrum. Någon hade spytt i toaletten. Även om det spolats flera gånger syntes det fortfarande spår av maginnehåll på insidan av toalettskålen och på den nedfällda stolsringen.

Köket var smalt med skåp på ena sidan, en spis med fyra plattor, kylskåp, frysfack och diskmaskin. På matbordet stod tre flaskor med starksprit. En var tom. Bredvid den dyraste, en whisky av märket Glenmorangie, låg en smutsig sked och en tallrik med rester av fil med chokladflingor. Köket var belamrat med smutsig disk, på spisen stod potatis i en kastrull och en flottig stekpanna. Golvet behövde tvättas.

Kollegan fick ta hand om frun. Ambulanspersonalen var på väg. Under tiden skulle Stefan kontrollera om det var någon som behövde avväpnas eller räddas till livet. Även om han gärna hade låtit blondinen gråta ut i hans breda famn kunde han knappast skicka kollegan på det andra fyllot.

Han klev in i vardagsrummet. För att se vad han kunde göra. Om det fanns något att göra. Vardagsrummet hade fönster på vardera kortsidan, det ena mot gatan, det andra mot gården. Det var möblerat med en nedsutten soffa och två IKEA-fåtöljer av märket Filur. En bokhylla från samma varuhus stod vid rummets ena kortsida. På golvet låg ett trettiotal pocketböcker, en sönderslagen vas och ett stort antal blanka veckotidningar. På långsidan fanns två dörrar, till vardera av lägenhetens två sovrum. Längst in i vardagsrummet fanns ytterligare en dörr, den som ledde tillbaka in till kökets matplats.

Han låg på tröskeln mellan köket och vardagsrummet, på mage med raka ben, armarna utsträckta, ena handen öppen och ansiktet nervänt mot vardagsrummets tarkettgolv. Det var en man i trettiofemårsåldern. Han hade inga skor på sig, ett par blå jeans och en missfärgad t-shirt med tryck.

Han var knivstucken minst två gånger, trodde Stefan. Stickvapnet var borttaget och han hade blött ordentligt. Kanske blödde han fortfarande, det var svårt att se. Offret, kroppen kanske, rörde sig i alla fall inte.

Pojken som satt bredvid, mitt i allt det kladdiga, var i åttaårsåldern, möjligen lite äldre. Stefan var dålig på att åldersbestämma de där minsta, exfrun var bättre, hon visste allt om småbarn, när de började tappa tänder och sådana grejor. Grabben var tyst, stirrade, irisen försvunnen, pupiller stora som knytnävar.

Stefan glodde en stund på ungen, han glodde tillbaka.

Barnet höll kniven framför sig, med båda händerna, tvåhandsfattning. Han hade ett plåster runt pekfingret och en liten kudde i knät. Stefan kunde höra en orkester som spelade på tv:n, de gladaste av svenska dansmelodier, tjo och tjim. På golvet bakom pojken med kniven låg ett tjugotal dvd-skivor utspridda och blänkte. Morgonsolen kom in genom fönstret och lyfte upp ett moln av damm som vandrade upp i ljuset.

"Det var jag", sa barnet till slut. Det såg inte ut som om han tänkte gråta. "Pappa är död tror jag." Han släppte kniven, sköt den åt sidan. Den snurrade ett par varv på golvet innan den stannade. "Det kommer inget mera blod nu. Så han är död."

Vad har hänt med den här världen, tänkte Stefan och sträckte ut handen mot pojken.

Barnet hasade bakåt på knäna, medan Stefan närmade sig. Stefan satte sig på huk och kände med två fingrar på mannens hals. Huden var tom och stum, han kunde inte vara säker, men kanske kunde han känna en svag puls ändå.

Knivhuggen i nacken, det syntes tydligt, och i ryggen trodde Stefan, midjehöjd, det var i alla fall där som hans tröja var som mest nedblodad. Han satte handen mot det han trodde var såret, tryckte så hårt han kunde.

Plötsligt kändes det som om han måste kräkas. Det blev suddigt framför ögonen. Han fick galla i munnen. Vad var det med honom, varför blev han så här? Och den där ungen som bara satt där och skakade, skakade så mycket, som om han frös. Det var inte kallt härinne.

Stefan lyfte på huvudet och såg rakt in i den bakre delen av köket och på resterna av midsommarfirandet. Den typiska kulissen för ett vanligt fyllebråk.

Varför kunde inte det här ha fått vara det? Det hade han klarat av, han hade inga problem med fyllon, dem var han van vid.

"Först ramlade han. När han ville döda mamma. Nej... Jag menar... Först ville han döda mamma och sprang. Och sedan ramlade han. Pappa vill att mamma ska dö. Och jag ska också dö tycker han, fast inte lika mycket. Men ibland vill han inte det alls. Och jag vill inte att mamma ska dö. Vet du det? Jag ska hjälpa mamma. Förstår du det, du får inte döda min mamma. Inte döda henne."

Stefan nickade och skakade lite på huvudet, han hade inte kommit på vad han skulle säga riktigt än. Han öppnade munnen. Saliven verkade ha försvunnit, tungan var torr. Fingrarna kändes stelfrusna.

Han knöt händerna ett par gånger, de var redan kladdiga. Det var ingen idé att stirra sig blind på allt blod, han måste lägga tryckförband, vända på karlen och börja med hjärt- och lungräddning. Det var säkert redan för sent men han måste ändå göra det. Ambulansen skulle komma vilken minut som helst, han skulle inte behöva hålla på så länge.

"Det var jag som gjorde det. För jag måste hjälpa mamma. Det finns bara jag. Förstår du?"

Pojken lade huvudet på sned.

En kort sekund fick Stefan för sig att ungen tänkte le, ett sådant där förskräckligt inställsamt leende som amerikanska barn på film när de verkligen ville ha något och trodde sig veta vem som skulle ordna det åt dem.

Men den här pojken log aldrig. Kanske ångrade han sig, kanske var han ledsen. Stefan sa i alla fall ingenting. Och barnet fortsatte prata.

"Jag gjorde det. Det var jag, hör du det. Och nu är pappa död. Är han död? Är pappa död nu?"

24

NÅGONSTANS MITT I en dröm blev hon väckt. Sophia Weber, midsommarledig advokat, slog ut med handen och satte sig upp. Hon hann slå huvudet i förpikens innertak innan hon insåg att det inte var väckarklockan. Det var hennes mobiltelefon. Den hade en ganska ovanlig signal, lät precis som en telefon.

"Ursäkta att jag ringer så tidigt."

Sophia kände inte igen vare sig rösten eller numret på displayen.

"Jag heter Veronica Svensson och arbetar på Expressen. Pratar jag med advokat Sophia Weber?"

Hon nickade innan hon fann sig, harklade sig och svarade.

"Det är jag. Vad är det som har hänt?"

"Jag ringer för att prata om Christer Andersson. Han är död."

"Vem då?"

Rösten kändes fortfarande ostadig. En kort sekund trodde hon att det hänt något med morfar, innan hon kom ihåg att han låg i båten och sov och att det i vilket fall som helst vore osannolikt att Expressen skulle ringa för att prata med henne om att Sture råkat ut för en aldrig så olycklig olycka.

Hon harklade sig igen, gnuggade sig i huvudet och kände bulan växa.

"Christer Andersson. Du står som ombud för hans son, i en... i ett beslut om tvångsvård från Stockholms länsrätt tidigare i våras."

"Jaha, ja... Ja, det stämmer."

Peter hade vaknat och tittade på Sophia. Hon skakade avvärjande på huvudet.

"Jobbet", mimade hon. Han slöt ögonen igen.

Det var ljust ute. Sophia öppnade luckan i taket och kröp ut på däck. Vattnet var blankt och rosafärgat av morgonsolen. Fåglarna hade vaknat men de festande ungdomarna nere vid krogbryggan på Fejan verkade äntligen ha somnat. Hon tog mobiltelefonen från örat och tittade snabbt på displayen. Klockan var fem i halv fem.

"Är han död, säger du?"

"Ja. Knivskuren strax efter midnatt i sitt hem på Ynglingagatan 14, dödförklarad någon timme senare på sjukhuset."

"Men, jaha. Vad hemskt. Jag menar... hrm... det var mycket tråkigt att höra..."

Sophia kände hur kissnödig hon var. Hon kliade sig på ett myggbett vid hälen och undrade om hon verkligen skulle hoppa i land barfota. Det kunde vara farligt att hoppa på de daggvåta klipporna. Ett år hade hon halkat, slagit sig blålila och brutit lilltån när hon försökte ta sig i land utan skor. Morfar skällde fortfarande på henne ett par gånger om året för det misstaget.

Hon skulle kunna ta kisshinken och kissa på däck, hann hon tänka. Sedan kom hon ihåg att den stod inne hos morfar. Dit gick det inte att gå nu. Då skulle hon väcka honom.

"Men jag förstår inte. Jag företräder inte Christer Andersson, jag företräder hans son. Christer Andersson var inte ens närvarande vid förhandlingen om jag minns..."

"Så du har inte blivit kontaktad?"

"Nej..." Sophia gnuggade sig i ögonen. Hon begrep fortfarande inte. "Varför skulle jag ha blivit det? Har det hänt något med Alex?"

Sophia mindes beslutet att låta Alex fira midsommar med sin mamma. Men det var med mamman. Det var inte meningen att pappan skulle vara med. Pappan gick inte och lämnade regelbundna urin- och blodprov för att visa att han höll sig nykter som Linda gjorde. Alex skulle inte behöva träffa sin pappa.

"Var Alex pappa hemma i lägenheten på Ynglingagatan, säger du?"

"Ja." Journalisten dröjde en stund innan hon fortsatte. "Det var han. Vi har... enligt våra uppgifter var det Alex som dödade honom. Det var visst bråk mellan mamman och pappan och Alex fick tag i en kniv, en japansk sak. Han stack den i honom när han ramlat på tröskeln mellan vardagsrummet och köket. Det verkar inte vara något tvivel om saken. Våra källor är säkra. Alla uppgifter tyder på en och samma sak: Alex dödade sin pappa i går kväll."

En mås skrek i falsett. Det lät som ett övergivet barn.

Hur kan Expressen veta vad det är för kniv som har använts, tänkte hon.

"Har du några kommentarer? Skulle du kunna tänka dig att ringa mig när du har fått kontakt med Alex? Vi skulle gärna vilja prata med honom som du förstår. Eller... ja, i alla fall hans mamma. Eller med dig... om allt det här och vad som ska hända nu."

Sophia kom inte på något att säga. Journalisten fortsatte.

"Förbered dig på att det blir en del rabalder. Jag är inte den enda som kommer att vilja prata med dig och Alex. Om Alex. Om en sjuårig mördare, mitt i sommarnyhetstorkan. Du kanske inte riktigt förstår, jag antar att jag ringde och väckte dig. Men det här är jättenyheter. Det spelar ingen roll vad som händer nu, Alex kommer vara vår prio ett, han kommer att vara allas prio nummer ett. Ja, om inte plötsligt Vickan berättar att hon är med barn och redan har gift sig borgerligt utan några som helst utländska gäster för en vecka sedan. Ja, ursäkta. Jag vill inte skämta för det här är verkligen inte roligt. Men det kommer att bli ett herrans liv. Bara så att du vet."

En mygga landade på Sophias underarm, hon tittade på den medan den borrade ner sin snabel i hennes hud. När den satt ordentligt fast klämde hon ihjäl den med tummen. Blodet gnuggade hon bort.

"Jag har inga kommentarer."

Hur ska jag kunna kommentera det här, tänkte hon. Vad ska jag säga? Vad säger man?

"Jag måste prata med min klient. Eller, ja, klient och klient. Jag måste försöka ta reda på vad som har hänt. Om jag har något uppdrag. Jag vet inte om jag har något uppdrag, om jag kan säga något. Jag hoppas att du förstår det? Att jag inte vet och att jag än så länge inte har något uppdrag och därför inte har något att uttala mig om. Men försök att komma ihåg att han är sju år. Alex är bara sju år. Måste ni absolut ringa någon så ring till mig så länge. Jag ska berätta vad jag får och kan. Bara ni låter…"

Luckan ner till förpiken var full av små vattendroppar på insidan av glasrutan. Luften härute kändes rentvättad.

När hon tänkte på att hon måste ta sig ner i den kvava sovhytten för att väcka Peter blev hon illamående. Utan att hon kunde förklara varför började hon hacka tänder, okontrollerat, som om temperaturen hade dykt långt under nollstrecket.

"Låt honom vara ifred är du snäll."

I fyra minuter satt Sophia på däck med mobiltelefonen i handen och väntade på gråten som aldrig kom. Sedan hoppade hon i land, barfota. Hon kissade uppe i skogsdungen och väntade i nästan två timmar på klippan, med armarna kring smalbenen och hakan inkilad mellan knäna, innan hon gick ombord igen för att sätta på kaffe och börja stuva grejor.

Klockan var sju när de drog upp ankaret och satte på motorn. Det gick snabbare så. Hon slapp sätta segel, hala dem och Sophia ville hem fort. Vinden låg åt fel håll. De skulle ha varit tvungna att kryssa hem, hon hade inget tålamod för det. Visserligen hade hon inte fått några fler samtal, och inget som gav henne det formella uppdraget att vara Alex biträde, men hon förstod att det inte skulle dröja många timmar innan det kom.

Om polisen skulle förhöra Alex, vilket de säkert ville göra så snart som möjligt efter mordet, då ville hon vara med till varje pris. Var hon för långt bort för att hinna dit i tid, då skulle de bara hitta en annan advokat, eller strunta i advokat helt och hållet. Det ville hon inte riskera.

Varken Peter eller Sture uppskattade hennes beslut om

tidig hemfärd, men Sture surade åtminstone i tysthet. Peter, däremot, var knappast tyst. Under den dryga en och en halv timme det tog att ta sig tillbaka till Gräddö hann de gräla om samtliga ämnen som inte på något sätt hade att göra med det de borde prata om. Ordentligt, högljutt och om allt oviktigt de kunde komma på, men ingenting de egentligen ville diskutera.

Peter sa inte att han inte förstod varför Sophia nödvändigtvis ville åka hem, han sa inte att han trodde att anledningen till brådskan hade mer att göra med det de pratat om under nattens sista timmar än att Sophia verkligen måste jobba. Hon måste alltid arbeta och det kom alltid först, men det sa han inte heller.

Istället grälade de om bensinblandningar och semesterplaner, regnkläder och en fender som borde ha legat på däck men som strax efter avfärd fortfarande hängde ut över relingen. De hade knappast grälat mer om den där fendern hade varit ett halvvuxet barn som Peter glömt berätta att han var pappa till.

Peters planer på att skaffa familj pratade de inte om. Men den frågan var lika närvarande som om den berömda rosa elefanten hade suttit vid rodret och bett Sophia att hissa storseglet.

Sture klev ner under däck och stängde av sin hörapparat.

Ändå tog de sig i land. Förtöjde båten ordentligt och gick till parkeringen i ett så lätt duggregn att det kändes som ånga mot kinderna. Väl i bilen blev allesammans tysta. Utan att ens fråga släppte Peter av Sophia vid det midsommarödsliga Mörby Centrum och meddelade henne att hon fick klara resten av resan själv. Sedan vände han och körde hem Sture. Hon behövde inte be honom om hjälp. Han såg ändå till att Sture kom hem ordentligt. Men Sophia glömde att tacka.

Först gick hon in på Åhléns, märkligt nog öppet, och frågade en tonåring som stod i kassan vad man ger till en sjuårig pojke som hamnat på sjukhus. Hon hade förväntat sig att han skulle föreslå någon bra bok med bilder på dinosaurier eller kanske ett målarset. Tjugo minuter senare var hon drygt tvåtusen kronor fattigare, utrustad med ett litet dataspel som fick plats i hennes innerficka på vindjackan. Hon hade också köpt två tillhörande spelkassetter, efter att ha ägnat en del tid åt att identifiera vilka av spelen som inte gick ut på att skjuta sönder så många elektroniska monster som möjligt. Det kändes inte lyckat att köpa något sådant.

Tunnelbanetåget som tog henne in till city var tomt. Hon tittade ut genom fönstret. Tunnelväggen rusade bredvid henne och fick hennes ögon att tåras. I Gamla stan klev hon av.

Redan på perrongen möttes hon av nyuppsatta löpsedlar med feta versaler: Torterad sjuåring hämnas – pojke mördar sin pappa. När hon torkade sig med handen insåg hon att hon grät. Varför visste hon inte riktigt. Men ett spel för tvåtusen kronor skulle knappast hjälpa, vare sig henne eller Alex.

Sophia ville fråga någon vad hon skulle göra. Hon ville veta vad man sa till en sjuåring som aldrig hälsade, aldrig pratade, aldrig såg henne i ögonen. En liten pojke som kanske hade dödat sin pappa. Anna hade barn, hon visste säkert hur man gjorde. Skulle hon krama honom? Var det verkligen en bra idé att ge honom en present?

Men Sophia ringde inte Anna. Istället plockade hon på sig en tidning ur gratisstället och stängde av sin telefon. Hon läste förstasidan gående, bläddrade fram till artikeln, vek ihop tidningen och fortsatte läsa. Det kändes som om hon hade bråttom, eller möjligen som om allt redan var för sent.

Det fanns faktiskt en annan tid, en tid före.

En sommar minns jag som var bra. Det var på landet i ett mögligt torp som mamma och pappa lånat eller hyrt eller nåt. Jag gillade verkligen det stället. Granntjejen och jag delade på ett hopprep, det var hennes, ett extralångt polkagrisrandigt hopprep med handtag gröna som bubbelgum. Vi knöt fast ena änden i en stupränna. Det var aldrig någon vuxen som ville vara med och leka och vi var de enda barnen. Sedan turades vi om att hoppa. Det fanns en äng och bakom huset låg skogen. På ängen växte det tistel och vildklöver och sådana grejor. Vi lärde oss vad allt hette, jag kommer fortfarande ihåg det. Det växte så mycket att ingen kunde gå där, men det gjorde vi ändå.

Till skogen gick jag ensam ibland, utan att berätta om det för någon. Jag kunde vara där hela dagen. Det var skithäftigt och tyst, tystare än någon annanstans. Jag lade harsyra på tungan och all svamp jag såg sparkade jag sönder. Det var kul. På kvällen blev jag blöt om fötterna när jag gick barfota i gräset, även om det inte hade regnat. Jag kommer ihåg att jag tyckte det var konstigt, men mamma visste varför det var så, det var dagg.

Det här var farligt: brännässlor, getingar, röda maneter och gullregn. Hoppade man i vattnet precis efter maten kunde hjärtat få en chock eller alla muskler stelna i nån sorts dödskramp. Gick

*man i skogen utan gummistövlar kunde man trampa på en hugg-
orm som sprutade en full av gift. Då dog man. Kom man vilse
skulle man sitta still och vänta på hjälp. Var det kallt ute fick man
inte somna, för det dog man också av. Eller så kunde man titta på
vilken sida om träden som det växte mossa och då visste man vilket
håll som var norr, eller hur det nu var, jag har glömt. Hundvalpar
och godis var fula gubbars sätt att lura snoppen in i en.*

*Den sommaren var bra. Då fick jag göra som jag ville. Det var
inga idioter som förstörde mitt liv, jag tror inte jag hatade någon.*

*Kanske sa jag det, jag-hatar-dig-mamma-du-är-världens-dum-
maste, när hon sa att jag skulle gå och lägga mig eller borsta tän-
derna med detsamma. Sådana grejor. Men det räknas inte, inte på
riktigt. Det är bara sådant som barn säger när de har det bra.*

25

"**VAD ÄR DET** här för upplopp?"

Marie Olsson, med ett ansikte brett som en katt, runda ögon och ständigt halvöppen mun, kunde inte dölja sin förtjusning. Hon var vice chefsåklagare på Stockholms tingsrätt och den som hade jouren över midsommarhelgen.

Utanför byggnaden stod ett uppbåd av journalister, dagspress, kvällspress och minst fyra olika tv-kanaler. Mikrofoner och kameralinser, allesammans riktade mot skjutdörren i glas och placerade så nära att de hamnat mitt emellan ljussensorerna. Dörrarna öppnades och stängdes, oavbrutet. Men ingen gick vare sig in eller ut.

Åklagaren och tillika förundersökningsledaren hade bett Sophia Weber och Lisa Zeiger att möta henne på polisstationen. När Marie Olsson klev in genom dörren till sammanträdesrummet hade Sophia och Lisa redan väntat på henne i drygt trettio minuter.

"Tack för att ni ville komma."

I sittande ställning krånglade åklagaren av sig sin axelremsväska, öppnade den, tittade förvirrat ner i den utan att ta upp något, stängde den igen och lade den ifrån sig.

"Jag vet inte riktigt var jag ska börja... det här tillhör inte vanligheterna. Tack och lov ska man kanske säga. Men just därför, så tror jag att det är bäst att vi försöker hålla en så öppen dialog som möjligt."

Sophia och Lisa nickade. Lisa såg ut som om hon hade gråtit.

"Jag skulle aldrig ha låtit honom komma hem."

Marie fick en rynka mellan ögonen.

"Kan vi ta det dåliga samvetet en annan dag? När jag slipper vara med?"

Lisa nickade. Marie vände sig mot Sophia.

"Bara för att klargöra en del saker. Än så länge utreds det här på vanligt sätt. Förutsättningslöst. Jag har tillsatt en förundersökning som jag alltså leder. Men mina kollegor på polisen har informerat mig om att allt tyder på att det är Alex som har tagit livet av sin pappa. Alex satt... satt med kniven i handen när polisen kom. Han hade dragit ur kniven och lagt sin egen kudde över såret. En kudde med Bamse på, världens starkaste björn. Det hade antagligen varit bättre om han låtit kniven sitta kvar. Offret hade blött mindre då. Då kanske de hade lyckats rädda karlen och vi hade sluppit allt det här. Ni hade väl, precis som jag, gärna varit på semester med familjen."

Ingen svarade.

"Jaha. Så allt tyder på att jag kommer att lägga ner förundersökningen ganska omgående. En vecka skulle jag tippa på att vi håller igång. Trots alla semestrar."

Förutsättningslöst, tänkte Sophia och skakade på huvudet. Marie fortsatte.

"Ja, vad ska jag göra? Jag kan inte gärna satsa allt krut på det här bara för att pressen tycker att det är det mest spännande som har hänt. Finns det ingen vi kan lagföra kan jag inte gärna uppehålla poliserna. De har annat att göra. Men som sagt, vi får väl se om vi ändå ska göra en sådan där paragraf 31-utredning. Även om det uppriktigt sagt inte verkar finnas så mycket att utreda utöver det vi kommer att få veta de närmaste dagarna. Ungen stack kniven i sin far när fadern pucklade på modern. Punkt slut. Det är dessutom det enda ungen säger. Han pratar inte mycket, men han har sagt att han alltid hjälper mamma. Att han måste hjälpa mamma. Så han stack kniven i pappa när han låg ner på mage och inte kunde komma upp. Han passade väl på, ett slagsmål med en fullvuxen karl skulle han inte kunna vinna, hur full pappan än var. Ja, usch, vad dystert. Sju år, snart åtta. Vad ska jag göra åt det? Socialen får bestämma vad som ska hända med honom nu."

"Varför har du bett mig komma hit?"

Sophia kände sig tvungen att fråga. Barn under femton år kunde inte bli dömda för brott, därför ansågs de i normalfallet inte heller behöva någon offentlig försvarare. Det var inte uppenbart att pojken hade rätt till advokat.

"Ja, vad gör du här? Det kan man verkligen fråga sig. Jag tänkte att ja, eftersom Alex faktiskt är misstänkt gärningsman för ett mycket grovt brott... ja, även om det inte skulle vara mord är det ett så pass grovt brott... jag kanske kommer att inleda en sådan där LUL-undersökning ändå."

Åklagaren försvann bort i egna tankar.

"Ja, fast dråp... Offret är inte något hot när han blir dödad. Ungen har kunnat ta god tid på sig och sticka i lugn och ro. Det är inget självförsvar, det är berått övervåld. Han skulle inte ha haft något uppsåt? Vållande till annans död? Det tycker jag nog verkar osannolikt... Nåja, det är väl ointressant med tanke på vem vi pratar om. Gärningsmannen ska knappast ställas inför rätta. Var någonstans var vi? Just det. Varför du är här?"

Marie log, lättad över att svaret var så lätt.

"Det är väl rätt uppenbart, kan jag tycka. Alex Andersson är huvudmisstänkt och vi har den där möjligheten i lagen att låta barn få biträde under en utredning om unga lagöverträdare om det finns synnerliga skäl. Och även om det inte formellt är en sådan utredning, så är vi tvungna att förhöra honom som potentiell gärningsman. Vi kan väl känna oss lite för, om du inte har något emot det? I värsta fall får jag väl inleda en LUL-utredning parallellt. Jag har hellre både livrem och hängslen faktiskt. Det känns bättre om... jag har aldrig varit med om det här tidigare, vem har det? Lagen är knappast skriven för sjuåriga mördare. Vi kan väl ta det säkra före det osäkra? Jag har pratat med Stockholms tingsrätt och så fort vi har rett ut hur vi ska hantera formalia kommer du att få en förfrågan därifrån, förhoppningsvis redan under dagen. Det viktigaste är att vi kan arbeta förutsättningslöst och att Alex får det rättsskydd han behöver."

Förutsättningslös utredning. En grupp vita prickar dansade framför ögonen på Sophia. Hon tog upp två huvudvärkstabletter ur innerfickan på sin portfölj och svalde dem torra.

Förutsättningslöst, tänkte hon. Hade du arbetat förutsättningslöst hade du anhållit Linda Medner Andersson. Du skulle ha hållit Alex och henne ifrån varandra istället för att låta dem sova skavfötters. Kalla in ett biträde för en typ av utredning som du redan har bestämt att du inte behöver ge dig in i... Samarbete och livrem och hängslen, det låter som ett politiskt korrekt modereportage i *Veckorevyn.*

"Om jag har något emot det? Är det din fråga? Jag tycker att det är självklart att jag ska sitta med under förhör om ni betraktar honom som huvudmisstänkt. Är det vad du tänkt dig så har det väl knappast med manliga accessoarer att göra, då anser jag att det är hans lagliga rätt att ha mig där."

"Nåja." Marie log med smala läppar. "Om han har en laglig rätt vet jag nog inte om jag kan hålla med om. Men vi behöver kanske inte gräla om det eftersom vi har bestämt att du ska få vara med på förhören. Som jag hoppas att vi kan börja med på en gång. Ni kan väl följa med bägge två. Jag tänkte att vi skulle prata lite med Alex och hans mamma. Jag träffade dem visserligen redan i går. De har sovit på BUP-klinikens akutmottagning vid Sachsska barn-sjukhus. Eller sovit och sovit... De är där i alla fall, bägge två, tillsammans med en polis och en av dina kollegor, va?"

Marie tittade på Lisa som nickade tillbaka.

"Det kändes lite väl magstarkt att ta tillbaka barnet till familjehemmet, så han fick sova där. Han var rätt chockad. Ville väl vara med mamma, antar jag. Även om han verkade lugn, närmast lite obehaglig på något vis. Det är väl en sån där posttraumatisk grej. Fast de där ögonen... Nej, han känns inte helt normal."

Eftertryckligt skakade Marie Olsson på huvudet. Håret flög som på en liten flicka.

"Vi får nog göra en del undersökningar tror jag. Men först måste jag prata med honom. Vi kan väl åka dit på en gång? Till sjukhuset alltså. Nej, förresten, det går inte. Jag har annat att göra. Presskonferens. Vi får ses där i morgon, de är säkert kvar ett tag till."

Åklagaren tittade frågande på Lisa som nickade till svar. I dag gjorde Lisa inte mycket annat än det. Marie fortsatte.

"Jag ska se hur dags det passar mig och sedan meddelar jag er. Vi måste se till att få det gjort så fort som möjligt. Prata och lyssna. Lyssna på pojken som kommer att vara tvungen att leva resten av sitt liv med vetskapen att han dödade sin pappa. Om han nu överhuvudtaget reflekterar över sådana saker. Han verkar så kall på något vis. De där ögonen..."

Marie Olsson försvann återigen bort i egna tankar.

Antagligen funderar hon på hur hon ska formulera sig på presskonferensen, tänkte Sophia. Hur hon ska hitta precis den rätta balansen mellan seriös objektivitet och trygg rättsskipande myndighet. Inte berätta för mycket, men inte låta som om hon inte har något att säga. Det måste vara svårt för henne. Särskilt med tanke på att det finns så mycket gripande detaljer från brottsplatsen som skulle göra sig så bra i tryck.

"Den där kudden, jag kan se den så tydligt framför mig. Och de där små, blodiga händerna, han kanske ändå ångrade sig efteråt. Fast jag vet inte, de där ögonen... de ögonen..."

26

ETT DRYGT DYGN efter mordet på Christer Andersson stod kriminalinspektör Adam Sahla på brottsplatsen och drog på sig ett par ljusblå plastsockor över ytterskorna. Han borde inte vara förvånad över att han fick jobba med det här ärendet eftersom det var i enlighet med hur det borde vara. Ändå var han det.

Det var inte första gången Adam Sahla var hemma i Alex lägenhet. För bara ett par månader sedan hade han åkt dit och ringt på för att se om Christer var hemma. Linda öppnade, släppte in honom och bjöd på ett glas kranvatten.

Adam hade med andra ord kännedom om både de inblandade och brottsplatsen. Dessutom jobbade han sedan länge med den här typen av ärenden. Som grädde på moset föreskrev polisens interna regler att om ett barn var inblandat i en stor brottsutredning skulle den minderårige i första hand förhöras av en polis som redan arbetat med barnet, om det fanns någon sådan.

Det fanns många legitima skäl till varför Adam Sahla blivit ombedd att ta ärendet. Adam vägrade tro att de varit avgörande. Våldet brukade vara sega med att koppla in barngruppen.

Försiktigt klev han in över tröskeln och nickade åt den

unga polis som stod vid lägenhetens ytterdörr och svettades i sin uniform.

Det gick knappt att parkera inom en kvadratkilometers radie från brottsplatsen eftersom alla platser var upptagna av minibussar med antenner på taket som rapporterade allt som gick att rapportera och ganska mycket till.

Adams chef trodde att journalisterna var förklaringen. Kollegorna på våldet var nervösa, menade han, de ville slippa media. Men Adam höll inte med. Kollegor som gärna tog plats i SVT:s morgonsoffa vimlade det av.

Adam misstänkte att det egentliga skälet var att våldet ansåg att brottet redan var uppklarat. Då gjorde det inget om han tog det formella.

Det var inte alls ovanligt att den här typen av mord klarades upp av den polis som svarat på larmet. Gärningsmannen, som nästan alltid var identisk med den äkta maken eller makan, beroende på vem som hade gått segrande ur det avgörande grälet, brukade erkänna gråtande redan när första patrullen stod i tamburen. I de fall där det var kvinnan som tagit livet av mannen var det inte ovanligt att hon var halvt ihjälslagen själv och trots det beredd att ta på sig skulden för allt från Evas bett i äpplet till den vidbrända middagen och det som hänt däremellan. Och ett erkännande hade de fått, sades det, av en person som fortfarande haft mordvapnet i handen.

Försiktigt gick Adam genom hallen och kikade in i vardagsrummet. Han svor tyst för sig själv när han såg resterna av akutsjukvårdens insatser. Ambulanspersonalen hade rasat in med sedvanlig finess och smidighet. Det skulle inte bli någon lätt match att försöka göra en teknisk rekonstruktion. En hel hög människor hade varit här och sprungit redan. De hade velat rädda mannens liv.

I ett gott syfte, tänkte Adam. Välmening och omtanke, alldeles för många av mina utredningar har förstörts av just det.

De första poliserna på plats hade dröjt med att säkra bevis på mamman och pojken. Adam hade sett tidsangivelserna på beslagsprotokollen och antog att det var av just omsorg som de hade låtit mamman sitta med pojken i knät och inte tagit hand om deras kläder förrän personalen på psykakuten lämnat ut dem. Inte heller hade de hållit kvar mamman efter det inledande förhöret. Hennes son behövde henne, det var säkert så de hade resonerat.

Vad pojken sagt när polisen kom till platsen hade Adam fått återberättat för sig. Hans eget första förhör med pojken skulle inte kunna genomföras förrän tidigast om ett dygn eller två, det berodde på vad Alex läkare sa.

Jag får väl känna mig fram, tänkte Adam. Det som har förstört resten av mina förstörda utredningar. Alla som gör saker på känn för att de inte vet vad som är rätt.

I bilen på väg till brottsplatsen hade Adam ringt och pratat med läkaren som skulle skriva obduktionsrapporten. Han skulle snart ringa tillbaka och ställa fler frågor. Men några svar hade han redan fått.

Offret hade dött av blodförlust till följd av två knivhugg. Han låg ner när de utdelades och det ena, det i nacken, var relativt ytligt men hade ändå lyckats slita sönder något större som gjort att Christer Andersson snabbt förlorat för mycket blod.

Offret hade två blåmärken över knäna, något som kunde

tyda på att han ramlat på det sätt som offrets maka, det ena av de två vittnena, beskrivit. Det gick visserligen inte att utesluta att han blivit knuffad, eller till och med slagen över benen, men han hade en alkoholpromillehalt i blodet på 2,9 och flertalet av kroppens organ uppvisade tecken på långvarigt alkoholmissbruk.

"Sådana personer har en tendens att bli lite ostadiga på fötterna", hade obduktionsläkaren sagt utan att skratta. "De ramlar, ganska ofta, och har sedan rejält svårt att ta sig upp igen utan hjälp. Ibland somnar de relativt omgående precis på den plats där de rasat ihop. I utslaget tillstånd brukar de inte vara kapabla att slåss, värja sig mot angrepp eller ens uttrycka mildare protester mot hårdhänt hantering. Även om de strax innan lekt proffsboxare med stor framgång."

Adam hade velat veta mer.

Var det fysiskt möjligt för en pojke av Alex Anderssons ålder, vikt och styrka att utdela de knivhugg som dödat Christer Andersson? Det hade obduktionsläkaren sagt att han "inte kunde utesluta".

Mannen hade akutopererats när han kom in till sjukhuset. Obduktionen gjordes på en "manipulerad kropp" vilket försvårade en bedömning. Läkaren sa att "det var sannolikt" att knivsåren utdelats av en person som satt sig på offrets bakdel eller ländrygg.

Adam ville veta om den som suttit på Christer Andersson varit kort eller lång, om det varit en lätt person eller någon som vägde lite mer. Obduktionsläkaren hade påpekat att han varken var ansatt av en gudomlig förmåga att se syner eller hade något fantasifullt hollywoodmanus att läsa innantill ifrån.

Linda och Alex hade varit ordentligt nedblodade bägge två. Linda hade ett blödande skrapsår på handen när hon kom in till stationen. Men det gick inte att säga om hon gjort sig illa när hon stuckit kniven i sin man, eller om det var som hon själv berättade, att hon fått såret när hon sprang runt i lägenheten och viftade med kniven i självförsvar.

Adam Sahla vände och gick tillbaka ut ur lägenheten. Besöket skulle inte ge mer än så här. Han hade sett nog. Det var lika bra att han åkte in till stationen. Han behövde prata med kollegan som förhört mamman under mordnatten. Dessutom skulle han passa på att höra efter när teknikerna och läkarna beräknades vara klara med obduktionen och när de skulle få slutresultaten från kroppsbesiktning och brottsplatsundersökning.

Adam satte sig vid ratten och vred om nyckeln. Instrumentbrädan var glödhet och luften som strömmade ut ur luftintagen såg ut som rök. Det skulle ta några minuter innan den blev kall.

Att journalisterna hade bestämt sig för vem som var den skyldiga, det bekymrade honom inte så mycket. Det var värre att han misstänkte att åklagaren också gjort det.

En förundersökningsledare utan erfarenhet av den här typen av mål, men som ändå vill blanda sig i varje utredningsdetalj. En åklagare som både vill väl och gillar att göra saker på känn, allt för barnets bästa.

Adam fnös för sig själv. Värre än så kunde det knappast bli. Hon kanske hade ihjäl ungen på kuppen, i all välmening.

Antagligen är det helt enkelt därför kollegorna har skyfflat över ärendet på mig, tänkte han, för att få slippa åklagare Marie Olsson.

Polisen ställer verkligen fåniga frågor. Jag vet vad de är ute efter,
men det får dem att verka så löjliga att de bara tassar runt ämnet
och inte frågar rakt på sak.

De vill veta om det var jag som stack kniven i Chrille. Men det
frågar de inte, istället går de runt, runt, vågar inte, kan inte.

Vad gjorde du innan? När hämtade du Alex, hur dags ringde
ni Christer, när handlade du maten och varför köpte du sprit, hade
du redan bestämt att du skulle bjuda Christer?

Och så vill de prata om min barndom. Originellt, eller hur?

Min barndom. Det är väl klart att jag inte har haft det så lätt.
Hela mitt jävla liv blev helt jävla förstört och det var faktiskt inte
speciellt kul innan heller.

Ingen kan fatta. Ingen kan tänka sig hur det var. Det var åt hel-
vete och sedan blev det ännu värre och nu när jag äntligen slipper
min skitstövel till man skulle jag gärna vilja att det jävliga tog slut
och att jag och Alex fick vara ifred utan att snuten och äckliga soc
säger åt mig vad jag ska göra och hur jag ska leva mitt liv.

Jag är inte skadad. Jag är inte sjuk i huvudet. Jag funkar bra.
Ändå ska man stoppa mig och Alex i något hem där vi ska få tera-
pi. Terapi. Det är en av alla grejor som folk som inte har en aning
tror ska hjälpa. Jag vet att det inte hjälper det minsta lilla. Tre
gånger var jag på PBU och räknade ränderna i mina manchester-

byxor och försökte begripa om de ville att jag skulle prata eller vara tyst och om de ville att jag skulle prata, vad skulle jag säga då?

Helt meningslöst. Tre gånger, både de och jag tröttnade. Och jag flyttade. Sedan var det säkert någon som skulle ta tag i min behandling, men det blev aldrig av. Det fanns liksom ingen anledning. Jag skötte mig i skolan. Skötte mig. Jag har inga issues, det är de som har, big fucking issues.

Att jag skulle ha problem med spriten är faktiskt ett skämt. Polisen har försökt göra en grej av att jag söp i sjuan, åttan, att de fick hämta in mig några gånger redan då. Men faktiskt, det gjorde alla. Det var inget konstigt.

Chrille har alltid druckit för mycket, aldrig vetat när det inte är kul längre. Och det var lika bra att hänga på honom, det var inget roligt att vara nykter när han drog iväg. Men det är knappast samma sak som att vara alkis. Är det någon som är expert på att veta om någon är alkis så är det jag. Mamma var det, pappa var det och Chrille var det. Inte jag. Kan vi släppa det ämnet nu?

När jag har pratat en stund om sådant, då vill de att jag ska snacka mer om Chrille. Och det kan jag väl göra. Fast bara om det de vill höra, om hur han slog mig och så. Det andra berättar jag inte.

Vi lärde känna varandra av en slump. Jag satt på en gräsmatta ute på Djurgården och drack öl med några kompisar. Han kom förbi, satte sig bredvid mig. Så plockade han upp en gitarr och började spela. Lägereldsromantik och James Dean, typ. Det var en låt han hade skrivit själv, poetisk naturligtvis, fy fan så patetiskt poetisk den var.

Han spelade som skit. Det var lika mycket själ i hans musik som när en smågunge spelar blockflöjt. Men jävlar vad sexig han tyckte att han var. Han tittade på mig och jag tittade tillbaka, så där lite längre än vi behövde, satte mig nära, mitt knä liksom nuddade vid hans hand när han svängde gitarren i takt med något fånigt ackord. Herregud.

Och det fungerade så klart. Jag kunde praktiskt taget se hur ståndet växte på honom. Det fungerar alltid.

Senare på kvällen gick vi på promenad, han snackade och jag låtsades lyssna. Vi låg inte med varandra förrän på morgonen, i hans studentrum uppe på Lappkärrsberget. Jag kommer inte ihåg så mycket, men jag vet att jag lade trosorna och bh:n under nattygsbordet vid sidan om sängen. Jag tänkte att det skulle bli lätt att hitta dem och att jag kunde sticka därifrån innan han vaknade. Men så blev det knappast. Fan, vad fel jag hade.

Vi tittade på varandra länge innan han trängde in i mig. Jag tror han tände på det. Inte ens när ögonen började svida så blinkade jag. En liten stund såg det ut som om han också försökte. Men sedan började underläppen darra som om han höll på att börja gråta. Då var han inte lik James Dean längre. Första gången visste jag inte det, men han är inte speciellt bra på att hålla sig. Han kommer snabbare än en hamster.

Chrille var kanske inte den första som blev riktigt, riktigt kär i mig. Men han var nog den första som blev det som jag stod ut med. Han tog i mig med hela händerna, tittade mig rakt i ögonen och ibland gjorde det mig helt galen. Jag ville att han skulle ta i mig, slita i mig, tränga in i mig. Han ville alltid ha mig.

Vi festade en del, det var vi bra på. Det fanns alltid något att hitta på och ingen vill väl ha tråkigt. Men det var inte därför. Inte därför jag ville att han skulle stanna. Det var för att han brydde sig om mig, på riktigt.

En gång blev jag sjuk. Feber och ont i kroppen. Svullen om händerna och svidande ögon. Han gick till apoteket och fixade treo åt mig och så gav han mig vatten och värmde mat, försökte koka ett ägg, glömde det på spisen så att det sprack och brände fast i kastrullen. Sådana grejor gjorde han.

Han var full på BB. Inte så farligt, men barnmorskorna tittade konstigt på mig och det gjorde mig jävligt störd. Han var väl bara nervös och varför ska nödvändigtvis pappan vara med på förlossningen, så har det väl inte varit särskilt länge? Min farsa var inte med när jag föddes, honom skickade de ut i korridoren och så fick han komma in efteråt. Det var inte hela världen.

Chrille blev förbannad och gick därifrån när barnmorskorna började gräla och härja. Jag fick en spruta i svanskotan och han höll sig borta ett par veckor. Men han kom hem igen och fortsatte bo med oss. Det var han som bestämde att ungen skulle heta Alex. Jag tyckte det var okej.

På sätt och vis var han bättre med barn än jag. Det kan jag erkänna, jag har inget svårt med det. Han kunde liksom hålla Alex, han förstod av sig själv vad man ska göra med barn. Jag tror att han gillade Alex. Min grabb, kallade han honom, det kändes väldigt pappigt, som en riktig pappa. Vad gjorde det egentligen att han inte var med på förlossningen? Barnmorskorna glodde för mycket, men sedan kom han tillbaka och han stannade hos oss nästan jämt, även om han inte gillade att ungen skrek, vem fan gör det?

Det blev ändå fel. Vi grälade mycket, det hade vi alltid gjort. Men efter att Alex kom så började vi gräla om honom. "Få honom att sluta, gör det själv, vad fan är det för fel på honom, ta din unge och dra." Sånt skit.

Och sedan började jag hata Chrille. Det gjorde jag. Han kunde titta på Alex och få tårar i ögonen, fan-vad-fin-han-är, sa han när han var full. Så blev han arg på mig och började klaga på att jag inte var någon bra mamma. Han. Klagade. På. Mig. Man hade

kunnat tro att det var ett skämt, men så var det. Han tyckte att jag
skulle gulla och pussa och han blev galen och skrek när inte jag
tröstade Alex. Trösta honom själv, tänkte jag, om det känns så
satans viktigt.

Mig kollade han aldrig på. Aldrig mer. Och inte var det för att
jag blivit fet och äcklig som andra mjukismorsor. Nej, det är inget
fel på mig. Det skulle han ha sett, tönten, om han bara hade tittat.

Men jag såg minsann honom. Såg honom för det han var på
riktigt. Ett fyllesvin. Vi kunde gå på systemet och då satte jag mig
en bit bort medan han lallade och studsade runt med sin nummer-
lapp i handen, helt nervig för att det inte var hans tur.

Allt med honom var äckligt på slutet. Finnarna på ryggen, ägg-
möksandedräkten, födelsemärkena med hår på, hans fula brallor,
gubbskakningarna. När han pratade ville jag bara skrika, allt
han sa var så dumt.

Jag hatade verkligen honom. Jag tror aldrig att jag har hatat
någon lika mycket.

Sådant tycker polisen att jag ska prata om. Gärna fort, utan att
tänka för mycket på vad jag säger och så trycker de in någon fråga
om vad det egentligen var som hände den där kvällen fast jag
redan berättat samma sak tre gånger. De är så korkade. De tror att
jag ska försäga mig och berätta att jag mördade honom fast Alex
redan har sagt att det var han.

De tror att jag är dum i huvudet. Det är ett misstag, jag säger
inte saker. Man får hata sin fula, alkade man, det är inget brott.

Det hela är enkelt. Chrille är död nu. Han var en skitstövel, jag
hatade honom. Och nu skulle jag uppskatta om jag och Alex fick
vara ifred och ta hand om oss själva.

Fråga det istället: "Vad vill du?"

Svar: "Jag vill vara ifred. Tack."

27

TINNINGARNA BULTADE. Skorna hade Sophia Weber sparkat av sig, de låg under skrivbordet. Hon vickade på tårna. Det knackade på hennes öppna dörr.

"Kom in."

"Hallå där." Det var Sophias kollega Lars Gustafsson. "Har folk börjat säga grattis ännu?"

Sophia skakade på huvudet. Lars rekryterade henne till byrån en gång i tiden. Då var han strax under femtio år, med spikrak rygg och en Lucky Strike-fimp fastklistrad på underläppen. I samband med att Sophia blev delägare fick han prostatacancer. Efter ett år av behandlingar hade axlarna sjunkit lite. Han rökte inte längre.

Ingen hade lärt Sophia så mycket om jobbet som Lars. Ibland kunde hon bli irriterad på att Lars envisades med att blanda ihop sina egna åsikter med sanningen, men egentligen var han ingen översittare. Han var för säker på att han visste mer än alla andra för att orka bry sig om att vara otrevlig mot någon. Dessutom hade han nästan jämt rätt.

Sophia satt kvar på sin stol och nickade mot besöksstolen. Lars satte sig med en djup suck.

"För det kommer, ska du veta. Ingenting gör kollegorna så avundsjuka som en tragedi av den här typen."

Sophia bet sig i läppen. Hon ville inte gråta.

"Jag vet inte vad jag ska göra", fick hon ur sig till sist. "Jag har ingen aning om vad jag ska göra."

"Det har man aldrig, lilla vän." Lars log. "Men det brukar lösa sig ändå. Du kommer säkert på något. Jag ville egentligen bara säga att Peter väntar på dig i receptionen. Anna-Maria är ute och hämtar lite domar som jag har beställt från tingsrätten. De vägrade skicka dem med fax. Så jag öppnade åt honom. Och ville passa på att säga att du alltid kan komma till mig om det är något du behöver hjälp med. Inte för att jag tror att... vi behöver alla någon att prata med ibland. Ja, inte om Peter!" Lars blev rosig om kinderna vid tanken att Sophia skulle kontakta honom för att diskutera något privat. "Jag menar om ditt ärende. Om du behöver prata med någon om jobbet. Så var inte rädd för att be om hjälp. Det var bara det."

Peter, tänkte Sophia. Vad gör han här? Hon gick i strumplästen efter Lars och sneglade ut i korridoren. Varför får jag alla dessa besök av folk som bara dyker upp och tror att jag inte har annat för mig? Peter borde förstå att jag har ett jobb att sköta. Vi kan väl prata hemma?

Han stod med jeansjackan över ena armen och tittade otåligt längs med korridoren som ledde till Sophias rum. När han såg henne gick han mot hennes dörr. Hon släppte in honom och stängde.

"Jag ska inte bli långvarig." Peter bet ihop käkarna och sträckte fram ena handen. "Jag ville bara säga att jag flyttar hem till Måns ett tag. Din telefon verkar vara avstängd och ringer jag hit är du aldrig på plats."

Sophia tog emot nycklarna. Hon försökte känna efter om hon blev ledsen. Förutom att hennes ena ögonlock började rycka okontrollerat hände ingenting.

"Jag har inte lyssnat på mina meddelanden. Förlåt", försökte hon. Peter avbröt henne.

"Jag orkar inte höra på det där. Vi får prata mer en annan dag, någon annanstans. Jag förstår att det är stressigt och mycket nu. Men det är inte första gången. Det är bara sista. Sista gången för mig i alla fall. Och det vi pratade om på segelturen fick mig att tänka. Att jag alltid har tagit för givet att vi vill samma sak, att vi båda vill ha familj. Men under hemresan så slog det mig. Du vill inte ha några barn med mig, du vill bara att jag låter dig vara ifred."

Jag är väl chockad, konstaterade hon och lade fingret på ögat för att få spasmerna att sluta. Snart förstår jag vad det här betyder. Snart börjar jag nog gråta.

"Du vet att jag ville att det skulle fungera mellan oss. Om du ångrar dig får du gärna höra av dig. Men då måste du säga att du saknar mig. Ordentligt. För jag behöver höra det."

Peter lutade sig fram, lade handen om hennes nacke och kysste henne lätt på munnen.

Sophia lät honom gå, strök sig över halsen när han gått ut genom dörren. Hon satte sig vid skrivbordet. Fötterna hade svullnat i värmen. Men hon visste att det bara skulle bli värre om hon väntade. Hon vickade lite på tårna, tryckte med tummen mot hålfoten och krånglade på sig skorna igen.

Jag ska inte ringa Anna, tänkte hon. Inte nu. Jag måste åka till Alex Andersson.

Sophia öppnade skrivbordslådan. Ögonlocket ryckte allt värre. Det vore bäst om hon kunde hitta ett plåster, skorna gjorde verkligen ont. Hon hade ingen lust att springa runt i myndighets- och sjukhuskorridorer med blödande skavsår.

Kanske kunde Anna-Maria hjälpa henne. Inte ens hon borde väl tro att man kunde få skorna att bli större eller fötterna mindre genom att fokusera på det positiva i tillvaron.

Bara hon inte börjar titta på mig och tycka synd om mig och fråga hur jag mår egentligen. Sophia tryckte handflatan mot ögat så hårt att det flimrade.

Jag har inte tid med Anna-Marias blickar, hennes förmaningar och vänliga omtanke. Jag vill inte ha en alternativ kräm eller en mental metod för en lyckad skilsmässa. Jag vill bara ha ett plåster. Hon borde väl ändå ha ett ekologiskt plåster liggande någonstans?

28

ALEX LÅG MED ryggen mot dörren och huvudet till hälften under täcket. Sophia drog fram en stol och slog sig ner vid huvudändan av sängen. Hon placerade det lilla dataspelet på nattygsbordet bredvid honom. Den ena av de två disketterna hade hon redan stoppat in i spelet.

"Marie som är åklagare och jobbar med polisen är här för att fråga din doktor en grej. Och Lisa som du redan känner från socialnämnden. Vi fick komma in en stund, men vi ska snart gå. Så småningom kommer polisen att behöva prata med dig om vad som hände med din pappa, okej? Och jag vill att du ska förstå att det är du som bestämmer vad du vill berätta och att ingen kommer att bli arg på dig vad du än säger och inte säger."

Maries ansikte mörknade. Hon var sur. Hennes planer på att förhöra Alex Andersson i sjuksängen hade gått om intet, det var inte bara polisen, soc och Sophia Weber som hade tyckt att det var en dålig idé. Pojkens läkare vägrade. Nu blev hon ännu surare.

"Ska jag redan behöva ångra att jag har sett till att du kan vara med i den här utredningen? Hur ska jag kunna arbeta om du medvetet motarbetar det jag vill göra? Det här är ingen amerikansk tv-serie med 'you have the right to remain silent'. Kan du inte försöka samarbeta lite? Jag har ingen lust att dra ut på det här längre än vad som behövs."

"Det handlar inte om det. Och det vet du mycket väl." Sophia såg hur Alex sneglade upp från täcket. "Alex har rätt att ta det här i precis den takt han vill. Tycker du att rättssäkerhet är jobbigt så föreslår jag att du börjar fundera på en ny karriär."

Lisa lade handen på Sophias arm. Hon såg fortfarande ut som om hon hade gråtit.

Inte så konstigt kanske, tänkte Sophia. Det är väl utanför Lisas dörr som Janne Josefsson har slagit upp sitt tv-tält i jakten på någon mellanchef att avslöja som roten till allt ont.

"Jag har kontaktat Bromstensgården", sa Lisa, "ett behandlingshem där Alex kan bo så fort han blir utskriven. De har egentligen ingen plats, men de ska se till att ordna det och att han får stanna i tolv veckor. Ja…" Hon vände sig mot Linda som trampade nervöst på andra sidan Alex säng. "Ni ska få vara där bägge två."

Linda svarade inte, gick ut i badrummet och stängde dörren.

Marie ställde en stol vid sidan om den som Sophia satt på och slog sig ner. Hon var så nära att Sophia kunde känna hennes andetag mot sin egen kind.

Antagligen är det meningen att jag ska känna mig obekväm och flytta på mig, tänkte Sophia. Hon satt kvar.

"Det var mitt fel." Linda kom ut från toaletten. "Jag frågade Chrille om han hade lust att komma. Alex ville inte prata med mig, han bara frågade efter sin pappa, hela tiden 'var är pappa, jag längtar efter pappa'. Jag höll på att bli galen. Jag tänkte att vi skulle ses och käka lite bara." Alex vände sig om och kröp ner under täcket igen. "Det var ju midsommar. I början var det ganska lugnt. Men sedan söp han för mycket och då blev han arg. Potatisen var, jag tror det var potatisen, eller så var det något annat. Alltid är det något. Han kom ut i köket och skulle slå mig och jag tog kniven som... jag höll den framför mig och han var så arg, jag försökte gå därifrån men, han var skitfull, han måste ha halkat på något sätt, jag vet inte riktigt, men han låg på golvet och jag lade väl ifrån mig kniven eller så tappade jag den, jag vete fan, och så gick jag därifrån, jag ville, jag såg inte när Alex tog den och stack den, jag såg inte... Sedan började Chrille hosta. Jag trodde han hade fått något i halsen. Han bara låg på golvet och hostade och Alex ville nog, han ville nog hjälpa." Hon vände sig mot Alex och lade handen på täcket. "Visst? Det var så det var? Du vill hjälpa mig, eller hur?"

Ljudet av någon som gick förbi i korridoren utanför susade i bakgrunden.

"Nä, jag måste fan röka, jag blir galen snart." Linda tog sin handväska och gick ut ur rummet. Dörren hann knappt svänga igen förrän den åkte upp igen och en man iförd jeans och t-shirt klev in.

"Nu får ni lov att vara färdiga. Det räcker. Alex måste få vara ifred."

"Absolut." Marie reste sig upp och drog med sig sin portfölj. "Vi är klara. Jag ska ta ett möte med gubbarna på stationen och sedan hörs vi igen. Teknikerna borde ha något att säga vid det här laget. Vem vet, de kanske till och med har kunnat konstatera att karln dött? Ibland jobbar de rasande snabbt." Marie drog åt sig handväskan också och vände sig mot Sophia. "Jag går nu. Vi kommer nog inte längre än så här i dag. Kan man hänga på dig i din taxi?"

"Jag tar bussen. Jag tar aldrig taxi. Det finns inget i min ersättning som täcker den typen av kostnader."

Lisa tittade på Sophia med olycklig min.

"Jag är också tvungen att springa. Jag måste vara på Länsrätten klockan tre i ett annat ärende."

"Ingen fara. Jag ringer dig sedan."

Det blev återigen tyst. Sophia satt kvar. Så gott hon kunde tänkte hon förklara för Alex vad som skulle hända. I den mån hon överhuvudtaget visste det. Läkaren höll upp pekfingret för att visa att hon hade en minut på sig och sedan försvann även han. Alex och Sophia blev ensamma kvar i rummet. Utifrån hördes det svaga suset av trafik och en ensam stadsfågel som fastnat på en melodislinga som inte kändes alltför experimentell.

"Du ska få vara med din mamma. Okej?"

Alex fortsatte andas under sitt täcke.

"Ni ska få bo i ett särskilt hus där det finns massor med andra människor som kan hjälpa er och ta hand om er nu när ni är ledsna och så."

Sophia kände hur hon började svettas. Företräda barns intressen var en sak, det klarade hon av. Men all denna röra och så den här ungen som bara låg knäpptyst och stirrade rakt ut.

"Du förstår ingenting."

Alex hade satt sig upp i sängen. Han såg märkligt lugn ut. Sophia blev så förvånad att hon först knappt reflekterade över att han faktiskt pratade med henne.

"Ingen fattar."

"Vad är det vi inte förstår?"

"Ingen lyssnar på vad jag säger. Ingen lyssnar. Ingen fattar. Pappa röker inte. Pappa har aldrig rökt." Så drog pojken åt sig dataspelet och dök ner under täcket igen. "Ni fattar ingenting."

"Ni fattar ingenting."

Det var det sista Alex Andersson sa medan han var intagen på BUP-kliniken, i alla fall så länge som Sophia var med i rummet. I hans första förhör sa han ännu mindre.

Förhöret genomfördes av barnpsykiater Ulf Nuder. Eftersom han vägrade låta någon annan prata med pojken bemyndigades han av åklagaren. Han tog med sig Alex och polisens förhörsutrustning in på ett samtalsrum. Åklagaren Marie Olsson, socialsekreterare Lisa Zeiger och Sophia Weber satt i personalens fikarum och väntade.

Kriminalinspektör Adam Sahla var den ende som fick sitta med i rummet. Om man inte räknade de mjuka dockor försedda med könsorgan som låg i en öppen plastlåda under en av bokhyllorna.

Alex pratade ändå inte. Han pratade inte, han ritade inte och han vägrade bestämt att befatta sig med könsorgansdockorna.

"Jag heter Ulf, vad heter du?"

Redan där havererade psykiaterns upplagda frågeformulär. Efter tjugo minuters tystnad var Ulf tvungen att erkänna att han redan visste vad Alex hette. För Alex pratade inte. Han sa inte ett ljud.

Efteråt hade Adam Sahla bett att få ställa några frågor till psykiatern, Sophia fick också vara med. Psykiatern verkade upprörd.

"Jag förstår inte vad ni vill."

Han stod upp bakom sitt skrivbord, Sophia och Adam hade satt sig på varsin stol mittemot honom.

"Jag sysslar med medicin, inte brottsutredningar. Dessutom är han min patient, om jag hade vetat något är det inte säkert att jag hade kunnat berätta ändå, jag måste tänka på... tja, min tystnadsplikt till exempel."

"Jag förstår det." Adam satt lika bredbent som vanligt. "Jag är inte här för att du ska göra mitt jobb, eller missköta ditt eget, men jag skulle ändå vilja prata om hur barn reagerar i den här typen av situationer."

"Jaha." Psykiatern lutade sig mot väggen och lade armarna i kors. "Och vilken typ av situation tycker du att vi befinner oss i?"

Adam suckade.

"Skippa det där. Ingen av oss vill Alex något illa. Jag vill bara, jag vill veta vad du tror, inget annat. Jag vill höra vad du tänker. Jag skulle nämligen gissa att du tänker lika mycket som jag på den här eländiga historien, ligger vaken och vrider dig på nätterna och undrar... och jag skulle uppskatta om du kunde diskutera det med mig. Jag menar, om han faktiskt har stuckit kniven i farsan, skulle du anse att han var... ja, vad kallar ni det?"

"Jag sysslar inte med filosofiska begrepp som ondska, om det är vad du menar. Lika lite som hon där", han nickade mot Sophia, "lika lite som hon sysslar med sanning och rättvisa."

"Slappna av. Snälla. Jag vill kunna bilda mig en uppfattning om vad jag har att göra med. Det hjälper. Om jag ska prata med honom blir det lättare om jag vet om han är..."

om han fungerar som han ska. Jag vill veta hur han mår kanske."

Läkaren tittade en stund på Adam. Han drog åt sig stolen och satte sig ner.

"Jo. Jag vet nog vad du menar. Och även om vi inte uttrycker oss på samma sätt så har du rätt. Mycket få barn som mördar sina föräldrar, åtminstone när de är så där unga, är vad du skulle kalla för 'galna'. De mördar föräldrar som har misshandlat dem i åratal. De gör det för att försvara sig. Men de är knappast redo att konfrontera dem öppet. Kanske kan de helt enkelt inte. Därför väljer de nästan alltid ett tillfälle då föräldern inte kan se dem, bakifrån, när de sover eller sitter och tittar på tv. Eller så gör de det för att försvara någon annan familjemedlem, mamman, eller systern eller ett yngre syskon. Och jag skulle inte kalla det för 'galet', inte ens på en middagsbjudning efter några glas vin för mycket. Jag skulle kalla det för en mycket sund reaktion. En överlevnadsreaktion. Kanske det friskaste en sådan unge någonsin gör."

De två männen tittade på varandra. Ulf Nuder fortsatte.

"Men vi vet faktiskt inte om Alex har dödat sin pappa. Att han har sagt det ger jag inte så mycket för. Barn ljuger värre än politiker, vi får inte glömma det. Barn hittar på. Och de ljuger inte bara för att slippa få skäll eller för att få uppmärksamhet. I Alex ålder kan man ljuga av lika många skäl som en vuxen. Visst, absolut, Alex kan ha knivhuggit sin pappa för att försvara sin mamma, men han kan också ha gått med på att säga att det är han som har gjort det av ungefär samma skäl. Jag hoppas att polisen... jag hoppas att du förstår att vi inte kan veta varför han sa det han gjorde.

Jag kan inte uttala mig om vad Linda Medner Andersson är för typ av människa, men både teoretiskt och praktiskt kan hon ha mördat sin man och sedan övertalat sin son att ta på sig skulden för det. Alex Andersson är den perfekta syndabocken."

Adam nickade. Ulf var inte klar ännu.

"Alex mamma är hans enda överlevande trygghet i livet. Han gör sannolikt allt för henne, mördar, ljuger, vad du vill. Han kanske kommer att inse senare i livet att han avskyr henne, men just nu är hon allt han har. Barn i den åldern gör sällan det de blir tillsagda, om det handlar om att städa sitt rum eller duka av, eller dela godispåsen med sin lillasyster, men i ett större perspektiv gör de allt för sina föräldrar. Ja, nästan oavsett vilka föräldrar de har. Typiskt sett är det först senare som barn vågar sig på, eller tvingas att revoltera mot den överlevnadsinstinkten." Psykiatern harklade sig och höjde rösten. "Det viktiga för mig är inte er utredning, det är bra om du förstår det. Jag struntar i er utredning. Jag struntar till och med i om Linda blir dömd för mord även om ni skulle komma fram till att hon har mördat Alex pappa. För det här barnet kommer att behöva hjälp, oavsett vad som händer i fortsättningen och oavsett vad det egentligen är som har hänt. Kanske mamman ska ge honom den hjälpen, eller kanske är hon livsfarlig. Jag vet inte."

Ulf Nuder tittade ut genom fönstret.

"Hon kan ha övertalat honom att göra det. Det har du säkert redan tänkt på. Som du vet händer sådant också. Inte ofta, men det händer. Jag hoppas att hon inte har gjort det, för ur mitt perspektiv är det antagligen det värsta möjliga. Men möjligheterna till det du kallar ondska eller galenskap är med andra ord hur många som helst. Varianter på olika trauman som den här pojken kommer att vara tvungen att hantera, oavsett vad ni kommer fram till."

Det blev tyst en stund. Sedan började Adam prata. Lågt, som om det mest var med sig själv.

"Tror du att Alex kommer att berätta för oss vad som egentligen hänt?"

"Så småningom kanske, det tror jag nog. Det brukar bli så. Men det kan mycket väl ta flera år. Och fick jag gissa tror jag knappast att han kommer att välja att prata med en polis. Åtminstone om det är morsan som har gjort det. Jag tror att han är rädd för er. Och jag tror definitivt att han har förstått att ni kan ta hans mamma ifrån honom."

"Även om han pratar med mig så kan jag inte vara säker på att han talar sanning, är det vad du säger?"

Ulf Nuder fnös.

"Du lyssnar inte. Jag säger att den här killen kommer att bryta ihop långt innan du lyckas få honom att svika sin mamma. Sanning? Det är väl ändå ganska ointressant. Jag tror att han är så rädd att säga fel saker att han tror att han ska dö, eller så tycker han bara att det verkar vara den enklaste lösningen. Det är vad jag tror. Räknar ni med hans hjälp för att få den här saken utredd, då kan ni lägga ner alltsammans med en gång."

Jag minns nästan allt. Det här till exempel:

Klockan är strax över midnatt och det är fest på ungdomsgården. Jag har gått ut.

Jag nyper om cigaretten med tummen och pekfingret, det är tuffare så. Bara för att jag är tretton år betyder inte det att jag inte vet hur man ska se ut när man står själv och röker. Glöden fräser, knastrar på något vis, det är jättecoolt.

Lucianattlinne över jeansen och glitter i håret, blå ögonskugga och svarta avklippta spetshandskar. Det är också skitcoolt, men jävligt kallt. Fingrarna är så genomfrusna att jag knappt kan böja dem. Jag lägger händerna mot munnen och andas ut. Sedan blåser jag mot en gatlykta, röken blir liksom suddig. Under tiden stampar jag med fötterna i marken. Jag har stövlar, varma stövlar. Men jackan hänger i garderoben inne på festen och halsduken ligger i innerfickan. Jag borde hämta dem.

Vid ingången till ungdomsgården står han, Jonas. Han lämnade mig kvar här när vi var färdiga och nu pratar han med sina kompisar. Mina jeans klibbar i grenen. Skinkorna är fortfarande avdomnade från träbänken. Discot spelar The Power of Love, de dansar väl tryckare därinne. Men jag vill inte dansa. Jag gillar inte att dansa.

Jag varmröker. Det heter så, drar tre halsbloss direkt efter varandra och huvudet snurrar så snabbt att jag tror att jag ska ramla. Istället vänder jag mig om och kräks. Jag spyr i en buske. Spyan fryser fast där, nästan i luften.

Det är lika bra att gå hem. Spriten jag snodde med mig hemifrån är slut, Jonas och jag delade. Jag slängde termosen i en busskur när vi hade tömt den. Det är ingen idé att ta med sig den tillbaka, känner de lukten blir de bara skitarga.

Egentligen vill jag lägga mig, rakt ner på marken, bara en liten stund och sova. Men det är bättre att gå hem, eller ta bussen. Fast busskortet ligger också i jackan och jag vill inte gå in och hämta den, inte när Jonas står precis vid dörren med hela killgänget och skrattar så där.

De har nog somnat nu, de vuxna som jag bor hos. Nycklarna ligger i framfickan på jeansen, jag har inte tappat dem, inte i kväll. Det är lika bra att gå hem.

Går jag bara tillräckligt snabbt slutar jag frysa, tänker jag. Och hemma kan jag göra varm choklad kanske, eller bara lägga mig direkt i sängen med kläderna på under täcket. Det är varmt i mitt rum. Jag har ett tjockt täcke.

Sedan gråter jag. Men jag är förbannad samtidigt och skriker så att jag blir hes. En farbror som är ute och går med sin hund hör mig och glor innan han vänder och går därifrån. Jag skriker en stund till. Det tar ett tag innan tårarna kommer och det svider i halsen av att skrika så där.

Två år kvar tills jag blir femton år, tänker jag. Fem år till att jag blir myndig. Och jackan kan jag väl för fan hämta i morgon.

Men jag minns inte om jag gjorde det. Om jag hämtade den där jackan. Jag minns inte ens hur jackan såg ut.

Det är allt det andra jag inte kan glömma.

29

SOPHIA KLEV IN genom halldörren och fastnade i sladden till hårtorken som fortfarande låg på hallbordet.

Mitt hem är fullt av sladdar, tänkte hon och sparkade undan fyra par vinterskor som ramlat ner från skohyllan. Hon kunde inte minnas att hon någonsin haft dem på sig. Inte ens när det faktiskt var vinter.

Massvis av sladdar, eltrådar huller om buller, med blanka höljen, tvinnade till stadiga rep, starka nog att hänga sig i.

Hon hängde av sig jackan, klev in i köket och snubblade på mobilladdaren som fortfarande satt i väggen vid sidan om köksbordet.

Jag avskyr de där sladdarna mer än något annat. De finns överallt: bakom tv:n, bredvid telefonen och mellan kaffe-maskinen och brödrosten, kring benen på mitt skrivbord. Sladdarna snor sig runt min själ.

Hon öppnade sovrumsdörren. Gardinerna var fråndrag-na och sängen tom, bäddad på det militära vis som Peter gjorde. Sophia älskade när hon fick krypa ner under de stela lakanen, manglade av kemtvätten på hörnet, den som gett henne rabatt ända sedan hon hjälpt innehavarens brorson med ett åtal för skadegörelse.

Sophia strök handen över det hårt sträckta överkastet. Peter hade bäddat innan han lämnade henne.

Hon gick in i vardagsrummet, lade sig ner i den låga tv-soffan och drog tre av de fyra fjärrkontrollerna till sig.

Hon slog på tv:n, öppnade laptopen och tryckte igång den. Lade mobilen i knät, lutade sig fram mot det låga bordet och lyfte på två veckor av morgontidningar, med bilagor. De var olästa. Förhoppningsvis fanns det fortfarande lite plats i klädkammaren. Där brukade hon lägga pappersskräpet. Hon kunde inte hitta kabelkontrollen så hon ögnade snabbt igenom sina email.

Lisa Zeiger hade skickat ett kort meddelande. De skulle prata med Alex igen, ville hon vara med? Ja, det ville hon. Vad var det för konstig fråga?

Hon knattrade in sitt svar och skickade en förfrågan om mötesbokning via sin outlook så att tiden automatiskt hamnade i systemet. Sedan antecknade hon tiden med en vanlig bläckpenna i sin kalender, tjock som en telefonkatalog och proppfull med lösa lappar i minst sju olika färger.

Något email från Peter hade hon inte fått. Hon läste ett som han hade skickat strax före midsommar. Istället för att stänga det tryckte hon på krysset i ena hörnet för att radera det. Det fanns ingen anledning att bli sentimental. Det var slut och säkert bäst så, åtminstone för honom.

Fjärrkontrollen. Hon rotade vidare i högen på bordet utan att egentligen hoppas på att den låg där. Hon kunde sällan hitta det hon verkligen behövde. En gång hade nycklarna till tvättstugan återfunnits i kylskåpet. Men inte förrän hon redan hunnit köpa både tvättmaskin och torktumlare och dessutom beställt tid för att en särskilt utbildad montör skulle komma och installera dem i hennes kök.

Hon drog med handen under soffkudden, fiskade upp fjärrkontrollen tillsammans med en näve hårstrån och sex gamla popcorn. Beväpnad med rätt vapen försökte hon sedan sätta på en av de filmkanaler hon betalade för men aldrig någonsin tittade på. Det tog en liten stund innan hon förstod varför det fortfarande inte fungerade. Batterierna var slut.

Sophia ville prata med Lisa om vårdplanen. Linda Medner Andersson hade inte framstått som någon varm och harmonisk moder före mordet. Sophia hade svårt att förstå varför hon skulle ha blivit det nu. Det viktigaste var att skapa lugn och ro för pojken. Alla sa det, med för höga röster.

Sophia masserade tinningarna och försökte komma på när hon sist tagit en huvudvärkstablett.

Feng shui? Lite feng shui kanske vore melodin? Hur fungerade det egentligen? Man ställde möblerna åt rätt håll och slängde alla överflödiga prylar så att ingenting kom i vägen för de goda strömningarna, vad det nu kunde vara för något. Men vad gjorde man med alla sladdar? Kunde man slänga dem också och hoppas på att strömningarna och den goda energin tog hand om strömtillförseln till alla elmanicker?

Jag ska fråga Anna-Maria, tänkte hon.

Sophia slängde ifrån sig fjärrkontrollen och knäppte fram Peters telefonnummer på mobilen innan hon kom på att det kanske inte var någon bra idé att ringa honom. Även om han säkert visste var de hade sina nyköpta batterier. Han skulle nog inte uppskatta den frågan just i dag.

Istället skickade hon ett sms till Carl Bremer. Han skulle ha fest veckan därpå och hon hade glömt att tacka ja. Kanske för att hon inte gillade att spela tvåsamhet och kärleks-full familjeplanering bland alla de där människorna som hon växt upp med.

Det var hennes kompisar, inte Peters, och då blev det all-tid fel. Hon hade försökt sig på att ta med honom på fest. Det slutade alltid med att både hon och Peter blev lite för onyktra, sa något som den ena missförstod och fick den andra att känna sig utanför. Sedan stod de utanför festloka-len och grälade. Hon med ryggen mot en vägg och gråten i halsen, Peter som tog henne hårt i armen och rökte fest-cigarett så att fimpen blev blöt. Och så var de tvungna att gå hem tidigt medan spriten surnade i blodet.

För en gångs skull tänkte hon bara dansa och ha kul. Träffa gamla kompisar, prata med dem, skratta. Anna skulle vara där. Det skulle bli toppen, säkert skulle hon komma på något som hon kunde skratta åt.

Hon kunde inte förstå varför Anna aldrig ringde och bad om förlåtelse.

"Jag kommer gärna", knappade hon in i sin telefon. Den med röstbrevlådan full av meddelanden från journalister hon vägrade prata med. "Det ska bli jätteroligt! Kommer ensam! Party!"

Utropstecken, tänkte hon.

Det gick knappt att skriva meddelandet, mobiltelefonen pep som om den hade drabbats av någon märklig kortslut-ning. Hon måste ha massvis av meddelanden som låg och väntade i minnet, det var en hel arbetsdag sedan hon senast lyssnat av telefonen.

Journalisten Veronica Svensson hade haft rätt. Alex var ett fetare byte än kronprinsessan. Sophia hade till och med fått ett samtal från *Allers*, tidningen som hennes mormor brukade köpa "för korsordens skull" men som blev kvar i högar bredvid hennes säng långt efter att alla knep och knåp var lösta. Vad *Allers* ville göra med Alex "story" framgick inte, men de hade bett henne ringa. Så fort som möjligt, vad det nu betydde för en tidskrift som hade fyra månaders pressläggningstid.

Sophia visste inte vad hon skulle säga till alla journalister. Istället hade hon köpt ett kontantkort och stoppat det i en gammal extratelefon som hon hittat uppe på kontoret. På det viset kunde Anna-Maria få tag på henne om det var något som brådskade. Sophia hade också gett telefonnumret till Fjärilsgården och morfar.

Journalisterna lät sig inte nedslås av att Sophia vägrade svara i telefonen. Några av dem stod med teleobjektiv utanför dörren till hennes jobb. Eftersom deras teleobjektiv var längre än gränden utanför hennes kontor var bred, så skulle antagligen inte Årets Bild tas just där, men Sophia fanns med i tidningarna ändå, namngiven och utpekad som Alex Anderssons advokat.

"Inga kommentarer", stod det under de suddiga fotografier som tagits någonstans utanför hennes lägenhet utan att Sophia märkt det.

Så fick jag min kallblodiga skandalmördare, tänkte hon och läste tidningarna med en märklig knut i magen. Han som ska ge mig den uppmärksamhet jag förtjänar. Han väger visserligen mindre än trettio kilo och har inte en aning om vad en advokat sysslar med, men det är alltså Alex Andersson som kommer att göra mig känd.

I dag hade Expressen och Aftonbladet åtta sidor vardera

om "mordet" och det var ändå nästan tre dygn sedan Christer Andersson hade dött. Båda tidningarna verkade fortfarande söka efter svaret på frågan varför. Ännu hade de inte bestämt sig för om skulden skulle läggas på pappan, och barnet därmed var en hjälte som räddat sin utsatta mamma, eller om det här skulle bli till en debatt om Det Onda Barnet. Det verkade onekligen som om Alex haft det tufft. Men ondska var trendigt. Det gav lagom långa rubriker.

I väntan på att ett svar skulle utkristalliseras av sig själv kördes bägge spåren parallellt. Därför hade alla tidningar historiska tillbakablickar på barnamördare, allt från de amerikanska tonåringarna Menendez som skjutit ihjäl sina föräldrar, till den numera legendariska Mary Bell och historien om de två tioåriga pojkar som mördade tvåårige James Bulger på nittiotalet.

Det fanns artiklar om barn som strypt andra barn, barn som våldtagit, misshandlat och knivmördat. Små barn, stora barn, barn från alla samhällsklasser, till synes friska barn, svårt skadade och trasiga barn.

Tidningarna hade minst varsin barnpsykolog som uttalade sig om uppväxtens påverkan, att barn som tar till våld nästan alltid har blivit slagna själva. Och att barn instinktivt brukar vilja försvara den utsatta föräldern, typiskt sett mamman. Att det är ett naturligt beteende att ta på sig ett vuxet ansvar redan som mycket liten om bara familjeförhållandena är tillräckligt svåra och situationen kräver det.

DN hade slagit på stort och fått tag på en "forensic psychologist" från Harvard som berättade att "barn som mördar sina föräldrar vet att de gör fel. Men de är hjälplösa och desperata. De ser inga alternativa lösningar."

I samtliga tidningar lades intervjuerna om uppväxtens påverkan i direkt anslutning till avslöjandena om att Alex tidigare samma år blivit tvångsomhändertagen eftersom han blivit misshandlad. Det stod visserligen att förundersökningen avseende misshandeln ännu inte var avslutad, men ingen läsare behövde tvivla på vad det egentligen betydde.

Kristdemokraternas ledare och tillika landets skolminister hade skrivit ett eldigt inlägg på DN:s debattsida om vikten av hårdare tag i skolan. Han krävde betyg från första klass och ordentliga standardprov i de fem viktigaste ämnena.

I de flesta tidningar förutom DN fanns också bildreportage från både pojkens hem, hans skola och hans familjehem.

Aftonbladet hade en lyckad närbild av Alex familjehems manlige föreståndare med en kratta i handen. Han verkade inte glad över att hamna i tidningen, men trots Pers illa dolda ilska skulle det dröja ett par dagar innan det var dags för Svenska Dagbladets granskning av hur mycket pengar en fosterhemsplacering kostade staten, reportagen om våld och kränkningar i familjehem och några gripande vittnesmål om konsekvenserna av att växa upp med olämpliga fosterföräldrar.

Tv hade också uppmärksammat händelsen stort och inte bara nyhetsredaktionerna.

Dagen efter mordet hade *Efterlyst* en extrainsatt sommarsändning med bildreportage och jourtelefon. Sophia hade tittat på programmet. Programmets specialist i kriminologi var den enda behållningen. Framåtlutad, med blicken stint in i den dataskärm som stod framför honom undrade han "vad den här sändningen ska vara bra för", att de borde låta "polisen göra sitt jobb för en gångs skull" och lämna honom själv ifred på hans "jävla semester".

Efter att ha harklat sig så kraftigt att ljudet gick rundgång i tv-studion lade kriminologen till att det "faktiskt kan vara rätt knepigt att sticka kniven i någon, åtminstone om man vill göra det med en viss framgång", och att "det statistiskt sett inte är barnen som tar livet av sina föräldrar utan tvärtom. När så där små ungar tar kål på någon är det oftast någon ännu mindre unge som de får tag i när de leker, inte farsan."

Föräldrarna brukade sticka kniven i varandra, det var det i särklass vanligaste, mumlade professorn innan han tappade tråden, tittade upp mot studions tak och berättade en underhållande anekdot från USA "där man är världsmästare även på detta. Vart elfte mord som begås inom familjen är just ett parricide, ungar som har ihjäl en eller till och med båda sina föräldrar, gärna med farsans skjutvapen och gärna bakifrån och bland de yngre förövarna, de under arton, ofta för att föräldern ifråga har förgripit sig på dem, på det ena eller andra sättet."

Sedan tog han en kort andningspaus för att plocka av sig vad som såg ut att vara hans frus läsglasögon och snyta sig vildsint i sin egen gröna jaktväst.

"Men det är faktiskt ovanligt… förövarna brukar vara betydligt äldre", lade han till innan han tröttnade och ställde sig upp precis framför kameran för hämta andan. "Och de brukar som sagt skjuta ihjäl dem, inte börja karva i dem med köksknivnen." Sedan gick kriminologen ut ur bild.

En blond polis som svarade i telefon övertog rutan.

Men kriminologen kunde inte förta glansen av scoop. *Efterlyst* hade nämligen lyckats få en exklusiv intervju med pojkens mamma, en icke namngiven Linda Medner Andersson, med förvrängd röst och ansiktet omgjort till en svart silhuett.

Det här är antagligen "lysande tv", tänkte Sophia medan hennes puls dunkade bakom pannbenet och Linda talade om sitt liv med en våldsam och alkoholiserad man, om vardagen som misshandlad kvinna och hur det var att tvingas leva utan sitt barn eftersom man inte kunde vara säker i sitt eget hem. Linda talade visserligen inte om mordnatten, men Sophia var ändå tvungen att se intervjun stående. Hon trodde att hon skulle råka knäppa av tv:n om hon kom för nära fjärrkontrollen.

Dagen därpå var bloggarna och krönikörerna, tyckarna och tittarna eniga: intervjun var ett gripande porträtt av en misshandlad kvinna. Det var ett skrämmande exempel på hur det patriarkala samhällets ytterligheter formade ett våld som gick i arv, generation efter generation.

Efterlysts kriminolog var inte lika entusiastisk, han skrev ett öppet brev till den sommarvikarierande producenten för programmet, kallade honom rötägg och sa upp sig med omedelbar verkan. Expressen hade honom på löpet.

I kväll ville Sophia se något annat på tv. Allra minst ville hon behöva hantera en historia om mysig hädanfärd, ett lagom blodigt drama, något chict mordiskt och dödligt underhållande.

Hon reste sig upp och började bläddra mellan kanalerna direkt på boxen. Det bästa vore om det visades något om kysk kärlek i det tidiga artonhundratalets aristokratiska

England, med rödhåriga kvinnor i korsett och manliga mörka män i knästrumpor och högklackade skor med guldspänne.

Hon fortsatte trycka. Visst kunde hon klara sig utan både pojkvän och fjärrkontroll. Ta reda på vad som var bäst för Alex, göra sitt jobb, leva sitt liv. Hon kunde fixa alltsammans själv, det hade hon alltid gjort.

Bara hon slapp alla sladdar. Hon blev galen av alla dessa sladdar.

30

KARIN LIDSTRAND STOD i köket och tittade ut genom fönstret. Hon hade två månaders semester. Inte en enda lektion att förbereda, inte ett enda föräldramöte att hantera. Björn och hon var ute på landet. Han tog morgondopp, plockade svamp och planerade kvällsgrillningen. Hon löste korsord, lyssnade på P1 och längtade tillbaka till sitt klassrum. I dag, precis som i går och dagen innan dess, hade de bestämt sig för att äta picknick. Åka ut en sväng på sjön, lägga till vid någon klippa, äta mat.

Karin brukade tycka om picknick. Men nu kunde hon bara tänka på hur vidriga myggen var och att myrorna var ännu värre. Dessutom var det kallt och gråmulet. Antagligen skulle det börja regna lagom till att de fått igång grillen.

Hon lade några frysklabbar i kylväskan och försökte komma ihåg vad hon hade tänkt att de skulle äta. Lammkorv, extrastark senap, hembakt bröd. Det skulle säkert komma jord i senapen, hon måste stoppa ner en plastpåse till soporna. Några kokta ägg, en tub kaviar, en sallad på kall kokt potatis, kapris och lövtunt skivad rödlök. Bananer och mintkrisp, ett par kanelbullar till kaffet. Just det, hon fick inte glömma att fylla termosen.

I går hade hon packat ner en tom termos. Två kaffekoppar, sockerbitar i en liten plastlåda och varm mjölk i en annan termos hade hon kommit ihåg. Men kaffet hade stått kvar hemma i köket och bränt fast i bryggaren.

Karin försökte sysselsätta sig om dagarna, bland annat med allt mer komplicerade picknickkorgar. Allt för att tänka på något annat, inte på det hon ändå inte kunde göra något åt.

Det gick inte bra.

Hjälplös, det fanns inte något bättre ord. Hjälplös, frustrerad och panikslagen, så kände hon sig.

Karin hade läst om mordet i tidningarna och det hade tagit henne tre dagar innan hon fick Lisa Zeiger att ringa tillbaka. Inte för att få bekräftat att det handlade om Alex, tidningarna behövde inte publicera några namn för att hon skulle förstå att det var han. Men hon ville gärna prata med någon som kände honom, som kunde berätta hur han mådde.

Hon ville veta om han blev omhändertagen. Om någon kramade honom. Var han bodde, vad som hade hänt egentligen, hon ville veta allt som inte stod i tidningarna.

Lisa hade inte sagt speciellt mycket. Inte mer än att det var onödigt att Karin försökte kontakta polisen, de skulle ändå inte berätta något. Det var inget personligt, hade Lisa sagt. Det var för att Karin inte skulle bli påverkad, hon var viktig för utredningen.

Det hade om möjligt gjort allting ännu värre. Polisen och socialen trodde att Karin skulle hjälpa dem. Hur skulle hon kunna det? Hur skulle hon kunna svara på om Alex var tillräckligt våldsam för att mörda sin pappa? Hon hade ingen aning.

Gissa kunde hon göra. Låta fantasin springa iväg, konstruera ihop svar på frågor hon inte ens hade fått. Och medan hon blev ignorerad av alla som jobbade med Alex var det precis vad hon gjorde här ute på landet, medan bulldegen jäste och radion surrade ikapp med en och annan döende fluga. Hon fantiserade.

Karin tittade upp från diskbänken. Det verkade som om det klarnade där ute. Då skulle Björn vilja att de åkte iväg så fort som möjligt. Sommaren är kort, brukade han säga. Inte tillräckligt kort, brukade Karin tänka.

En sak som hon verkligen ville veta var om Alex skulle komma tillbaka till hennes klass till hösten, som planerat. Om det blev så måste hon prata med rektorn. De var tvungna att bestämma hur de skulle hantera att samtliga föräldrar i skolan antagligen betraktade Alex som en mördare, ett våldsamt barn, farlig för de andra.

Karin låg vaken på nätterna, mumlade för sig själv och försökte resonera i fantasin med påhittade, upprörda föräldrarepresentanter. Hon vägde argument och hörde sina egna beskrivningar av Alex falla platt till marken.

Sanningen var att även om hon inte trodde att Alex var farlig så visste hon det inte säkert. Hur skulle hon kunna veta det?

Hon hade frågat sig om det bästa för Alex inte vore att komma någon annanstans, till en skola där ingen visste vem han var. Svaret var antagligen ja.

Om det inte hade varit för att Karin saknade pojken skulle hon redan ha föreslagit det för socialen. Det var av egoistiska skäl som hon låtsades att det skulle gå att ordna ändå. För flyttade de på Alex och hans mamma, då skulle Karin antagligen aldrig mer få träffa honom.

Hon fick inga tydliga svar från Lisa Zeiger och ingen annan hörde av sig. Så istället ägnade hon sig åt precis sådana spekulationer som myndigheterna ville att hon skulle undvika. Hon försökte trösta sig med att hon knappast var ensam. Barn fick folk att tappa vett och sans. Ingen kunde förhålla sig neutral. Folk hatar krig och älskar barn. Vågar man reflektera närmare över den saken framstår man som hjärtlös.

Karin var lärare, van vid att hon till varje pris måste älska alla sina elever precis lika mycket, se dem lika mycket och ge dem precis samma förutsättningar. Alternativet var att bry sig lika lite om allesammans, det gick också bra. Huvudsaken var att inte rangordna dem, aldrig sätta den enes behov framför den andres.

Trots att alla egentligen visste att det var en omöjlighet, så måste spelet spelas. Annars vore det orättvist. Ingen ville behöva erkänna att barn blev orättvist behandlade.

Ibland var hyckleriet harmlöst men ibland blev det direkt samhällsfarligt. Karin visste att det var lätt att göra ont när man ville väl.

Om ett litet barn berättar att han blivit satt på en kvast och skickad till Blåkulla, då är det sällan nödvändigt att skicka ut kårens starkaste polis i skogen med en krans vitlöksklyftor kring halsen för att försöka gräva upp ritualmördade barn. Ändå gjordes det.

Inget omtänksamt får plats i en hysterisk reaktion. Inte ett enda utsatt barn har någonsin räddats av att allmänheten misstänker att det finns välorganiserade pedofilringar i varje radhusområde. Sexuella övergrepp är verkliga, fysisk misshandel händer, alldeles för ofta. Verkligheten behöver inga specialeffekter.

Karin hade aldrig trott att Alex blivit körd till Blåkulla. Hon hade aldrig trott att han fått dricka blod och rabbla Bibeln baklänges. Men hon hade ändå vetat att något var fel. Att någon gjorde den pojken mycket illa. För vad de än hade gjort i hennes klassrum så hade det alltid varit någonting som var märkligt med Alex.

Karin blundade. Hon såg honom framför sig. Ljuda, räkna, läsa saga, det spelade ingen roll. Alltid var det något, ibland var det bra. Det gjorde ändå ont att minnas.

* * *

Det var oktober, flera månader före omhändertagandet och Alex tur att sitta bredvid fröken, fredag och sagoläsning i klassrummet.

Karin försökte läsa lite för barnen varje dag, strax efter lunch. Då var de som tröttast och det var svårt att hålla dem koncentrerade på annat. Varje barn hade fått ta med sig en kudde hemifrån och de brukade sitta på golvet i klassrummets nedre hörn.

Bänkarna med lock, kvarglömda från Karins egen skoltid, stod i räta rader, två och två. Karin Lidstrand hade hittat dem i ett förråd på skolans vind för ett par år sedan.

Hittills var det ingen som hade protesterat mot att hon hade släpat ner dem i sitt eget klassrum och bytt ut de fyrkantiga enkla bord med tunn laminatskiva som numera köptes in centralt för hela kommunen.

En gång i veckan fick eleverna städa bänken och visa upp innehållet för Karin. Det var det inte heller någon som hade protesterat mot, även om rektorn tyckte att det "fanns risk för att det uppfattas som en oproportionerlig integritetskränkning".

Ungarna gillade bänkarna, de var fortfarande små nog att tycka om att få beröm för en välvässad penna. Föräldrarna koncentrerade sig än så länge på att sprita händerna rena vid skolans huvudingång och bråka om skolans mobiltelefonförbud för barn under nio år.

I dag skulle de börja på en ny bok, blank, inplastad och upphämtad från kommunens bibliotek veckan innan. Alex satt bredvid Karin och lutade huvudet mot henne. Hans lugg kittlade. Hon lade armen om honom och drog honom till sig. Han protesterade inte och med sin lediga hand strök Karin upp och ner över pojkens underarm.

"Visa bilderna!"

De barn som inte fick sitta bredvid fröken protesterade som vanligt lika högljutt.

"Jag är kissnödig." "Jag seeer inget." "Flytta på dig!" "Håll käften. Låt fröken läsa!"

Alex tog i ända från magen och hans kropp spändes. Till och med tårna kröktes under de mörkblåa strumporna. Ingen fick störa den här stunden. Nu var det hans tur att sitta bredvid, vända blad och ljuda med i texten medan hon läste.

Karin hyschade, klappade honom lite snabbare på armen några gånger innan hon släppte och öppnade boken. Den knakade lite grann i bokryggen och hon böjde ut sidorna så att hon kunde hålla boken med en hand utan att den åkte igen.

Lugnet spred sig. Barnen satte sig tillrätta. De flesta hade lagt sig ner på golvet med benen utsträckta. Anna sög på tummen och Love pillade på fållen till sin t-shirt. Linnea och Moa kröp tätt intill varandra, höll varandras händer och fnittrade tyst. Anton låg på sidan, med den krökta ryggen vänd mot sina kompisar. Han skulle antagligen somna, han brukade göra det.

Alex makade sig ännu närmare och blev tyngre mot hennes arm.

"Sluta gäspa, fröken. Läs ordentligt istället. Du gäspar alltid. Vi hör inte vad du säger när du bara gäspar."

"Jag ska. Jag ska."

Karin blinkade och gapade för att få krampen i käkarna att släppa. Hon tittade avundsjukt på Anton som redan somnat, med tummen till hälften instucken i mungipan.

Hon rätade ut benen och vred lite på vänsterfoten för att den inte skulle stelna. Helst av allt hade hon velat sitta i en soffa, men det skulle inte få plats i hennes klassrum, inte ens om det hade funnits någon. En tunn madrass hade hon i alla fall baxat in, med ett överdrag som hon tog hem och tvättade varje fredag. Allt tvättades ofta nuförtiden, folk var som galna. Kraven på att införa bomb- och vapenkontroller vid skolans ingång hade ersatts med än mer högljudda krav på alkogel i storpack och dubbla städpass. Svininfluensan verkade ta kål på alla andra hot mot den västerländska medelklassen, inklusive terrorismen. Det var alltid något.

Love nös, granskade lämningarna i handen ingående innan han omsorgsfullt torkade av sig på Pelles byxor.

"Nu läser vi. Är ni beredda?" Hon höjde handen.

"Visa bilderna, då. Jag ser inget härifrån. Visa bilderna, fröken."

Alex drog i Karins arm. Tog handen och lade tillbaka

den på hans arm. Förde den upp och ner.

"Tycker du om det?" viskade Karin. "Vill du att jag ska fortsätta klappa dig?"

Alex nickade. Nästan omärkligt, men grep fastare om Karins hand.

Då ska jag göra det, tänkte hon. Hon lade kinden mot hans hår. Det är klart att jag ska.

* * *

Karin skakade på huvudet för att få tankarna på klassrummet och Alex att försvinna. Det fanns inget att göra, inte just nu i alla fall. Inte heller var det någon idé att hoppas på regn. Nu var det dags att åka.

Karin lade ner de sista matvarorna i kylväskan, drog igen dragkedjan och gick iväg för att hämta den plastade picknickfilten, den fodrade korgen med allt från glas och bestick i hårdplast till korkskruv, fickkniv och svampbok, plåster, sårsprit och tändstickor. Björn skulle hon plocka upp på vägen. Antagligen satt han och redde ut något nät, smörjde båtmotorn eller lagade någon manick som bara han visste vad den skulle användas till.

Hon skulle försöka prata med sin man om något annat än Alex, vädret kanske?

I en plastpåse hade Karin lagt den bärbara grillen, ett par gamla tidningar och en rulle aluminiumfolie. De var två personer, hon och Björn, de skulle antagligen vara ute i knappt två timmar och de hade utrustning och mat för en vecka.

Hon måste komma ihåg regnställen också, de låg i tamburen, och badkläder, badhanddukar och solkräm. Gummistövlarna och flytvästarna låg redan i båten.

Så fort de kom tillbaka skulle hon cykla ner till kiosken och köpa kvällstidningarna. Kanske stod det något hon inte hade läst förut. Något om Alex, något som kunde få henne att fantisera om något bra för en gångs skull.

31

MÅSARNA HÖRDES GENOM fönstret. Sophia Weber hade öppnat det på vid gavel och satt och läste material som hon inte riktigt visste vad hon skulle använda till.

Egentligen var det inte konstigt att hon inte hade mer att göra. I en pågående brottsutredning där hennes klient inte var gripen, anhållen eller häktad, brukade hon inte ha fler uppgifter än att närvara när klienten skulle förhöras, förklara vad som hände och i den mån det kunde ligga i klientens intresse, hantera media.

Förhören med Alex tog inte mycket tid i anspråk och en hel del journalister var fortfarande så upphetsade att hon gjort bedömningen att det bästa var att försöka undvika dem. Just nu behövde Alex allt möjligt, men inte mer press.

Kriminalinspektör Adam Sahla hade i alla fall hört av sig. Sur lät han, som om han tyckte att hon behandlade honom som en idiot. Men han gick med på att träffa henne och uppdatera henne på hur utredningarna gick.

"Oroa dig inte", hade han sagt på telefon. "Som du kanske uppfattade när vi var hos den där psykiatern så tycker ingen av oss att Linda Medner Andersson borde nomineras till Årets Mama. Du ska inte tro allt du läser i tidningarna.

Vi gör det inte. Det är det bara åklagaren och hennes journalistpolare som gör."

Egentligen brukade Sophia sällan få ut några vittnesprotokoll ur pågående utredningar avseende andra än hennes egen klient förrän förundersökningen var klar, men tio minuter efter att hon pratat klart med Adam Sahla hade det rasslat till i hennes inbox. Det var utdrag ur tre olika förhör med Linda, de var någon månad gamla och handlade om Christer Andersson och Lindas påståenden om att han slog både henne och Alex.

Hon hade börjat läsa omedelbart, skummat igenom rutinfrågorna.

Det framgick att Linda Medner Andersson själv varit fosterbarn. Flyttat runt i Sverige, från den ena skolan till den andra, den ena familjen till den andra. Det var inget ovanligt. Sophia tyckte sig minnas att hon sett någon anteckning om det i socialens papper i LVU-ärendet. Många av Sophias tvångsomhändertagna klienter hade åtminstone en förälder som själv vuxit upp på samma sätt, det var ingenting hon brukade reagera på.

Sophia ställde sig framför fönstret. Kanske skulle hon skriva ut resten av förhören och gå ner och sätta sig på innergården och läsa. Eller så gjorde hon det i kväll när hon fått vila huvudet lite och hämtat det andra materialet som Adam ville ge henne, men som hon var tvungen att gå upp på stationen och hämta.

Sophia vände sig om och tryckte på print-knappen. Hon hörde hur printern i korridoren klickade till och satte igång.

Alex var för liten för att bli dömd och straffad, det stod i lagen. Det var drygt tio år kvar innan Alex blev myndig, folk som dömdes till livstids fängelse kunde få sitta av kortare straff än så.

Om det var ett straff att behöva leva med Linda Medner Andersson skulle Sophia se till att Alex åtminstone slapp det. Det var lika bra att åka upp till Adam Sahla på en gång. Hon hade ändå inget annat att göra.

"Det var verkligen snällt av dig att gå med på att träffa mig." Sophia sträckte ut handen mot Adam som kommit ner till receptionen. Han tog den och nickade åt vakten som satt i en liten kur bakom skottsäkert glas och läste dagens Aftonbladet.

"Ingen orsak. Jag hade redan tagit en kopia av akten åt dig och jag slänger aldrig något i onödan så jag hade den kvar." Han harklade sig och gungade lite på hälarna. "Du hade fått den på email om bara arkivet hade haft någon elektronisk kopia. Eller om de hade haft tid att skanna in dokument åt oss. Men arkivchefen vägrar, stressen är olidlig därnere i källaren."

Sophia skrattade artigt. Adam fortsatte. Ytterdörren var uppställd på vid gavel, det fläktade.

"Som du redan vet kollar vi alltid föräldrarnas historia. Och då har vi kunnat konstatera att Alex farsa gjort karriär som amatörboxare."

"Mm." Sophia ställde ner portföljen på golvet.

Det var uppenbarligen meningen att de skulle stå här och prata. Hon tittade sig omkring. Med undantag för vakten som fortfarande läste sin tidning var de ensamma.

"Det är rätt viktigt. Våldsbenägna män är som du vet våra favoritmisstänkta i sådana här sammanhang. Jag menar, nu pratar jag inte om mordet utan om misshandeln av Alex. Men vi kollade upp morsan också och det var då vi fick upp den här akten."

Adam harklade sig igen, kanske var han förkyld.

"Och ja, nu är det för sent att tortera fram några bekännelser ur farsan. Men skulle det vara Linda, då är det nog så att utan Alex vittnesmål kommer det att bli omöjligt att åtala. Jag lutar nog åt att morsan faktiskt..." Adam hämtade luft. "Jag menar, att morsan känns... Nej, det finns inget att gå på. Även om morsan misshandlar honom så kan jag knappast få henne åtalad. Jag hade gärna gjort något med det där han sa om att Christer inte rökte. Men vad ska jag göra med den informationen? Ingenstans tar den mig. I alla fall inte i mordutredningen. Om inte Alex kommer igång och börjar snacka förstås. Han måste säga något rakt ut, så att vi begriper vad han menar."

"Nej." Han pratar så osammanhängande, tänkte Sophia, han tänker kanske på något annat.

"Så vi behöver alltså Alex. Och inte bara för misshandelsutredningen, mordet också. Linda har inget i brottsregistret som bekant. Förutom några fyllor och sin tuffa uppväxt verkar hon vara som folk är mest. Men hon figurerar alltså i den här förundersökningen som är drygt tjugofem år gammal. Det var den jag fick för mig att du skulle vilja läsa när vi sågs uppe på Barnahuset i våras. För den ger en rätt bra bild av hur Linda har haft det. Och jag är ingen psykolog som bekant, men det får en att börja undra vad det har gjort med henne. Som mamma och så."

"Jaha." Sophia funderade. En kvarts sekel gammal förundersökning, den tycker han är viktig. "När hon var åtta år gammal alltså. Var hon vittne eller brottsoffer?"

"Ja, du." Adam lämnade över en packe papper som han höll i ena handen. Så snart han fått händerna fria lade han armarna i kors över bröstet. "Jag vet egentligen inte riktigt vad jag ska säga. Både och kanske."

Sophia stoppade bunten i portföljen. Adam var en bra polis, det hade alla hon pratat med kunnat försäkra henne om. Det var säkert viktig läsning även om hon hade svårt att se vad det kunde bidra med. I kväll skulle hon läsa. I lugn och ro, men först skulle hon åka till morfar och äta middag.

"Tack för att du tog dig tid." Hon nickade till avsked och han nickade tillbaka. Sophia tittade en stund på hans rygg när han gick genom korridoren, bort mot hissen.

Han verkade nervös på något vis, tänkte hon. Eller stressad, han var säkert bara stressad.

Adam Sahla gick långsamt uppför trapporna igen. Han mådde inte bra. Sura uppstötningar, svårt att sova. På kontoret satt han och frös, trots värmen.

I fyra år hade Adam varit på barngruppen i Stockholm. På gymmet blev han retad för att han hade chefsambitioner, själv tyckte han att han hade en mer okomplicerad och osentimental inställning till brottsutredning än de flesta poliser. Fakta var grejen, tyckte Adam. Till skillnad från exempelvis intuition som var rena rama fånerierna.

Det är inte intuition, försökte han intala sig själv. Det är logik.

Statistik var i viss mån en förvrängning av fakta, men Adam var ganska förtjust i den ändå. Och oavsett hur det var med pålitligheten hade Adam svårt att ignorera vad den sa. Åtminstone när den gav så entydiga svar som i det här fallet.

Vad gällde våld inom familjen var det männen som misshandlade: sina egna manliga polare, sina kvinnor och barn, antagligen i precis den ordningen. Och även om de inte slog sina barn blev det sällan harmoniska medborgare av ungar som var tvungna att titta på medan pappa slog mamma sönder och samman.

Alla seriösare studier visade att de barn som växte upp under sådana förhållanden blev utagerande, våldsamma och gränslösa. Så såg forskningsresultaten ut och det kunde inte en enda organisation för männens rätt i samhället göra något åt.

Söner som dödade sina pappor gick också att hitta i siffrorna. Ungefär trehundra amerikanska föräldrar per år blev mördade av sina egna ungar, det var nästan en om dagen och knappast en omöjlighet, inte ens i Sverige.

Så långt talade det mesta för att Christer Andersson varit hustru- och barnmisshandlare. Att han hade supit sig midsommarfull och velat spöa upp fru och unge ännu en gång, men att Alex satt stopp för de planerna.

Det kunde i alla fall vara så. Ändå brottades Adam med en känsla av att det inte alls var vad som hade hänt. Det kändes fel.

Han rusade uppför den sista trappan med fötter tunga som bly. Framför dörren till den korridor som ledde till hans rum vek han sig framåt utan att kunna böja benen, lårmusklerna hade knutit sig.

Linda Medner Andersson. Mördare och barnmisshandlare. En mamma som övertalat sin ende son att ta på sig skulden för något hon hade gjort. Så måste det vara. Alex Andersson var inte gärningsmannen, det var Adam beredd att ta gift på.

En magkänsla, det gick tyvärr inte att kalla det för något annat. Magkänslor resulterade inte i några fällande domar. Bara magsår. Och inställda semestrar.

Som kakmix ungefär. En del whisky, en del ilska. Tillsätt enbart vatten.

När pappa blev full och slog sina kompisar kunde mamma sitta bredvid och skratta. Inte alltid, men ibland. Jag förstod aldrig vad det var hon tyckte var så roligt. Kanske ingenting, hon kanske bara skrattade ändå. Vem vet om hon ville göra pappa glad? Han såg aldrig speciellt glad ut. När pappa slog mamma skrattade jag i alla fall aldrig, då var jag tyst, då måste jag lyssna. Se men inte höra.

Att jag skulle få egna barn trodde jag aldrig. Ibland fattar jag inte hur jag kunde vara så dum. Men det var som om det hände någon annan. Ända tills det faktiskt hände mig.

Vi åkte till Indien och luffade när jag väntade honom. Chrille ville att jag skulle följa med och jag tyckte det lät häftigt. Men fan, vad jag spydde och sket.

Jag var så sjuk. De där sköna tripparna som Chrille pratade om att vi skulle göra, dem såg jag inte röken av. Röken av, ha-ha. Blödde gjorde jag också i Indien. Ibland riktigt mycket, inte trodde jag att jag fortfarande kunde vara gravid, aldrig i livet. Och när vi kom hem var det för sent, då gick det inte att göra något åt det längre.

Någonstans har jag hört att en enda sådan där kladdig sats är miljontals spermier. Men inte fick det honom att tänka efter. Tvärt-

om. Det var alltid en massa snack om att käka banan med skalet på och jag hade ingen lust att börja fippla med sådant. I alla fall var det inga stora tankar som fladdrade i de där slappa ögonlocken när han skvätte sin sperma in i mig. Allt hans manliga blod var väl i snoppen.

Men tänkte, det gjorde jag. Det var alltid jag som fick tänka för oss båda.

Vi låg med varandra jämt på den tiden. I köket, bakifrån, mitt i natten, i duschen, i hallen med hallmattan som gav mig rivmärken på skinkorna. En dag när vi kom hem från krogen trängde Chrille in i mig redan innan vi stängt ytterdörren. Jag hade både kappa och kjol på mig, nylonstrumporna rev han sönder och trosorna lät han vara kvar, bara drog dem åt sidan.

Nu blir jag med barn, tänkte jag.

Och så var det naturligtvis. Jag har alltid varit bra på att förutse katastrofer.

32

"HAR DU NÅGON större kastrull?" Sophia hötte med en bucklig plåtpanna mot sin morfar som satt sig vid köksbordet för att titta på medan Sophia lagade mat.

"Titta i skåpet bakom dig." Sture klappade nöjt på flaskan han just valt ur vinkylen. "Och sluta genast klaga. Ska du komma hit oanmäld kan du inte förvänta dig att jag ska ha dukat med bröllopsporslinet."

Han blev glad när Sophia kom, det visste hon, och inte direkt överraskad. Sophia brukade komma ibland och äta middag, i synnerhet under de perioder då hon inte hade någon pojkvän. Att det var slut med Peter hade Sture förstått. Han hade redan skällt ut henne för det.

Sophia hällde över några nävar torkad svamp i en liten glasskål och täckte med ljummet vatten. Ur en kruka i fönstret klippte hon ner ett par stänger färsk persilja. Sture ansåg att varje hem borde ha minst åtta olika sorters kryddor växande i köket. Det var en annan sak han regelbundet skällde ut Sophia för, att hon inte hade någon prunkande kryddträdgård i sitt sjuttiotalskök på Sibyllegatan.

"Plocka ner den där korven är du snäll."

Sture hade aldrig jagat själv, men han hade en god vän som fortfarande skickade kött till honom: rökta vildsvinskorvar, rådjurssadel och andbröst, älgfärs och filé. Stures middagar var populära på Fjärilsgården.

"Och slösa inte med grädden är du snäll, jag har extrasaltat smör i frysen och om du vill ha den så tror jag att jag har kvar en bit av den där italienska osten du hade med dig sist. Den är god, men ruskigt svår att få att fastna på knäckebrödsmackan, den bara smular."

Sophia log och tog emot vinglaset som Sture räckte henne.

"Pecorino heter osten. Och den är extralagrad."

De åt i köket. Sture och Sophia hade aldrig varit bra på allvarliga samtal om livet, men de brukade mötas i ångorna av en reducerad rödvinssås, med klistriga fingrar efter rensningen av kladdiga svartrötter. Kanske var det bara en annan metod för att åstadkomma samma sak.

"Jag antar att det inte är någon idé att jag säger att du borde ringa Peter och be honom om ursäkt?"

Sophia tog en tugga pasta till. Svampsåsen var utmärkt, svampen hade perfekt konsistens och lite rökig smak. Det var ingen dum idé att vänta med att ringla på några droppar tryffelolja till efter tillagningen. Hon skakade på huvudet.

"Vi borde ha haft bröd."

"Mm. Det var vad jag trodde. Du vägrar som vanligt erkänna när du har gjort fel. Han var för bra för dig." Sture fyllde på glasen med det sista av vinet. "Och glass. Vi borde ha haft glass."

Sture ville gå och lägga sig tidigt. Iklädd flanellpyjamas och tofflor gav han Sophia en puss på pannan och en av sina kuddar. Han klappade henne på kinden, hon blundade och tänkte på morfars och mormors hus som nu var sålt, somrar för länge sedan.

Det brukade alltid vara kyligt i det där huset, tänkte Sophia och drog in lukten från morfars huvudkudde. Jag vaknade för att jag frös, klättrade upp i sängen på morfars sida, nere vid fotändan, kröp upp i mitten.

Sophia tittade efter Sture när han försvann in i sovrummet. Hans krumma axlar som förut hade varit så breda.

När du gick upp, tänkte hon, då vinglade jag alltid efter och försökte hålla dig om ena benet. Jag undrar om du minns det, hur jag hängde där tills du skakade av dig mig och gick in i badrummet och kissade med öppen toalettdörr och strålen sjungande i porslinet. Hur jag satt på min stol i köket, svängde med benen och väntade på att du skulle bli klar. Dunkade med hälarna mot stolsbenet så att det högg i skavsåren. Jag hade alltid skavsår, mormor brukade skratta åt det.

Halvliggande i soffan började Sophia bläddra bland den tjocka bunten dokument som Adam Sahla hade gett henne. Det var mycket material, mer än hon trott. Det fanns svartvita fotografier, läkarintyg, vittnesförhör och flera långa polisrapporter.

Sedan började hon läsa. Om vad som hände Linda Medner den 16 december 1983. När hon var en liten flicka, inte ansvarig för något annat än sin cykel och den ojämna lugg hon klippt själv med kökssaxen en morgon då hennes mamma ville sova. Bara ett barn, inte mamma, inte någons fru eller anställd någonstans.

Det tog över tre timmar för Sophia att läsa klart.

***

"En jävla tur hade hon. En jävla tur."

"Om ungen hade kommit hem en kvart tidigare, då vete fan."

Linda Medner, åtta år, hörde poliserna prata med varandra trots att det inte var meningen att hon skulle höra och trots att det inte var meningen att hon skulle förstå vad de menade.

De var fyra stycken. Allesammans hade uniform och de pratade inte speciellt högt. Det hjälpte inte. Linda förstod ändå. Men hon höll inte med. Hon tyckte inte att hon hade haft en jävla tur.

Vissa dagar hade hon det. De dagarna var sovrumsdörren ordentligt stängd, gardinerna fördragna och huset alldeles tyst. Då var mamma trött och pappa inte hemma. Då låg mamma och slumrade när Linda kom från skolan. Hon gläntade på lakanen, log svagt och drog Linda intill sig. Kanske sträckte hon ut handen och lade den mot Lindas kind. Eller strök med tummen över örsnibben och kröp så nära att hennes andetag kittlade Linda på halsen. Då kunde Linda lägga sig med magen mot mammas rygg, fotsulorna mot hennes stubbiga vader och näsan tätt tryckt mot det mjuka flanellnattlinnet.

Linda tyckte om att ligga i mammas säng. På sätt och vis var det som att sova på ett tunt golv över en ständigt trafikerad tunnelbanestation. Det var inte på något sätt fridfullt, men på alla andra vis mycket nära, så nära att hela kroppen darrade. Madrassen böljade när de slängde sig i otakt från ena sidan av sängen till den andra och Lindas mamma snarkade som en levande torktumlare med kantiga revben, ett regelbundet muller på både in- och utandningen, utan paus.

Dagar när Linda fick krypa ner i mammas säng direkt efter skolan var turdagar. Den här dagen däremot, hade Linda inte någon tur alls.

Snutarna hade fel. Dessutom hade hon aldrig kunnat komma hem en kvart tidigare, det hade inte gått, även om hon sprungit hela vägen.

Tre dagar i veckan slutade skolan klockan tjugo i fyra. Linda brukade få ont i magen redan strax efter tre och vanligtvis tog det mellan tolv och sexton minuter att ta sig hem. Hon brukade gå så fort fröken hade sagt tack för i dag. Det tjänade ingenting till att försöka dra ut på det. Hem måste hon i vilket fall. Även om hon inte ville.

När det ringde ut stoppade Linda de läxor hon aldrig skulle göra i väskan, hämtade jackan och krånglade på sig den medan hon tryckte upp skjutdörren. Sedan gick hon därifrån.

Det snöade. Snön föll i drivor, sneda sjok över den svarta himlen och rakt in i skenet från gatlyktorna. De få bilar hon mötte körde långsamt och sladdade i vägens allt djupare hjulspår.

Några timmar senare, när Linda satt i baksätet på en riktig polisbil, skulle det ha blivit så kallt och snön packats så hårt att däcken jämrade sig mot vägen. Men nu låg snön fortfarande i mjuka vågor över gatan. Hennes skor knarrade och hon frös om fötterna. Några vantar hade hon inte heller.

När hon kommit halvvägs, i höjd med den röda villan där Majlis med äpplena bodde, började hon springa. Även om hon halkade i sina tunna sneakers gick det snabbt att komma hem, lite snabbare än vanligt. Redan klockan tio i fyra klev hon in i tamburen. Där blev hon stående en stund.

Det var tyst i huset. Ingen okänd bil parkerad ute på gatan, ingen spelade musik, inga främmande vuxenskor stod på golvet. Men Linda blev så rädd att det kändes som om hon hade grovsalt i knäna. Antagligen berodde det på lukten, en märklig doft som inte var spyor eller utspilld pilsner. Hon kände inte igen den här nya lukten. Hon tyckte inte om den. Och det enda som brukade vara värre än hennes vanliga vardag, var det hon inte kände igen. Det hon inte räknade med.

Linda stod i hallen och undrade om hon inte borde ha stannat i skolan, om hon inte borde ha gömt sig på en av toaletterna eller bakom raden av högstadiets långsmala skåp med lås. Händerna värkte när kylan lämnade dem, hon gnuggade bort nålsticken mot byxorna.

En gång hade det fungerat att stanna i skolan trots att dagen var slut. Ingen märkte att hon blev kvar förrän Frida kom med städvagnen. Frida hittade henne och använde telefonen inne i lärarrummet för att ringa efter mamma. Mamma kom och hämtade henne, en dryg timme senare. Hon verkade både arg och orolig, med röda fläckar på halsen, men Linda visste att hon egentligen bara skämdes för att hon var full. Mamma brukade göra det, skämmas.

Men nu var det för sent. Linda var redan hemma och det fanns inga skåp att gömma sig bakom. Istället gick hon ut i köket. Där var lukten ännu starkare. Lukten kom från mamma.

Linda gick fram till henne så fort hon kunde. Hon halkade i det sirapstjocka blodet, det blev randiga märken på plastgolvet. Blodet luktade blött gräs eller kanske tång, som den luktar när den slängts upp på stranden och övergivits av både havet och sommaren. Mamma satt ner, nerhasad mot väggen med en köksknik kvarglömd i magen, tarmarna i knät, centimeterdjupa skärsår på bägge handryggarna och drygt två promille alkohol i blodet. Där hade hon suttit i närmare två timmar. I drygt en timme och fyrtiofem minuter hade hon varit död.

Egentligen luktar hon inte illa, tänkte Linda, hon luktar bara blött gräs.

Linda tog mammas sönderskurna hand i sin. Den var svullen och stel, tjockare än vanligt. Linda försökte ropa, koncentrerade sig, särade på käkarna. Det gick trögt, läpparna var torra och hade klibbat ihop; hon gapade, tryckte upp luft med magen. Rösten var seg och halsen värkte. Det kom ett märkligt ljud, ett svagt gnissel, och tårar, ganska många tårar. Att gråta hade alltid varit lätt, det gick av sig själv, men nu ville hon inte gråta. Egentligen försökte hon bara skrika, kanske ropa på pappa. Det gick inte alls.

Några gånger till försökte hon, men tårarna var i vägen. Sedan gick hon ut i vardagsrummet. Hon tänkte att hon skulle ringa från telefonen som stod där. I skolan hade hon lärt sig att nittiotusen var numret man borde ringa när man behövde hjälp. En nia och en massa nollor, ända tills det började ringa hos polisen, ambulansen och alla andra med sirener och blått ljus på taket.

I vardagsrummet, inte långt från telefonen, fanns hennes pappa. Efter att han lämnat mamma och köksknien i köket hade han tagit vägen förbi garaget och hämtat sitt jaktgevär, det han hade en laglig licens för men aldrig jagat med. Sedan hade han satt sig i sin fåtölj med pipan på geväret i munnen.

Linda visste inte det, men hennes pappa hade gråtit och snorat, hulkat och tuggat på gevärspipan i drygt en timme, medan mamma slirade allt längre från väggen i sitt eget sega blod och Linda fortfarande var kvar i skolan och svarade på frökens frågor om Sveriges fyra sädesslag havre, råg, vete och korn.

Inte förrän ungefär samtidigt som det ringde ut och Linda började halka hem hade han slutligen tryckt av.

Men Lindas pappa hade inte skjutit sig i svalget och blåst bort sitt eget bakhuvud. Istället måste han ha dragit ur gevärspipan ur munnen för skottet hade gått i en solfjäderformad båge över halsen, käken och kinden. Det var inte lyckat att göra så; det dog han inte av, i alla fall inte på en gång. Möjligen hade han blivit rädd, kanske hade han ångrat sig i allra sista stund.

När Linda kom in i vardagsrummet förstod hon inte att hennes pappa fortfarande levde. Det får man inte klandra henne för. Trots allt hade han bara ett halvt ansikte. Han såg minst lika död ut som mamma. Medvetslös var han också. Men han skulle faktiskt leva nästan fyra timmar på sjukhuset innan Linda blev föräldralös på riktigt.

Poliserna trodde att Lindas pappa skulle ha dödat henne också om hon kommit hem lite tidigare. Det var verkligen inte meningen att Linda skulle begripa, men det gjorde hon ändå. Dessutom trodde Linda att polisen hade rätt i det. Pappa skulle nog ha gått ut i hallen så fort han hörde att hon öppnade dörren. Antagligen hade han dödat henne där, på en gång, innan hon hunnit in i köket. För pappa hade inte velat att Linda skulle se allt det där som fanns i köket, han hade inte velat att hon skulle bli så rädd.

Lindas pappa var noggrann med sådant. Han gillade inte när Linda satt uppe och såg Columbo på kvällarna, han gillade inte skräckhistorier och den där filmen med en massa fåglar som satt utanför ett hus och flaxade med vingarna.

Åttaåriga flickor får mardrömmar av att titta på tv, brukade han säga och pussa Linda på pannan, långsamt, med halvöppen mun och slutna ögon, koncentrerat på något vis. Han var alltid koncentrerad när han gjorde något viktigt. Sedan fick hon gå och lägga sig, omedelbums, så att hon inte blev för trött för att hänga med på lektionerna i skolan. Sådant var han också noggrann med hennes pappa: lite sträng, mycket snäll och full alldeles för ofta.

Linda förstod att om hon hade kommit hem tidigare skulle pappa antagligen ha dödat henne också. Ändå kunde hon inte hålla med polisen om det andra.

När Linda hade tur var mamma trött och pappa inte hemma, eller åtminstone inte full och arg. Mamma låg i sängen och sträckte ut handen och lade den mot Lindas kind. Vissa dagar hade Linda tur, men inte alltid och inte just den dag då hennes pappa inte skjutit henne. Det var faktiskt ingen turdag. Inte på något vis.

* * *

Papperskopiorna var gulaktiga, förhören utskrivna för så

länge sedan, på maskin. Natten var fortfarande ljus när Sophia slutade läsa, strök med handen över bladen, rättade till hörnen och stoppade tillbaka fotografierna på Linda Medners döda föräldrar i portföljen. Hon klev upp ur soffan där hon hade tänkt sova. Munnen smakade beskt, hon visste inte riktigt varför, men hon ville hem, hon kände att hon måste åka hem.

Det gick bra att klä på sig i halvmörkret, skriva en lapp till morfar och smita ut genom dörren. Hon ringde efter en taxi ute på gatan, den skjutsade henne till kontoret. Inte förrän hon betalat och klivit ur bilen kom hon ihåg att det inte var dit hon skulle. Hon bestämde sig för att gå från kontoret hem till lägenheten.

En grupp tyska turister stod utanför Gröna huset och sjöng Helan går. En man visslade gällt när hon gick förbi och den svaga vinden kröp uppför hennes bara ben och hon började springa. Hon sprang hela vägen till Dramaten och svängde upp på Sibyllegatan.

I höjd med Östermalmstorg försökte hon hälsa på Steffo, han låg på sin vanliga plats vid kyrkogården och sov djupt, nästan lika djupt som sist de sågs. Då hade han suttit bredvid henne i en rättssal och inväntat tre månader för misshandel av normalgraden. Tre månader, varken mer eller mindre, och Sophia hade knappast kunnat göra något åt den saken. En onsdagskväll hade Steffo pucklat på en av sina kompisar, de hade råkat i gräl över en flaska Rosita. Slagsmålet skulle antagligen aldrig ha lett till åtal om det inte varit för att Steffo släpat sin blodiga kompis i rockkragen och den av kompisen tömda flaskan hela vägen upp till en polisbil som stannat vid korvkiosken för att köpa en chorizo extra allt. Där hade han ryckt tag i polisen och krävt att han skulle göra något åt den tjuvaktiga vännen. När polisen bad att få bli lämnad ifred, han var hungrig och behövde några minuters lugn och ro, då hade Steffo dängt flaskan i huvudet på sin kompis en gång till. Det stänkte blod på polisens nyköpta korv. Polisen tröttnade, frågade varför de inte kunde dricka kartongvin som vanliga fyllon, slängde maten i en papperskorg och Steffo och kompisen i baksätet. Han körde dem ner till stationen. Halva sällskapet vidaretransporterades till akuten. Några timmar senare var det dags för Sophia att göra ännu en oumbärlig insats för rättsväsendet och sitt yttersta för att Steffo skulle få en rättvis rättegång. Han var, naturligtvis, oskyldig. Dessutom, hade Steffo påpekat, så är Rosita ett klassiskt vin. Det tar man inte från en polare ostraffat.

Sophia kände Steffo alldeles för väl, hon kände alltför många Steffo. Steffo däremot, brukade sällan känna igen henne.

Vad är jag egentligen för mina klienter, tänkte hon. Varför kan jag aldrig sluta bry mig för mycket om dem?

Det susade i öronen när Sophia klev in genom sin egen ytterdörr. Utan att ta av sig kavajen gick hon raka vägen in i sovrummet. Hon lade sig på sängen, sparkade av sig skorna och somnade omedelbart. Natten övergick i morgon utan att hon drömde en enda dröm. Klockan tjugo över sju vaknade hon, genomsvettig. Hon skalade av sig alla kläder och ställde sig i duschen.

Sophia tog tunnelbanan. Det regnade och hon hade ingen lust att komma till kontoret genomblöt. På Stortorget gick hon en vända för att se om något var öppet, om hon kunde köpa lite frukost trots att det var lördag, semestertider och klockan inte var nio ännu. Allt kändes okej, hon fick sin smörgås och en kaffe på köpet.

Det kändes faktiskt bra ända tills hon kom fram till kontoret och in i sitt rum och ner på sin stol. Då började hjärtat rusa. Hon visste vad det var. Det hade hänt förut. När hon inte kunde kontrollera vad som hände, när det var för viktiga saker hon inte kunde göra något åt.

Det var därför hon undvek det okända, aldrig släppte efter, åtminstone inte frivilligt.

Hon hade inte bara Anna. Genom åren hade hon fått fler kompisar, men de kom henne inte så nära. Ibland trodde kompisarna det, särskilt när de mådde dåligt och hon satt och lyssnade på deras problem under nätter som aldrig tog slut och gick promenader som aldrig hade något bestämt mål. Men vännerna reflekterade sällan över att Sophia inte verkade ha några problem, att de aldrig pratade om henne.

Efter studenten började hon läsa litteraturhistoria på universitetet.

"Det leder aldrig någonvart", hade morfar sagt. "Vad ska du göra med en examen i litteraturhistoria? Försörja dig på att skriva noveller till *Min Häst?*"

På första föreläsningen sa litteraturprofessorn att det var ett misstag att tro att litteraturhistoria var något för dem som gillade att läsa böcker. Sophia fick ett slätstruket G på sin tenta, för första gången i sitt liv något som inte var ett överbetyg. Då förstod hon att professorn menat allvar. Hon bytte inriktning och började läsa juridik istället, precis som morfar tyckte att hon borde göra.

Det skulle bli något av henne, något som gav konkreta, användbara resultat som hon kunde försörja sig på. Hon blev förvånad när hon märkte att hon tyckte så mycket om det.

Det fanns ingen oro i juridiken. Bara sida efter sida med text, känslolös text att lära sig utantill, i bästa fall begripa. Först när Sophia började arbeta och de trygga paragraferna skulle användas för att lösa människors riktiga problem, kom oron tillbaka.

I början var juridiken bara ordning och reda, logik och förnuft. Känslor hade ingen egen plats. En sentimental jurist var en dålig jurist. Det fick hon lära sig tidigt i den fyra och ett halvt år långa utbildningen och det gjorde henne nästan lycklig.

"Vem blev kursetta?" hade morfar Sture frågat när Sophia ringde hem och berättade att hon blivit näst bäst av tvåhundratrettio studenter på processrätten. Sophia kunde svara på det, för sådant tog hon reda på. Han hette Per och var svensk mästare i schack, började läsa juridik när han var trettiofem, tog en tenta då och då, nu var han snart fyrtio och hade knappt halva utbildningen kvar.

"Schack", sa morfar fundersamt. "Det var värst."

Tio minuter efter att hon hade lagt på luren satt hon återigen på Carolina, biblioteket högst upp på backkrönet, med sin bokhög framför sig. Om åtta dagar var det dags för tenta igen. Hon läste kriminologi parallellt med juristlinjen och behövde beta av några poäng innan terminen var slut för att inte halka efter.

Studiekamraterna som satt bredvid henne i de långa raderna av läsplatser under det höga taket i doften av bokryggar av läder och studentsvett trodde att hon var nöjd med sina resultat. Men senare samma dag hade hon åkt in till akuten.

En AT-läkare sa åt henne att försöka dra ner på studietempot. Det var sådant som kunde hända under särskilt utsatta tentaperioder, förklarade han medan han satt mittemot henne på en pall som gick att snurra runt, runt. Han lutade sig fram och gav henne ett telefonnummer som hon kunde ringa för att få hjälp. Sedan var han tvungen att springa till nästa patient.

Sophia ville inte ha hjälp, hon behövde inte hjälp. Om hon bara såg till att göra sitt allra yttersta, att bli bättre, lite duktigare så skulle det gå att hantera ändå. Då skulle rädslan försvinna.

Nu var Sophia ensam på kontoret och hennes hjärta rusade på tok för snabbt. Linda Medner Anderssons bakgrund hade tagit henne hårt, hon hade inte varit beredd på det. Kanske var det de där satans fotografierna, eller att ödet var för lättbegripligt.

Det var inte så professionellt av Sophia att reagera på det här viset, men det skulle snart gå över. Hon skulle snart kunna fokusera hundraprocentigt på det hon skulle, sin klient Alex Andersson.

På måndag var det dags för ett nytt förhör med pojken. Då skulle hon vara på topp igen.

33

FÖRHÖR NUMMER TVÅ med Alex Andersson genomfördes på Barnahus Norrort. Barnahusets samordnare Kattis, åklagare Marie Olsson, socialsekreterare Lisa Zeiger och Sophia satt i rummet precis bredvid. I medhörningsrummet kunde de följa samtalet på en platt tv-skärm. Den visade två bilder: den ena på barnet i helbild, den andra både polisen som förhörde och barnet som blev förhört.

Samtalsrummet bestod nästan enbart av två fåtöljer med ett lågt bord mitt emellan. Bordet var tomt, med undantag för en pappkartong med servetter. De mjukdjur som normalt också brukade ligga på bordet hade tagits bort. De ansågs kunna distrahera Alex.

Pojken satt vänd mot dörren. Det var viktigt att han såg att det fanns en utgång, att ingen ville stänga in honom. Alex ville att dörren skulle vara öppen. Adam lade en bok framför så att den inte slog igen.

Fåtöljen var svagt grå med armstöd och Alex nådde inte ner till golvet med fötterna. Han strök med handen utmed stolens stoppning och sneglade då och då upp mot kameran som var riktad mot honom.

Kriminalinspektör Adam Sahla talade lågt. Ibland var det svårt att höra vad han sa.

Sophia nästan somnade i det mörka medhörningsrummet, till surret av den en och en halv meter höga inspelningsmaskinen som stod precis bredvid henne.

Efter tio minuter hade polisen fortfarande inte ställt en enda fråga om vare sig mordet på Alex pappa eller om vem som brukade slå Alex. Istället hade Adam försökt få Alex att prata om skolan, den han gått i innan det blev sommarlov, berätta vad han gillade för läsk och säga något om Bromstensgården. Det var inte svårt att förstå vad han ville, han försökte få Alex att slappna av.

När Alex berättade att han var tvungen att bädda sin säng själv och att han tyckte skolan var skitäcklig så nickade Adam. Nu ville han prata om något annat.

"Jag förstår att det är jobbigt att prata om, men jag ska berätta vad jag har funderat på. Du kan väl säga om jag säger något som inte stämmer?" Alex drog med handen under näsan och Adam fortsatte. "På midsommarafton kom din mamma och hämtade dig hemma hos Per och Lena ungefär klockan tio på morgonen, va?"

"Jag kan inte klockan."

Alex hade bytt ställning. Han hade glidit ner från stolen och stod med båda fötterna i golvet och bara den allra yttersta delen av rumpan kvar på stolen.

"Hmm." Adam blev tyst en stund. "Nej, det är ganska svårt förstås." Han blev tyst igen. Antagligen funderade han på hur han skulle få Alex att kliva tillbaka upp i stolen. Sophia lutade sig fram mot tv-skärmen för att inte missa någonting. "Jag lärde mig nog inte klockan förrän i mellanstadiet tror jag."

"Var du dålig i skolan, eller?"

Adam skrattade lågt och skakade på huvudet.

"Vad gjorde ni när ni kom hem då, du och mamma?"

Alex ställde sig på golvet bredvid stolen.

"… jag ville att pappa skulle komma…"

"Ja, det är klart att du ville."

"Men jag ville inte att han skulle vara full och slåss. Jag ville inte det, men mamma ringde honom."

Alex torkade sig snabbt om ögonen med baksidan av handen och vände ryggen mot Adam. Kameran följde pojken med ett svagt susande och återtog honom i bild samtidigt som han tryckte med fingret på screentrycket som hängde på ena kortväggen.

Kriminalinspektör Adam Sahla väntade på att Alex Andersson skulle gråta klart.

"Kommer du ihåg om det var du eller mamma som kom på att ni skulle ringa honom?"

Alex torkade sig med tröjärmen.

"Det var mitt fel, jag har redan sagt det. Jag vill inte prata om det mer för jag vill inte det och du ska bara hålla käften."

Adam försökte inte hejda Alex när han sprang ut ur rummet. Han lutade sig framåt och drog en djup suck. Lisa och Barnahusets samordnare gick iväg för att leta reda på Alex. Åklagaren gick efter. Sophia satt kvar. Hon fortsatte titta på tv-skärmen och Adam.

Inspelningen var fortfarande igång och maskinen brusade. Efter en minut lutade sig Adam tillbaka mot ryggstödet och höjde blicken mot kameran. Sophia såg rakt in i Adams ögon. Hans mörka hår var rufsigt och någonting inom Sophia släppte taget.

Det är inte mig han tittar på, tänkte hon för att få hjärtat att lugna ner sig. Han kan inte se mig.

Hon reste sig upp för att komma bort från tv:n och öppnade fönstret.

Sommarvinden var iskall. Håret ställde sig på Sophias armar och blodet lämnade hennes fingertoppar. Knäna kändes svaga.

Vad skulle de göra nu?

Kriminalinspektör Adam Sahla avskydde alla varianterna: pusseldeckare, law-lit, mysdeckare, *CSI*, *Law & Order*, *Morden i Midsomer* och Hollywoods människoätande seriemördare med munkorg över ansiktet. Han hatade dem allesammans och värst tyckte han att det blev när han körde fast i sina egna utredningar. För då kunde han inte låta bli att drömma. Fantisera om hur det kunde ha sett ut om han inte hade varit en verklig polis.

Och nu hade det hänt. Utredningen var hopplöst stillastående.

Om den fiktiva brottsligheten haft det allra minsta lilla att göra med hur det gick till på riktigt, då hade det sett annorlunda ut.

I utredningen om Christer Anderssons död fattades inte mystiska omständigheter. Var man lagd åt det hållet fanns det gott om sådana. Det som fattades var de avgörande svaren som ramlade ner i Adam Sahlas civilklädda jeansknä och löste mordgåtan åt honom.

Först och främst var det vapnet: kniven, ett japanskt välvässat mästerverk som funnits hemma hos Linda och Christer. Visst var det märkligt att ett missbrukarpar i en funkistrea valde att köpa en kniv för ett par tusen. Vad gör en japansk kniv i den lägenheten? Varför köper Linda Medner

Andersson en kniv som är så lätthanterlig att det räcker att lägga den på en tomat med bredsidan nedåt för att göra tomatpuré?

Om Adam varit tv-polis skulle det ha framkommit att det var Linda som köpt den, valt att köpa just den, av anledningar som inte hade det minsta med matlagning att göra. Kniven hade kunnat få bli Adams avgörande ledtråd, den som löste mysteriet.

I verkligheten hade paret Medner Andersson fått kniven av en kompis till Christer. Kompisen hade plockat på sig den vid ett snabbt inbrott i en villa i Bromma. Inbrottet hade polaren gjort samma dag som han skulle hem till Christer och Linda. Det hade känts som en kul och borgerlig idé att ge kniven till Linda i present. Kniven hade alltså ett brottsligt förflutet redan innan den stuckits i Christer Anderssons rygg, men var knappast ett bevis för att Linda kallblodigt planerat mord.

En annan sak var den saknade telefonen. Adam blev närmast besatt av att knäcka just den gåtan. Att Christer inte haft något abonnemang var inte konstigt, fyllon med ojämna inkomster valde ofta kontantkort. Men att han inte skulle ha någon telefon alls var ganska underligt.

Adam kollade allt. Telefonlistorna de hade fått ut från den fasta linan i lägenheten och från Lindas mobil, Christers kompisar, närbelägna antenner. Ingenstans hittades ett enda nummer som skulle kunna gå till Christer Andersson.

Om Adam varit huvudperson i en pusseldeckare skulle detta vara avgörande. Då hade det framkommit, i mordgåtans allra mörkaste timme, att Alex ringt ett avslöjande samtal just från Christers försvunna telefon. Till Bris eller

Rädda Barnens hjälptelefon, för att berätta vad som hade hänt. Alex mamma hade naturligtvis svalt sim-kortet för att undvika upptäckt. Spyorna i toaletten skulle vara det enda kvarvarande spåret efter Lindas kriminella uppfinnings-rikedom. Kortet som sa gå-i-fängelse. Gå-i-fängelse Linda Medner Andersson utan-att-passera-gå.

Den hjältemodige polisen Adam Sahla skulle lyckas spåra samtalet, hitta telefonen, få höra sanningen om natten då Christer Andersson mördades.

Om det också misslyckades, ja, i allra värsta fall skulle han ändå ha haft flyt med förhören.

Med lite hjälp av ett slitet förhörsrum uppe på polisstatio-nen skulle han och kollegorna i *The Shield* och *Spanarna på Hill Street* som sista desperata åtgärd slita ur sladden till för-hörskameran. Då och endast på det viset skulle Linda bryta samman. Adam skulle manligt konfrontera henne med sådana märkliga omständigheter som att hon varit nykter på självaste midsommarafton men ändå haft skitdyr och nyinköpt whisky hemma i köket. Att det var hon och inte Christer som rökte som en borstbindare, precis sådana glö-dande cigaretter som på något vis hade hamnat på Alex nakna oskyddade barnahud.

"Tell me the truth!" skulle han ryta. Fast på svenska.

Och det skulle få henne att bryta ihop. Det skulle få henne att erkänna allt.

Men så blev det inte heller. Linda Medner Andersson var luttrad. Hela hennes liv såg ut som en intensivkurs i hur man handskas med polis och sociala myndigheter. Hon var inte typen som sa saker utan vidare, som bröt ihop och erkände.

I de verkliga förhören med Linda Medner Andersson

hade hon inte drabbats av ett behov av att berätta allt. Istället hade hon tittat på Adam, gråtit en stund och sagt jag-vet-inte-vad-du-vill-att-jag-ska-säga ett par gånger.

Nu återstod bara en enda sak: att försöka få Alex att prata, att berätta vad som egentligen hade hänt.

Kriminalinspektör Adam Sahla låg vaken om nätterna och fantiserade om hur han och ingen annan nådde fram till pojken.

Det var omöjligt att inte drömma om stråkar och trumpeter, en filmisk sanning som löste brott och vevade igång rolllistan på slutet. Han visste hur fånigt det var, men det hjälpte inte. Adam hade bestämt sig för att bli hjälte, eller åtminstone kompis med Alex. Och den uppgiften tog han på allvar.

Alex fick åka i en av bilarna med Sophia och Lisa. Adam följde efter i egen bil. Väl ute hos Per och Lena var tanken att Alex skulle få klappa Felix och kanske rida en stund. Det var Adams idé. I en miljö där Alex trivdes skulle Adam kunna vinna pojkens förtroende.

Det var inte meningen att hålla några förhör, det skulle ske senare. Nu var fokus inriktat på att få honom att må bra, slappna av, känna att Adam gick att lita på.

Men stråkarna från Hollywood kom aldrig igång riktigt där ute på landet. För Alex vägrade att ens gå ur bilen. De fyrtiofem minuter som sällskapet stannade hos Per och Lena tillbringade han i baksätet på Sophias hyrda bil, med dörren på vid gavel. Ingen stod i närheten, de satt i köket och försökte låta bli att titta ut genom fönstret för att pojken inte skulle bli ännu mer stressad.

Ingenting annat hände, ingenting som skulle passa i en biosalong, ingenting som skulle hända i en riktigt bra deckare och absolut ingenting som kunde hjälpa Adam med utredningen.

Kriminalinspektör Adam Sahla hade kört fast. I den dramaturgiskt hopplösa verkligheten.

34

SOPHIA VAR RÄDD. Fönstret var öppet ut mot sommarnatten, håret nytvättat och hjärtat dånade som en vårflod i bröstet. Timmarna försvann, en efter en. Sophia kunde inte somna.

Egentligen var det enkelt. Det var hur enkelt som helst. Kunde hon inte hjälpa den här klienten så kunde hon kanske hjälpa nästa. Sova måste hon i vilket fall.

Men det var hopplöst. Så snart hon blundade såg hon Alex framför sig. Hans mörka panikslagna blick.

Hennes egna ögon värkte och sved. Fortsatte hon att leva på det här viset skulle hon dö ensam. Det gick inte att låtsas som om det inte gjorde något, för det gjorde henne skräckslagen. Hennes morfar var gammal och sjuk, hennes pojkvän hade lämnat henne och av jobbet fick hon bara svindel.

Det sprutade skit åt alla håll och hon hade aldrig lärt sig hur man gjorde för att ducka i tid. Hon behövde prata och inte med någon vem som helst. Hon behövde prata med Anna.

* * *

Det var en tisdag strax efter lunch som nioåriga Sophia träffade Anna första gången. Till och med fröken såg förvånad ut när Anna öppnade klassrumsdörren med en lapp i handen och en nästan tom plastpåse fastkilad under armen. Hennes hår var för långt och jeansen i någon omodern färg, antagligen jeansblå. Ingen hade vetat att hon skulle komma, bara dyka upp så där, släntra in, mitt i pågående termin, vecka, timme och skoldag.

Men fröken fann sig snabbt, en del vuxna är bra på det. Alla barn måste gå i skolan, även om de inte kommer i tid till skolstarten och deras föräldrar inte har varit på vare sig informationsmötet eller föräldraträffen i aulan.

Vaktmästaren hämtade en bänk och en stol från skolans vind. Vid den satte sig Anna, mindre än en meter från Sophia. Hon hade tofsar vid öronen och de spetsiga skorna svävade ett par centimeter ovanför golvet. Det satt frostblommor på utsidan av klassrummets fönster och ett av fjolårets lönnlöv hade fryst fast på rutan: en utbredd handflata platt mot glaset. Sophia studerade lövet noggrant, mest för att slippa titta på sin nya bänkkamrat. Hon försökte tycka att Anna var lika ointressant som hon förtjänade. Sitta där och spela märkvärdig, Sophia visste minsann vad mormor skulle ha sagt om det. Resten av klassen stirrade och blängde så att ögonen buktade i skallen.

"Där sitter du bra. Det byråkratiska får vi ordna med senare", sa fröken och klappade i händerna för att få bort spänningen som sprakade i klassrummet.

Sådan var deras fröken, behärskade både bokstäver och barn med lättsinnighet. Inte ens en blankett och ett personnummer för mycket kunde få henne att tappa fattningen.

Inte behövde Sophia den där nya ungen, tänkte hon.

Varför skulle hon göra det? Sophia hade en perfekt penn-vässare av stål, två oanvända luktsuddigummin och ett pennskrin med en hundvalp på. Sophia klarade sig själv.

Sophias klasskompisar däremot, de behövde allt möjligt. De pussades med killarna, skrev lappar får-jag-chans-kryssa-i-rutan-ja-eller-nej och tycker-du-att-Cilla-är-söt-det-tycker-inte-jag. De tuggade Hubba-Bubba, köpte *Okej* för vecko-pengarna och klistrade upp bilder på Lujk Macka-haan i bänklocket. De tragglade med ord, räknade på fingrarna.

Men Sophia var inte som de. Hon klistrade inte upp några foton i bänken och ingen ville veta vem hon tyckte var ful.

När klockan ringde ut till rast gick Sophia rakt ut på går-den, utan mössa och jackan nedhasad på ryggen med blixt-låset lämnat öppet. Så skulle man göra, så gjorde alla, åtminstone de i fyran. Alla i trean gjorde som fjärdeklassar-na. Det var den enklaste av alla regler som styrde livet på skolgården, till och med Sophia följde den.

Oftast gick det bra att ställa sig lite vid sidan om. Nästan jämt var de andra upptagna med bollar och kritor, hopprep och den iskalla klätterställningen med frusen cementhård sand under. Mycket sällan blev de andra barnen så uttråka-de att de vände uppmärksamheten mot Sophia. Och när det någon gång inträffade fanns det ingen anledning att göra någon affär av det, för så vanligt var det faktiskt inte. Klasskamraterna brukade tröttna ganska fort och vägen till och från skolan var kort.

En liten kvarvarande pust av den ilskna klockringningen fanns fortfarande kvar i luften när Anna kom fram till Sophia.

”Hej”, sa hon. ”Du heter Sophia, va?” Det var ett konsta-terande, något svar behövdes inte.

Sophia blev så förvånad att det bara kom ett pysande ljud ur näsan. Anna pratade snabbt. Ur jackfickan drog hon upp en näve spelkulor. Korniga stenkulor, blanka spaghettikulor i glas och genomskinliga konfettikulor med olikfärgade mönster som rullade mot varandra, knastrade, i hennes hand. Hon räckte över kulorna och drog upp en handfull till åt sig själv ur andra fickan. Sedan satte hon sig ner.

När Sophia stod kvar klappade Anna otåligt på marken. Där skulle Sophia sitta och där satte hon sig. Sedan byggdes små kulpyramider och flickhänderna snuddade varandra när de värmde marken för att kunna krafsa upp lite lös jord att bygga på.

Det hade inte varit svårare än så att bli vänner. Lätt var det och snabbt gick det. När skolan var slut fick de sällskap hem. De hade samma väg till skolan. Det var kanske en slump men det kändes naturligt.

På den januariblöta skolgården, när tjälen fortfarande satt som hagel i jorden och världen avlägset brusade omkring henne fick Sophia en bästis. Anna och Sophia blev för evigt sammansvetsade av lappar och hemlisar, med storslagna planer om ett äventyrligt liv utan killbaciller och med godis till lunch. Det var oväntat som ett mirakel och knappast mindre än så.

* * *

Sophia klev upp ur sängen och ställde sig framför fönstret. Pulsen hade fortfarande inte lugnat ner sig och en stund stod hon så med den svala luften under nattlinnet.

Jag längtar efter henne, hon är min bästa vän, tänkte hon

och lade handen mot pannan och blundade. Varför är det så svårt för mig att göra saker som jag vill? Peter älskade jag inte. Det gör ingenting om jag inte blev ledsen på det sätt jag borde när han lämnade mig, för jag blev helt enkelt inte speciellt ledsen. Men om jag inte kan behålla Anna, då är det inte värt det. Då är det verkligen inte värt det.

Klockan var över ett när hon ringde för att säga förlåt. Anna svarade på andra signalen. De pratade i nästan två timmar. Sedan somnade Sophia med den varma telefonen i handen.

35

GRINDEN VAR ROSTIG och av järn. Den hade hängt sig och gick bara att skjuta upp åt ett håll.

Antagligen är den fyndad på en antikmarknad i Florens och monterad av en hantverkare som bara arbetar enligt traditionella metoder, tänkte Sophia och började gå uppför den välkrattade grusgången mot trävillans huvudentré.

Huset var tre våningar högt och låg ganska långt in i trädgården. Det var en stor trädgård med fruktträd, grönsaksland och växthus. Mellan två av äppelträden hängde en hängmatta i regnbågens alla färger, i en av ekarna dinglade en jättelik, rund, vit sittgunga med plats för minst två vuxna. I samma ek, ett par meter upp i grenverket, skymtade en träkoja. Sophia hade klättrat upp i den flera gånger och blivit bjuden på låtsaskaffe i riktiga porslinskoppar, tilllagade på den miniatyrjärnspis som stod där, vid sidan om ett litet vitt bord och fyra barnstolar i gustaviansk stil.

Under en platta i mörkt trä strax bredvid trädet fanns barnens sandlåda och en klätterställning. Bakom huset fanns en njurformad swimmingpool med naturstensbotten, ett bord i mosaik med åtta tillhörande stolar och en grill inbyggd i stenmuren som omgärdade uteplatsen.

Sophia blev alltid lika tagen av Annas hem. De hade gått

ut skolan tillsammans, läst i Uppsala samtidigt och under hela uppväxten hade det känts som om de var de enda i Djursholm utan riktigt rika föräldrar. Annas pappa var visserligen läkare, men ägnade sitt frånskilda singelliv åt att spendera sin skrala lön i de länder som Läkare utan gränser skickade honom till. Han lät Annas mamma förskolläraren försörja barnen.

Anna hade inte ärvt sina pengar och hon hade inte gift sig till dem. Hon tjänade sina pengar själv.

Numera bodde hennes mamma i gäststugan på andra sidan poolen. Hon hade slutat arbeta på förskolan och hjälpte sin dotter och hennes man med barnen.

Anna jobbade inte som den jurist hon utbildat sig till. Det hade hon aldrig gjort, istället hade hon startat en kunskapssajt på nätet, sålt den, startat ett nytt Internetföretag, sålt det och så hade det fortsatt ända tills hon skaffat sig mer pengar än hon kunde göra av med.

Hon fortsatte arbeta med sina projekt, som hon kallade dem. Bland annat ett företag med trettio anställda och vid sidan om det hade hon ett par, tre styrelseuppdrag. Hennes man hade ett betydligt mindre krävande arbete, som affärsjurist på en av Stockholms större byråer. Sedan han blivit delägare tjänade han på ett ungefär en tredjedel av det som Anna brukade ge sig själv i lön.

Så här länge hade Anna och Sophia aldrig varit osams tidigare. När de var små grälade de mycket sällan. Sophia var dålig på att leka lekar med andra barn än Anna. Någon gång hade Sophia blivit sur, tänkt att Anna minsann skulle få känna på hur det kändes när Sophia hoppade hopprep med någon annan. Men med de andra ungarna fick hon aldrig hoppa, bara veva. Och där stod hon och vevade, lite för fort för att hämnas men bara någon sekund, aldrig så länge att någon snubblade eller att vevaren mittemot hamnade i otakt. Hon brukade tröttna ganska snabbt på att försöka göra Anna svartsjuk.

Med håret flygande efter ryggen kom värdinnan nedspringande genom sin jätteträdgård.

Hon slog armarna om halsen på Sophia och tryckte henne tätt intill sig.

"Jag har saknat dig så mycket. Har jag sagt det redan?"

Sophia nickade mot Annas axel.

"Förlåt för att jag kallade dig egoist. Har jag sagt förlåt?"

Sophia nickade igen. De hade fortfarande inte släppt taget.

"Jag fattar inte hur jag kunde säga det. Jag känner ingen som gör mer för andra än du."

De kramades lite hårdare.

"Du och dina ungar. Ni har aldrig tid för mig."

"Sophiiia!"

Tre av de fyra ungarna snubblade nerför yttertrappan. Vännerna lossade greppet om varandra ett par sekunder innan två av barnen hann fram till Sophia. De höll på att knuffa omkull henne så hon satte sig på marken och försökte dra till sig även minstingen. Men flickan exploderade i en tröstlös gråt och flydde till sin mamma.

Sophia tittade på Anna. De skrattade tills de tappade andan.

Anna böjde sig fram över bordet och tände ytterligare en antik lykta i gjutjärn.

"Du behövde prata?"

"Ja." Sophia öppnade översta knappen på sina jeans och drog upp knäna under hakan. "Egentligen behöver jag nog bara prata med någon som förstår sig på barn."

"Och det skulle vara jag?" Anna skrattade. "Det var det roligaste jag har hört på länge. Säg det till Emil."

Emil var äldst, tio år och mycket trött på vuxna i allmänhet och sina egna föräldrar i synnerhet.

"Och varför pratar du inte med Sture om det här. Det är ändå han som är professor i psykologi."

"Du vet varför jag inte vill prata med morfar. Inte ännu i alla fall. Och du vet att jag inte kan prata om mina klienter."

"Så du tänkte ställa lite hypotetiska frågor antar jag."

"Ja. Och jag förstår om du kanske…" Sophia tvekade. "Med tanke på vad som har stått i tidningarna på senare tid hoppas jag att du förstår att det här måste stanna mellan oss, de här hypotetiska frågorna. Och att du förstår att jag faktiskt inte har något val. Jag måste fråga någon, måste prata om det här för jag håller på att bli galen och om jag blir galen är jag ingen bra jurist. Jag litar på dig, som du vet."

"Rent hypotetiskt alltså."

"Hur mycket förstår en sjuåring?"

Anna tittade allvarligt på Sophia. Det fanns inte en svensk tidning, ett svenskt nyhetsprogram eller debattprogram på radio eller tv som inte hade diskuterat Sophias sjuåriga klient under den senaste tiden.

"Olyckligtvis en hel del." Hon svalde. "Jag skulle vilja påstå att om det är något som du tror att en sjuåring inte begriper så kan du vara säker på att han har förstått vartenda ord."

"Hur pratar du med en sjuåring?"

"Vad menar du?"

"Försöker du uttrycka dig på ett annat sätt eller prata på ett särskilt vis?"

"Nej, det gör jag nog inte. Men det är klart, jag skulle knappast förutsätta att en sjuåring kan hänga med i riksdagens budgetdebatt förstås. Fast vem kan det? Har du lyssnat på Barnjournalen någon gång? Det där nyhetsprogrammet för barn. På Barnjournalen verkar de tro att man ska prata väldigt högt och välartikulerat för att barn ska förstå. I övrigt behöver man inte göra några ändringar. 'B-U-D-G-E-T-P-RRR-OOO-P-O-S-I-TIOON'." Hon harklade sig. "Om vi ska återgå till ämnet. Jag tror att en unge som har, rent hypotetiskt alltså, vuxit upp med två missbrukande föräldrar, han har lärt sig en hel del om att ta hand om sig själv. Jag tror att han har lärt sig manipulera, ljuga, göra vad som krävs för att överleva. Jag tror också att han har lärt sig att slåss. Men det var kanske också utanför ämnet."

Sophia nickade.

"Han pratar inte så mycket."

"Har han sagt något om när hans pappa dog?"

"Inte till mig. Åklagaren hävdar att han har sagt att han ville hjälpa sin mamma, hämnas kanske, men jag vet inte, jag tycker han är så liten. Jag kan inte fatta... Egentligen är jag just nu mest bekymrad över att det verkar som om polisen tänker lägga ner utredningen om vem som misshandlade honom. Den misshandeln som fick soc att omhänderta killen. För lägger de ner den så betyder det att de inte tycker att det råder något som helst tvivel om att det var pappan som slog honom. Och att det inte är några problem för honom att bo ihop med sin mamma."

"Ja, men hänger inte de två grejorna, mordet och misshandeln ihop? Nu vet jag inte om jag borde säga något, för det här är inte riktigt min grej, men i tidningarna står det en hel del om att pappan försökte ge sig på mamman, att han slagit både henne och pojken och det är väl... om han bara klarar av det fysiskt så tror jag absolut att han är gammal nog för att vilja försvara sin mamma. Och sig själv. Är det inte så enkelt som att pappan slog mamman och killen stack kniven i honom för att få honom att sluta. Ungefär som det står i tidningarna. Och då är det väl bra att pojken åtminstone får vara med sin mamma."

"Mm. Jag vet inte" Sophia kände sig trött. "Han säger nästan ingenting, men när han pratar säger han så, du vet, konstiga saker."

"Men prata med honom som du skulle ha pratat med vilken klient som helst." Anna såg bekymrat på Sophia. "Tror du inte att du kanske lägger för stor vikt vid att han är barn? Det är ingen sjukdom, att inte vara vuxen. Prata med honom som du gör när du pratar med någon som aldrig har läst juridik. Det är nog det närmaste just du kan komma babyspråk tror jag."

"Jag gillar inte hans mamma." Sophia hade slutat lyssna. Annas röst svävade någonstans i bakgrunden. "Jag vet att det inte är ett skäl att ta pojken ifrån henne, men jag kan inte hjälpa att jag inte... Jag gillar henne inte."

Jag måste nog prata med morfar ändå, tänkte hon sedan, om Linda och hennes jobbiga bakgrund, om att hon haft det så tufft.

Vem vet? Det kanske faktiskt betyder något, att det är så synd om henne.

36

"JAG BEHÖVER FRÅGA dig om några saker. Om barnuppfostran och sådana grejor."

"Visst." De hade precis satt sig i vardagsrumssoffan. Sture tittade ner i godisskålen. "Ska du ha barn eller handlar det om någon av dina klienter?"

Sophia grimaserade.

"Var inte fånig. Vad tror du? Jag vill prata om min klient, du har läst om honom i tidningen. Hans mamma har haft en trist barndom. Trauman, misshandel, hela smörgåsbordet, den allra värsta barndom du kan tänka dig. Jag försöker lista ut om hon är en lämplig mor. Om han är en mördare. Mycket hokuspokus och mjuka frågor, sådant som professor psykologi gillar."

Sture skrockade nöjt.

"Aha! Barndomens inverkan på vårt fortsatta handlande. Hur viktigt är det egentligen att vi får växa upp med en bra mamma? Så trevligt. Jag blir så till mig i trasorna att jag knappt vet var jag ska börja." Han tog en bit choklad. "Från början kanske? Harlows rhesusapor, känner du till dem?"

"Det var de där aporna som fick växa upp med stålställningar istället för sin apmamma?"

"Just precis. Och innan jag börjar vill jag bara understryka att det här inte på något vis handlar om dig, Sophia. Du tror att allting gör det, men inte det här. Du må vara hur besviken du vill på din egen mamma, men du har haft flera fullt dugliga och mycket kärleksfulla vuxna omkring dig som har sett till att du har blivit den lyckade person du är. Förstår du det?"

"Jag förstår det, morfar." Sophia log. "Och jag vet. Oroa dig inte, jag vet det."

"Bra. Jag ville bara att vi skulle klara ut det först." Sture rätade på ryggen. "Harlows rhesusapor var ett experiment på femtiotalet som resulterade i vad som fortfarande räknas som en av psykologivetenskapens mest kända beteende-vetenskapliga avhandlingar. Harlow stoppade ett gäng apungar en och en i bur. I varje bur fanns två stålställning-ar, en med en nappflaska fylld med mjölk och en som var klädd med mjuk päls. Att ungarna hellre satt på den mjuka ställningen än den med mat togs som bevis för att alla barn behöver något som liknar moderlig närhet minst lika mycket som de behöver äta."

"Det låter logiskt, tycker jag."

"Jo, det förstår jag att du tycker. Men det har faktiskt funnits folk som har tvivlat på den saken. Mycket tack vare Harlows experiment kvävdes en del andra teorier som var populära på den där tiden. Teorier som gick ut på att barn borde uppfostras av staten och att modern var en mjölk-maskin, en social konstruktion, onödig och till och med kontrarevolutionär. För Harlow lyckades bevisa sin tes med råge. Visserligen blev alla de där stålungarna knäppa, oav-sett hur fodrad och luddig ställning de haft i sin bur, men de valde i alla fall alltid den mjuka framför den med mat."

Sture tog en bit choklad till. "Men det blev faktiskt ännu mer intressant i hans uppföljningsexperiment. När de där föräldralösa rhesusaporna hade blivit vuxna band Harlow fast honorna vid en våldtäktsställning, tvångsbefruktade dem och så blev de mammor."

"Låter verkligen som en trevlig karl."

"Ja." Sture skrattade igen, fortfarande lika belåtet. "Det sägs att Harlow började skriva sina memoarer och att det första kapitlet som han brände upp innan han dog handlade om hans egen mamma, en riktig stålställning uppenbarligen. Harlow var också ganska dålig på familjeliv så han var väl ett bevis på sin egen teori." Han harklade sig. "Men det var väl inte honom du ville prata om. Det intressanta var att kunna betrakta hur de där aporna själva klarade av att bli mammor."

"Gjorde de det? Klarade det?"

"Föga förvånande är svaret på den frågan nej. Inte alls. De hade ingen aning om hur de skulle bete sig. Har man inte haft någon mor så vet man inte hur man ska göra, uppenbarligen, för flera av dem försökte äta upp sina avkommor, tuggade i sig ungarnas fötter och fingrar, ett par stycken slog ihjäl sina ungar, sådana saker. Men de allra flesta struntade bara i dem. Det var som om de inte fanns. Deras mödrar hade ingen aning om vad det var meningen att de skulle göra med dem. Så de gjorde ingenting."

Det blev tyst en stund. Sophia kände sig förvirrad.

Det hade känts som en bra idé. Som om Sture skulle kunna hjälpa henne att förstå. Men nu kunde hon inte komma ihåg vad det var hon hade tänkt.

Hur passade allt detta in i Alex Andersson och Linda

Medners liv? Vad hade hon velat att Sture skulle förklara för henne?

"Men vem är det egentligen som är rhesusapan i mitt fall?" Sophia tittade på Sture. "Är det min klient som är ett apbarn eller min klients mamma som är en stålställning, eller har varit ett apbarn och nu är en apmamma?"

"Du kan nog använda teorin på bägge två. Eller på ingen alls. Om du nu har lust att syssla med saker du inte begriper."

Sture lutade sig fram och drog åt sig fjärrkontrollen. Han hade tröttnat. Föreläsningen var över.

"Folk uppför sig si och de uppför sig så på grund av det eller på grund av något helt annat. Du, min kära Sophia, tänker alltid ut små teorier om psykologiska förklaringar med en hastighet värdig en ung fröken Freud. Du har nämligen alltid varit rädd för det du inte begriper. Men faktum kvarstår, förenklingar av den här typen gör att Dr Phil framstår som djupsinnig. Med stor sannolikhet kan båda två, både din klient och hans mor, vara knäppa i huvudet, som du säkert kallar det. Även om det inte är någon psykologiskt godtagbar benämning på deras problem. Eller så är de friskare än både du och jag, vad det nu betyder. Jag har faktiskt inte en aning om hur det ligger till med den saken. Och frågar du mig, även om du hade haft svaret på den frågan, så hjälper det inte dig det minsta, med det problem jag tror att du egentligen har. Det finns massvis med misshandlade barn som blir alldeles utmärkta föräldrar. Prata med polisen och låt mig titta på tv ifred. Du har väl inte gått och blivit Miss Marple? Det är en mycket dålig idé att börja tro att en sådan som du skulle kunna lösa brott. Alla har väl motiv för att ha ihjäl de personer de älskar? Eller hatar, eller inte orkar bry sig om."

Sture knäppte på tv:n och skruvade upp ljudet.

"Undrar du vem som dödade din klients far så föreslår jag att du frågar polisen vad de tror om den saken. Och om du funderar över om din klient kommer att fara illa hos sin mor så bör du nog vända dig till soc och de psykologer som har kontakt med den lilla familjen. Alla de är faktiskt betydligt bättre på sådant än en pensionerad professor i psykologi som aldrig träffat någon av de inblandade och en advokat som hatar sin mamma och har dåligt samvete för det."

Sophia satt kvar. Hon tittade på tv:n medan Sture bläddrade bland kanalerna. Morfar hade fel, hon hatade inte alls sin mamma.

Hennes egen mamma, som hade varit för ung för att bli mamma och blivit det ändå.

Sophia förstod, hennes enda problem var att hon aldrig skulle begripa.

Fyra kilo och tvåhundratjugo gram vägde Sophia när hon föddes. Det var mycket. I vissa länder betraktades det nästan som något grotesk. Men Sophias morfar tyckte inte det var något att hetsa upp sig för. Han hade förväntat sig att hon skulle födas stor. Sophias mamma hade vägt ett par hundra gram mer till och med. Sture tyckte också om historien om bryllingen som hade spräckt bäckenet på sin späda moder, lika lätt som en torr gren, under sin resa genom förlossningskanalen.

Sophia bröt inte några kroppsben på sin mamma. Hon döptes i ärvd klänning, som mormor stärkt och strukit, fick ett namn som mormor valde. Det kom från grekiskan och betydde vishet. På dopet lade Sophias mamma sitt sextonåriga huvud på sned under predikan, det syntes på alla foto-grafier. Det såg ut som om hon försökte lyssna, men egent-ligen var det säkert för att hon tyckte att hon var extra söt med huvudet på sned. Och visst var hon extra söt, det var hon nästan jämt. Till dopet hade hon också fått lägga på ljusblå ögonskugga och sätta skärp i midjan, det var knap-past någon idé att förbjuda sådant. Då var det redan för sent att förbjuda henne någonting.

Det var morfar som bar henne till prästen, det var mor-mor som värmde flaskor, kysste de bebisfeta groparna i låren och lät henne ligga på mage och sova, så att hon inte kvävdes till döds.

Hennes mamma var inte där, inte på något betydande sätt. Hon pluggade i Stockholm, skaffade sig en utbildning, började tjäna pengar. I Stockholm fanns tunnelbana och varje kväll hela veckan lång spelades det musik på något ställe dit man kunde gå för att dansa.

En dag skulle Sophia bo där med henne, berättade mor-mor och morfar under de första åren. De sa så när Sophias mamma kom hem till sina föräldrar över helgen. Motvilligt, med piratbyxor som slutade precis nedanför knäet, blank-rakade vader och flackande blick.

Om Sophia redan gått och lagt sig när hennes mamma kom, ställde hon sig i dörröppningen till rummet som varit hennes eget och tittade på Sophia där hon låg med ena benet utanför sängen. Men hon väckte henne aldrig.

"Jag låter henne vara ifred", sa hon och vände tillbaka ut i köket utan att gå in och stryka svetten ur Sophias panna. Sophia fortsatte låtsassova.

På söndagskvällen, innan hon åkte tillbaka till Stockholm ställde hon sig i en annan dörröppning och hostade ur sig "hej då min lilla flicka, vi ses snart".

Sophia mindes fortfarande hur de brukade titta på varandra. Hur hennes mamma såg att hon såg att hon såg att hon förstod. Blickar med lika många lager som de där ryska dockorna, den ena i den andra. Dockor som gnisslade med små kattskrik när man plockade isär dem. De förstod bägge två. Sophias mamma ville inte ha Sophia, det hade hon aldrig velat.

Nuförtiden träffade Sophia sin mamma ett par gånger om året och hon saknade henne aldrig. Men hennes mamma hade inte gjort hennes barndom olycklig, hon hatade henne inte det minsta. Hur skulle hon kunna göra det? Hon kände henne inte.

Vad gällde det andra däremot, hade väl morfar rätt som vanligt.

Det var bara fånigt att tro att hon kunde lista ut om hennes klient stuckit kniven i Christer Andersson. Polisen hade väl saker att gå på, tekniska spår kanske? Eller så skulle allt det här sluta som hon trott hela tiden. Sluta som ett av de där fallen då hon måste klamra sig fast vid övertygelsen att systemet var viktigare än individen. Att åtminstone rättssäkerheten vann på att Alex måste leva med att bli betraktad som mördare. Att det fanns något större värde i att han måste bo med sin mamma trots att han så uppenbart mådde dåligt av det.

Jag måste komma ihåg att gratulera rättssäkerheten nästa gång vi träffas, tänkte hon. Gratulera till ännu en obegriplig vinst.

Sedan ångrade hon sig igen. Rättssäkerhet var egentligen det enda hon inte tyckte var svårt att förstå. Det fanns ingen anledning att ändra sig nu. Bara för att hon hade dåligt samvete för att hennes egen mamma inte ville ha henne.

Jag satte på tv:n. De pratade om ondska. Vem är egentligen ond? Är alla människor onda? Kan en god människa göra ont och en ond människa bra saker. Bla bla bla bla.

Fy, vad fånigt. Det var någon liten tjock man som pratade. Han var doktor och sa att vi aldrig får glömma att ondskan finns överallt, vi har alla ondskan inom oss. Att man kan göra en ond grej utan att själv vara ond. Att ondskan alltid är knuten till en ond handling, inte till en person.

Som om det inte skulle vara uppenbart att han sa så för att vi som tittade skulle tro att han var den finaste killen i världen. Till skillnad från alla losers som går på stan och våldtar små ungar, typ.

För så måste det vara: doktorn sitter i en liten soffa med hårda kuddar och är nysminkad med tv-smink, har fluffigt hår och säger att ondskan finns i alla människor. Och då förstår de som tittar att det säger han bara för att han är så god.

Ingen elak snubbe skulle erkänna att han var det, även om det bara var lite grann. Att det liksom är en slump vem som växer upp och gasar ihjäl åtta miljoner judar.

Fast just det sa doktorn faktiskt inte. Just det tycker ingen är en slump. För det är liksom lite speciellt, sådant finns inte alls i alla människor. Bara i Hitler och några till och alla sådana monster borde antingen dö eller åka in på dårsjukhus.

Jag tror inte att Hitler var det minsta sjuk i huvudet. Hur skulle han ha orkat styra ett helt land om han gått omkring och haft typ röster i skallen eller trott att han var två olika människor på en gång?

Om Hitler hade varit sjuk i huvudet, haft råångest och inte kunnat sova, skulle inte det vara ett tecken på att han egentligen var god, att han liksom skämdes?

Nej, egentligen tycker jag faktiskt att hela grejen är ointressant. Folk gör saker. Who cares?

Alla bara tänker på sig. Det är så det är.

Det är det enda som räknas.

37

TVÅ DAGAR TILL var det meningen att Adam skulle jobba innan han åkte på semester.

Som vanligt hade han försökt övertala sin fru att de inte skulle välja charter utan bila till Korsika. Stanna på vägen kanske, ta in på ett litet pensionat. Kasta sig ut i ett välkontrollerat medelklassäventyr. Eller hälsa på släkten i Marocko. Trots att det den här tiden på året var så outhärdligt varmt där och trots att varken han eller Norah stod ut med hans mamma i mer än högst fyra timmar.

Norah hade vägrat. Antagligen hade hon rätt, hon var så förnuftig.

Redan någon gång i november hade han suttit i tv-soffan och bläddrat i katalogen de fått i brevlådan. Efter en veckas gräl som han förlorat beställdes en resa till Kroatien. Hennes trygga, barnvänliga val var två veckor vid en koboltblå pool på ett tvåstjärnigt hotell med helpension och obekväma sängar.

Hela familjen skulle åka. Barnen var överlyckliga, det fanns en klubb där man fick dricka så mycket läsk man ville.

Adam visste hur det skulle bli, det blev alltid likadant. Första dagarna satt han vid borden längst bort i restaurangen och vägrade prata med någon av gästerna. Låg och vred sig i sängen på nätterna, klagade på allt från lakanen till den obehagliga hotellfrukosten med stel marmelad och chokladsmet i runda aluminiumformar.

Men efter ett par dagar brukade obehaget släppa. Norah hade rätt i det. Den bästa maten var ofta den de slapp laga själva. När barnen inte behövde underhållas varje vaken stund på dygnet blev både han och Norah mindre irriterade, på ungarna och på varandra.

Norah skulle få sova länge om morgnarna, han själv jogga på stranden. Tidigt, så att de enda han mötte var barbenta tonåringar på väg hem från krogen. Norah och han skulle ligga i timmar och lyssna på havet medan barnen lekte med nya vänner. Hans fru skulle lukta sol och saltvatten i den där gropen bakom örat.

Adam Sahla längtade efter att få åka på semester med familjen. Men han hade kört fast i sin utredning och nu måste han snart lämna den.

Han och hans kollegor hade förhört Linda Medner Andersson sex gånger. Gång på gång berättade hon samma, korta historia. Han söp, hon lagade mat, de började slåss, hon försvarade sig. Alex blev rädd, sprang i vägen, det uppstod bråk. Christer ramlade och när Linda förstod att Alex tagit den kniv som hon precis innan använt för att värja sig med, då var hon för långt borta för att hindra honom från att sticka den i ryggen på sin pappa. Hon skrek, Alex grät, hon ringde ambulans, försökte trösta, Alex drog ut kniven och lade en kudde på såret, hon kräktes. Alex började skaka och vägrade flytta på sig, polisen kom, ambulansen kom efter, Christer åkte till sjukhus, hon och Alex åkte till BUP-kliniken på Sachsska.

Att förhöra Alex fler gånger var ingen bra idé.

Pojken var inte stark nog. Men Adam hade inget val. De kom ingenvart och nu började han bli desperat.

Han måste kunna slappna av när semestern började. Norah skulle bli tokig annars.

Från Bromstensgården rapporterades att Alex Andersson mådde allt sämre, pratade allt mindre och slogs så gott som dagligen. Terapeuterna från BUP som arbetade med honom hade begränsad framgång. Han litade inte på vuxna och protesterade varje gång han blev tvungen att lämna sin mamma ensam.

Det var verkligen inte bra att försöka förhöra Alex Andersson under de här omständigheterna, men det fanns inget annat att göra.

Alex blev återigen skjutsad till Barnahuset i Sollentuna. Sophia hade hämtat honom på behandlingshemmet tillsammans med Lisa, han följde med utan några större problem.

Han verkade lugn, tittade ut genom samma fönster under hela resan.

Samordnarna på Barnahus Norrort hade handlat samma morgon, en ny flaska av Alex favoritsaft och fyllda chokladkex. Alex fick gå in i köket med Barnahusets samordnare Kattis och välja glas själv. Han tog ett likadant som Adam och det pirrade till i Sophias mage.

Kanske Alex beundrade Adam lite grann ändå? Det var nog ett bra tecken.

Åklagare Marie Olsson kom tio minuter efter de andra och blev tillsagd att ta av sig sina tolv centimeter höga skor i tamburen. Hon tassade raka vägen in i medhörningsrummet utan att hälsa på Alex.

Adam och Alex tog med sig saften in i förhörsrummet.

I sex minuter satt pojken på huk i fåtöljen, gungade fram och tillbaka. Han höll sitt glas med bägge händerna och tittade stint på kameran, rakt in i linsen. Sophia satt i medhörningsrummet och vågade knappt blinka.

Adam satt i fåtöljen bredvid, lätt framåtlutad och viskade. Ingen hade sett Alex på det här viset tidigare. Det kunde inte vara bra. Det kändes inte bra.

I medhörningsrummet reste sig Lisa Zeiger upp. Hon skakade på huvudet några gånger.

"Vi måste bryta", hann hon mumla innan det redan var för sent.

Alex bröt ihop. Det gick inte att kalla det för något annat. Han fick ett sammanbrott. Ingen hann se vad som hände, men bandet visade att det var när Adam lade handen på Alex arm som pojken kastade sig upp och körde handen in i väggen. Glaset krossades och den röda saften blandades med blodet som strömmade från skärsåret i handen.

Pojken skrek så högt att högtalarna i medhörningsrummet brummade.

"Min pappa ska komma och hämta mig nu. Jag hatar er. Min pappa kommer att slå ihjäl er när han ser er, för han hatar er och nu ska han komma. Min pappa ska komma nu, för han ska komma nu..."

Mitt i ett gallskrik sjönk sjuåringen ihop på golvet. Han skakade, hans händer och armar darrade, huvudet och axlarna skälvde okontrollerat, andetagen pep och väste. Blodet pumpade från hans hand. Alla i medhörningsrummet stod upp. Ingen vågade röra sig.

I en rörelse drog Adam av pojkens t-shirt och knöt den

om den skadade handen. Samtidigt tog han upp honom i famnen. Han satte sig på golvet, höll honom hårt med bägge armarna kring den tunna kroppen medan skakningarna sakta avtog.

Alex bara rygg var vänd mot kameran. Den ena kameran visade tydligt den nakna huden.

Ärren, överallt, som spår efter en insekts tunna ben, eller en skogsmus i ett orört snölandskap, små rispor, blandat med betydligt större märken, runda, avlånga, djupa.

Han var slagen, överallt, i många år, på många olika sätt. Alex Anderssons egen kropp var ett bevis på deras misslyckande. Socialen, polisen, barnpsyk, hans lärare och advokat, de hade alla misslyckats.

Det var tyst. De tittade. Så reste Adam sig upp och bar pojken ner till Sophias hyrbil.

Lisa satte sig bredvid Sophia i framsätet och ringde sjukhuset medan Sophia arbetade sig igenom Sollentuna centrums komplicerade vägarbeten. Alla gator verkade vara upprivna, all asfalt verkade vara på väg att bytas ut. Det var arbetare, grävskopor och traktorer överallt. Det luktade tjära och avgaser.

Sophia klamrade sig fast vid ratten för att händerna skulle bli lite stadigare och slog då och då med knytnäven på låret. Hon höll på att få kramp. Lisa vinklade bort telefonen från munnen och sa åt Sophia att åka till Astrid Lindgrens barnsjukhus på KS. Danderyds sjukhus tog inte emot barn med svåra skärskador.

Ungefär samtidigt som Alex fick en spruta och fyra stygn fattade åklagaren Marie Olsson beslutet att lägga ner mordutredningen på Christer Andersson.

När kriminalinspektör Adam Sahla kom tillbaka till sin arbetsplats och slog på datorn tre timmar senare, då väntade redan det elektroniska beslutet på honom.

Utredningen var nedlagd.

Det var över nu. Det fanns ingenting mer att göra.

38

DET VAR ETT rent under att de inte hade börjat slåss. Den enda som fortfarande satt ner vid konferensbordet var Lisa Zeiger. Hon hade lagt upp armbågarna på bordet och höll i huvudet som för att förhindra att det skulle explodera.

"Sophia Weber, nu får du faktiskt lugna ner dig."

Lisa var grå i ansiktet och tittade uppgivet på Sophia som stod framför henne och höll i resterna av en mazarin. Det var dagen efter det katastrofala tredje förhöret med Alex Andersson och de hade bestämt sig för att ha samråd, för att prata om Alex och vad som skulle hända nu när åklagaren bestämt sig för att lägga ner utredningen.

"Varför ska jag det? Det här är förbannat viktigt och jag blir galen på att jag verkar vara den enda som bryr mig om den här killen. Kan du vara så vänlig att förklara för mig varför du inte…"

Adam Sahla klev fram till Sophia och pekade henne i bröstet.

"Håll käften! Skulle du kunna göra mig den tjänsten? Hålla käften? Jag är så trött på dig. Det är dags för dig att förstå att du inte är ensam om att vilja den där killen väl. Alla vill att han ska få det bra." Adam svepte med armen över rummet. "Precis varenda en i det här rummet ligger sömnlösa om nätterna för att vi vill att den här killen ska få en liten, en liten, liten chans att få det bättre. Till och med den där…" Han nickade mot åklagare Marie Olsson som stod en bit längre bort, även hon blek i ansiktet. "… som jag har ägnat senaste dygnet åt att gräla med eftersom jag inte tycker, eftersom jag tycker att det är ett mycket olyckligt beslut att lägga ner förundersökningen. Hon vill också honom väl, det förstår jag."

"Men varför gör ni inget då?"

Adam stönade och vände sig om. Han skakade fortfarande på huvudet när Marie Olsson började tala. Hennes röst lät annorlunda mot vad den brukade. Sophia undrade om hon var så utmattad som hon lät.

"Du måste faktiskt förstå var gränserna går. Ni måste… för min del är det färdigt nu. Vi kommer inte längre med utredningen. Hur gärna vi än vill så kan vi inte göra mer. Ni vet allesammans vad vi har att jobba med. Alex har sagt att han dödade sin pappa för att hjälpa mamma. Och under omständigheterna verkar det mycket troligt att det gick till precis så."

"Han sa inte så." Adam hade två röda fläckar på kinderna. "Alex har sagt, ordagrant 'jag ska hjälpa mamma, mamma vill ha hjälp, jag hjälper mamma'. Jag har aldrig hört honom säga att han dödade sin pappa. Ingen har hört honom säga precis exakt det, inte ens den där polisen som svarade på larmet."

"Jo. Jag tycker nog att han har uttryckt sig ganska tydligt. Dessutom är det inte säkert att han riktigt förstår vad som har hänt. Personalen på BUP menar att det inte alls är omöjligt att han har svårt att komma ihåg, att begripa exakt. Vi kan inte utesluta att han inte minns vad han har gjort. Att han precis som vi hörde här, att han fortfarande vill tro, kanske faktiskt tror, att pappa ska komma och hämta honom. Han behöver få hjälp med att reda ut allt det här och den hjälpen får han inte bara för att jag envisas med att lägga resurser på en brottsutredning som ändå aldrig kommer att kunna leda till ett åtal."

"Nej. Visst, jag hör vad du säger. Men den här utredningen är långt ifrån genomkörd. Vi har inte bilden klar för oss. Ge oss lite tid så får vi det. Ingenting visar att pappan faktiskt var det misshandlande svin som alla förutsätter."

"Förutom tidigare domar och polisens anteckningar om honom." Marie började se irriterad ut. "Dessutom är väl den utredningen fortfarande igång?"

"Jamen." Adam tystnade. Marie höjde rösten.

"Om du tycker att det finns något som vi borde ha gjort som vi inte har gjort." Hon sträckte sig efter ett litet gult block, skrev något och lämnade över det till Adam. Lappen fastnade i hans utsträckta hand. "Så föreslår jag att du tar upp det med dina kollegor på våldet. Du vet lika väl som jag att det inte finns någonting som tillåter mig att väcka åtal mot mamman. Av de två personer som faktiskt var med under mordnatten, säger bägge två att det var Alex som höll i kniven. Vilket han också bokstavligen gjorde när polisen kom till platsen. Höll i kniven alltså. Jag måste koncentrera mig på att åtala personer som jag tror gjort sig skyldiga till brott och som jag dessutom tror att jag kan få fällda. Jag tror inte att mamman är skyldig. Och även om jag trott det, skulle jag aldrig kunna få henne dömd. Inte utan att sonen pekar ut henne, och knappast ens då, med tanke på vad han sa på mordplatsen. Linda skulle inte ens behöva en speciellt duktig advokat för att slå sönder ett sådant åtal. Så vill du prata mer om ärendet föreslår jag att du kontaktar socialnämnden." Marie vände sig mot Lisa som fortfarande satt vid bordet med huvudet lutat i händerna. "De har ännu inte avslutat sin utredning om vården. Som jag har förstått det har de ett mycket ambitiöst schema för Alex och hans mor som ska hjälpa dem att återgå till vardagen. De får all den hjälp som finns att få. Håller du inte med soc om vad de föreslår så får du väl framföra det i den processen."

"Jag tror inte att det är så lämpligt att Alex bor hos sin mamma."

Adam såg utmattad ut. Sophia tittade på honom och nickade.

"Inte jag heller."

"Det är – som sagt – inte min sak att ta ställning till. Jag föreslår, återigen, att du pratar med socialen. Och jag hoppas verkligen att de inte håller med dig om att Alex mamma inte ska få ta hand om sin son bara för att du inte kan utesluta att hon stuckit kniven i sin man. Vi tar inte barn ifrån sina föräldrar för att vi misstänker saker."

"Jo, det gör vi", mumlade Lisa från sin plats. "Det gör vi faktiskt hela tiden. För att vi inte vågar något annat. Det är mycket som inte stämmer med Linda. Hon är så trasig. I hela sitt liv har hon varit i händerna på olika myndigheter. Men vad ska jag göra? Ska jag fortsätta? Bara för att jag har en känsla? För att hon är obehaglig på något märkligt, obestämt vis. Manipulativ. Vi har ingenting som ger oss tillräckligt för att ta pojken från mamman. Vi har ingen berättelse från pojken. Nej, förresten, det är fel. Vi har faktiskt en berättelse. Den överensstämmer med mammans, den säger att pojken har mördat sin pappa. Ingenting som motiverar ett omhändertagande. Dessutom är pojken redan under utredning. Det är det enda som gör att jag fortfarande kan sova på nätterna, åtminstone ibland. Han är fortfarande LVU:ad och bor ju… På Bromstensgården har de koll på honom. Det finns inget bättre sätt för oss att få honom och mamman utredda utan att för den sakens skull hålla dem ifrån varandra. Och på Bromstensgården är de oroliga, inte bara för Alex. De är oroliga för Linda också. Vi får inte glömma henne, hon blir bara mer och mer stressad, personalen är mycket oroliga för henne. Och det är klart, det kan inte vara lätt för henne, oavsett vad som har hänt."

"Jag skiter i henne."

Adam viskade nästan.

"Jag också." Sophia kände sig hes.

"Adjö." Marie vände sig mot Adam och sträckte fram handen. "Hör du vad jag säger nu? Adjö. Du har inget uppdrag. Du ska släppa det här. Du ska gå på semester och vill du ha ett jobb att komma tillbaka till föreslår jag att du också säger hej då. Och menar det."

Adam tittade på Marie, ignorerade hennes hand och vände sig om. Han gick ut genom dörren och lämnade den öppen.

Sophia räknade tyst till tio för sig själv. Hon försökte få sitt hjärta att hitta tillbaka till sin normala puls. Marie Olsson nickade åt henne och Lisa. Sedan följde Marie efter Adam. Barnahusets samordnare Kattis klappade Lisa på armen och gick ut även hon. Lisa och Sophia var ensamma kvar. Så sträckte Sophia armen över bordet och tog Lisas hand.

"Förlåt."

"Jag lovar...", sa Lisa. "Jag lovar dig att jag ska göra allt jag kan."

Sophia nickade.

"Jag vet att du kommer att göra det. Jag bara... förlåt, Lisa, förlåt."

39

DET VAR VISSERLIGEN förenat med en viss fara att gå in till advokat Lars Gustafsson utan att först ha bokat möte. Sophia Webers kollega var sedan många år känd för att prutta på sitt rum. Men Sophia var desperat. Hon kunde inte släppa tanken på att hon borde hitta en lösning, att det fanns något mer att göra i fallet Alex Andersson.

Efter att samrådet var över åkte hon tillbaka till kontoret och gick raka vägen in till Lars. Hon knackade inte ens först.

Han satt och pratade med byråns sommarpraktikant, en kvinnlig juridikstuderande som febrilt antecknade allt som försiggick. Anteckningsblocket var med henne överallt. För ett par dagar sedan hade Anna-Maria sagt åt Sophia att kissa så tyst hon kunde. "Hon sitter säkert utanför och lyssnar på hur du gör. Fyller en hel rad med lilla s."

Studenten hette Klara och skulle vara på byrån i tio veckor som en del av utbildningen på Stockholms universitet. Lars Gustafsson påstod att hon var fruktansvärt begåvad. För Sophia hade Klara berättat att hon förberedde en uppsats om ett genusperspektiv på utdömda straff för våldsbrott. Hon hade en liten tatuerad blomma vid nyckelbenet, prickig skjorta, ett tjog ringar i varje öra och hon fick

Sophia att känna sig redo för en välförtjänt och omedelbart förestående pension.

"Kom in!" Lars satt tillbakalutad i sin stol. Klara satt på andra sidan skrivbordet. Sophia kunde inte låta bli att le när hon såg att deras yngsta medarbetare var utrustad med sitt vanliga block. Det var öppet, pennan någon centimeter från pappret.

"Jag skulle vilja diskutera en sak med dig."

Lars nickade, hummade och såg extremt röksugen ut.

"Jag tror att min klients mamma är den som har mördat min klients pappa. Åklagaren tror inte det, men jag vill ändå få frågan prövad. Det finns inget annat sätt att få min klient rentvådd och dessutom tror jag att socialen riskerar att fatta fel beslut om vårdnaden om inte den här frågan prövas ordentligt. Vad tror du om att jag väcker enskilt åtal?"

Lars svarade inte direkt, först vände han sig mot Klara. Han talade med en speciell röst. Sophia kände igen den från när hon var ung och nyanställd. Det var hans Pedagogiska Röst. Den hade ersatts med den Auktoritära Rösten så snart Sophia kunnat visa att hon behärskade grunderna i sitt yrke. Det var bara sedan hon själv blivit delägare som hon förärats Rösten Oss Kollegor Emellan.

"En person som har utsatts för brott... ja, en så kallad måålsägande... eller någon annan med ett enligt lagen erkänt intresse i saken... en så kallad taalerätt... kan på egen hand åtala någon för ett brott om åklagaren bestämmer sig för att inte göra det."

Klara vred ihop munnen i en rosa rosett.

"Jag vet", mumlade hon. Vid tanken på att Lars hade

trott att hon inte kunde förstå så grundläggande juridiska begrepp såg hon mycket förnärmad ut.

Lars var oberörd och vände sig tillbaka till Sophia.

"Och du tror alltså att du inte bara har behörighet att föra din klients talan, men dessutom att din klient har talerätt i det här fallet?"

"Ja." Sophia rynkade pannan. "Alltså. Även om Alex inte anses vara utsatt för ett brott när hans mamma mördade hans pappa, så har han ju rätt till skadestånd..." Hon försökte tänka medan hon pratade, det här var inte genomtänkt. "Johan Asplunds föräldrar hade ju talerätt. Då borde väl Alex ha det? Dessutom kan jag väl slänga in en del om att hans mor ska ha... ja, vad vet jag, ofredat honom kanske när hon tvingade honom att ta på sig brottet."

Klara tittade på henne. Fortfarande med den lilla munnen formad i en perfekt figur. Hon hade slutat anteckna.

"Syftet med min talan kanske inte skulle vara, åtminstone inte i första hand, att få rätt. Även om domstolen slänger ut mig kan jag skicka en kopia på min inlaga till kvällspressen och se om jag inte kan få dem lite nyanserade i sin rapportering. Om media fortsätter att vara intresserade, och dessutom börjar få upp ögonen för vem hans mamma är egentligen, då kanske jag kan vara säker på att soc inte slappnar av, att de verkligen inte släpper taget, att de..."

Sophia kände hur rösten svek och energin lämnade henne. Det här var bara fånigt.

"Hmm", sa Lars och snurrade ett halvt varv på stolen.

Han tittade ut genom fönstret en stund. Han gjorde så när han tänkte. Klara hade plockat upp sin penna och satt beredd, utifall han skulle börja prata, säga något, vad som helst. Det var tyst en lång stund innan han snurrade tillbaka igen. Lars och Sophia tittade på varandra.

"Har du anledning att tro att åklagaren faktiskt borde ha väckt åtal mot mamman? Och att det finns bevis i utredningen som hon har ignorerat och att du kommer att lyckas bevisa det du tror att mamman har gjort?

Sophia skakade på huvudet. Hon kunde inte prata, gråten tryckte i halsen.

"Har du anledning att tro att socialen missköter sig?"

Sophia skakade på huvudet lite till.

"Och behörigheten då. Om vi inte låtsas om formalia, vill din klient göra det här?"

"Nej, det tror jag inte. Men han är så liten. Han vet inte…"

"Då Sophia, tycker jag nog att du ska arkivera det här eländet. Jobba med något annat istället."

Sophia nickade. Det gick inte att hålla sig längre.

Lars reste sig upp och föste ut Klara. Studenten backade förvånat ut ur rummet. När dörren var stängd och anteckningsblocket med ägarinna på andra sidan, gick Lars fram till Sophia.

"Käraste vän." Han tog hennes hand. "Jag förstår att du har svårt att släppa det här. Men du vet nog ändå… du har gjort allt du har kunnat. Pojken är inte lämnad vind för våg. Han är fortfarande under utredning. Istället för att börja experimentera med märkliga rättsliga konstruktioner får du väl ligga på soc så att de fattar rätt beslut när vården ska upp för omprövning. Att väcka enskilt åtal är knappast en quick-fix. Gör dig inte ovän med folk i onödan, gör det du ska, annars blir det din klient som får lida."

Sophia tog emot den tunna pappersservett som Lars gav henne och snöt sig. Hon nickade medan han lade armarna om henne och lät henne gråta en stund. Sedan fortsatte han.

"Vi är advokater vännen, vi sysslar inte med att driva meningslösa processer och piska upp mediedrev, okej? Vi driver inte människor i fördärvet bara för att vi tror att vi är bättre än systemet. Du kan inte veta vad pojkens mamma har gjort och inte gjort, lika lite som polisen. Och vår uppgift är att visa vår klients snyggaste bild. Ser något ut som X spelar det ingen roll om det egentligen är Y ifall vi inte lyckas övertyga domstolen om motsatsen. Fråga vilken domare som helst. Vissa ärenden är jobbigare än andra, men vi tror på reglerna, på systemet. Börja inte experimentera nu, Sophia. Släpp det här genast. Gå på semester. Du kan inte vinna jämt."

Sophia Weber grät i ganska exakt en timme. Visserligen inte inne på Lars Gustafssons kontor, därifrån gick hon så fort hon kunde. Men hon tog sig inte långt. Inlåst på sitt rum med datorn avstängd och en näsduk över munnen för att det inte skulle höras ut i korridoren bölade hon färdigt.

I en hel timme höll hon på, ändå blev det inte bättre. Det var märkligt. Efter stora sommarregn blir vanligtvis allt stilla, vinden ställer sig, himlen spricker upp och andningen lättar. Men Sophia kände sig bara illamående.

Kanske var det den där nakna barnryggen, de där ärren, läkta utan att någon brytt sig om dem medan de fortfarande blödde. Kanske var det väntrummet på akuten, Alex som inte gav ifrån sig ett enda ljud. Inte ens när han fick en spruta i handen, när de sydde honom med svart tråd, stel som tagel.

Eller så var det hans mamma Lindas blick när de kört hem honom. Hur hon tittade på alla andra, Lisa, Adam, henne själv, på alla utom Alex. Sophia blev inte klok på den där blicken, hon förstod inte vad den betydde. Hon kunde inte säga säkert om Linda hatade dem för att Alex hade gjort sig illa, eller om Linda bara hatade dem i vilket fall som helst och struntade i Alex.

Linda hade inte kramat sin son. Men kanske hade hon gjort det när de åkt därifrån, eller kanske var inte det heller viktigt.

Akten hade Sophia lagt framför sig. Alla papper var utspridda över den blanka bordsskivan: fotografier, läkar-utlåtanden, tjänsteanteckningar, förhörsprotokoll, telefon-listor, egna noteringar, rättsfall, kopior av tidningsartiklar och förarbeten, myndighetsinstruktioner och Länsrättens förordnande. Med handflatan rörde hon runt i högen, då och då tog hon upp ett blad och tittade på det, vände på det, granskade andra sidan, lade ner det igen.

Allt hade hon läst, flera gånger till och med. Det var ing-enting här som hon inte förstod, som hon borde läsa om. Ändå var det inte alls över, hur skulle det kunna vara över?

40

ALEX SOV NU. I deras rum, i sängen som Linda hade bäddat medan en av behandlinghemmets anställda tittade på. Antagligen för att se om hon gjorde som hon skulle.

Just nu var det ingen som tittade på henne. Ingen som videofilmade, intervjuade, samtalade, aktiverade, höll möten, samspelade, återkopplade, antecknade, analyserade, förhörde, rådgjorde, utvecklade, omarbetade, utbildade, utredde.

Linda var ensam. Bortsett från Alex som låg där i sina lånade lakan och dreglade på den platta kudden.

Bromstensgården var ingen sluten anstalt. Linda visste det. Hon fick gå och komma som hon ville. Påstods det. Naturligtvis var det en lögn. Hon fick inte göra som hon ville. Hon fick inte komma och gå. Hon fick inte ens bädda utan att någon glodde på henne med en rynka i pannan. Det skulle inte förvåna henne det allra minsta om hon fick noteringar i utredningsmaterialet om hur hon puffade, eller inte puffade, Alex huvudkudde.

Hon tänkte på blåvita band i plast. Varje brottsplats eget kännetecken, i rulle, metervis. Hennes mamma och pappa. Christer. Blått och vitt, lika enkelt som ett fotbollslags supporterflaggor. Eller hennes liv. Blått och vitt.

Det var samma färger som hon bäddat Alex säng med när han var liten. Det skulle man, pojkar skulle ha blåvita, rentvättade påslakan.

De hade kunnat tejpa upp sådana remsor över dörren in till det här rummet, tänkte hon. I kors, tvärs, band som smattrar i vinden. De behöver inte binda mig och knyta på mig en tvångströja. Det räcker så bra med Alex. Alex är deras ursäkt. De behöver ingen annan förevändning för att kontrollera vad jag gör, bestämma över mig. Övervaka, besiktiga, vakta, videofilma, intervjua, samtala, aktivera. Möten, samspel, återkopplingar, anteckningar, analyser. Förhör, rådslag, utveckling, omarbetning, utbildning, utredning.

Om de hade tryckt in mig i en cell på tolv kvadratmeter och fågelholksfönster, gett mig fulla restriktioner och tagit min telefon hade jag varit mer fri. Vem fan bryr sig om att få läsa tidningar och skicka sms? I en isoleringscell får man vara ensam.

Det var när Alex kom hem från sjukhuset, med sitt lilla fåniga bandage med tejp och halva myndighetssverige i släptåg. Då hade hon förstått. Det blev uppenbart. Han hade gått rakt in och alla hade stått och glott och väntat på att hon skulle gå efter.

Efter ett tag gjorde hon det. Då satt han därinne, med skorna på, trots alla prudentliga skyltar "ta av dig skorna" med hjärtan och solar med glada munnar.

Det är klart att han inte tog av sig skorna som han skulle. Nej då, varför skulle han göra det? Det var ändå bara henne det gick ut över att han aldrig någonsin gjorde som han blev tillsagd. Bara henne, alltid hon. Det var hon som fick skäll. Ingen antecknade när han gjorde fel. Han var ju barn, hade alltid rätt. Han var viktigast. Det tyckte alla.

Så hon hade försökt ta av skorna åt honom, låtsats att han behövde hjälp. Han hade gjort sig illa i handen. Kanske kunde han inte ta av sig skorna själv, med stygnen och allt. Han måste vara försiktig, ta det lugnt. Det fick inte göra ont. Han fick inte göra sig illa.

Men de där knutarna, dubbla, stenhårda, de gick inte att få upp. Hon fick inte av skorna. Och dessutom började han gråta när hon kom.

Bu-hu-huuu. Hela personalen tittade. Mia och Fia och Lotta och Svenne och Ronnie och allt vad de hette. Hur-ska-hon-lösa-detta-det-var-väl-intressant-hur-ska-detta-gå? Ska hon trösta? Hur ska hon göra? Titta, titta.

Alex tuggade på knogarna medan snoret rann. Linda blev tvungen att sätta sig ner på golvet och det gick ändå inte att få upp knuten och alla bara fortsatte stirra. Vad var det meningen att hon skulle göra med de där människorna? Folk hon inte kände, med små rynkor och välnoppade ögonbryn, tunna läppar med ännu flera rynkor som bedömde henne?

Tittade. Jämt och ständigt. Bedömde henne. Dömde henne.

Du klarar inte det här, tänkte de. Det syntes på dem. Du klarar inte det här.

Svetten rann längs med ryggraden, någon gick på hennes hjärtmuskel, en jävla hare kanske. Det gick inte längre. Hon hade förstått det då, när han kom hem med det där bandaget och skorna som inte gick att få av.

Till slut slet hon av Alex skor, med ena handen om hälen och den andra om vaden så hårt hon kunde, utan att knyta upp dem först. Och det syntes, det var fel. Hon skulle inte ha gjort så. Det syntes att de tyckte att hon hade tappat kontrollen.

De tittade. De tyckte. De dömde.

"Aj, mamma", hade Alex sagt. "Det gör ont."

Nu sov han. Och hon var ensam. Men det var gemensam frukost klockan halv åtta. Långt innan dess skulle det börja om igen. Kläder skulle väljas, tänder skulle borstas och de två förbannade sängarna skulle bäddas en gång till.

Hon måste göra det. Alltid hon. Bädda, klä på, hålla ordning, tänka på andra. Se till att Alex skötte sig.

Hur hade hon någonsin kunnat tro att han skulle hjälpa henne? Han fixade inte det, han var för svag.

Linda var fullt påklädd. Det var ljust ute, sommarmorgonen redan på väg. Fönstret var i alla fall inte låst. Det var omöjligt att veta hur länge Alex skulle orka. Men det var bara en tidsfråga. Det måste bli nu. Snart skulle det vara för sent.

Alex höll tyst när hon väckte honom. Han visste att det inte var någon idé att protestera. Det var hon som bestämde. Han fick hoppa ut först. Det var knappt en meter ner till marken, så det klarade han faktiskt av utan att vare sig gnälla eller slå ihjäl sig. Linda klev efter. Det var blött i gräset. Nyklippt, hennes vita skor blev gröna.

De gick inte mer än ett par hundra meter. Ingen packning, man behövde ingen packning för att vara ifred.

När hon hittade bilen två kvarter därifrån, parkerad ute på gatan, började Alex gråta. Men det var ingen annan än hon som hörde. Han fick sitta bak. Först klippte hon till honom över käken, ingen feg örfil. Ordentligt, så kunde han sitta och suga på sin underläpp medan hon fick igång bilen. Nu var det skit samma om det syntes.

"Mamma." Han grät fortfarande. Tystare nu. "Mahaha-amma…"

Hon hade gjort rätt. För en gångs skull hade hon gjort precis som hon skulle. Nu måste hon bara få honom att hålla käften.

41

NORAH STOD I köket med morgonrocken öppen. I morgon bitti skulle de åka. Adam knäppte på kaffemaskinen och lutade sig fram och kysste henne på kinden. Barnen sov fortfarande, trots att klockan snart var tio.

Han hade precis varit inne och kikat på dem, de fina ungarna, strukit den svettiga luggen ur pannan på sonen, lyft upp dotterns nalle från golvet.

Adam drog Norah intill sig, lade händerna runt hennes midja.

Det här skulle ordna sig på något vis, hann han tänka. De skulle få en bra semester, det var de väl värda. Snart skulle allt kännas bättre. Socialen borde klara av att hitta en lösning åt Alex. Adam hade gjort vad han kunnat.

Hans mobiltelefon låg på köksbordet. Den började vibrera, hoppa och studsa mot bordsytan en knapp sekund innan signalen gick igång. Redan då visste han att något hade hänt. Om någon ringde honom på hans semester, så här dags, på den telefonen, då förstod både han och Norah vem det var.

Norah skakade på huvudet när han vände sig om för att svara, drog skärpet hårt om midjan. Hon skakade fortfarande på huvudet, sakta, när han började prata.

"Jag orkar inte höra", sa hon när han knäppt bort samtalet. "Jag orkar inte höra mer. Berätta för någon annan. Någon som gillar dina prioriteringar som utav någon anledning alltid innebär att jag och barnen blir bortvalda."

Hon gick.

"Han är försvunnen", viskade Adam mot den tomma dörröppningen. "Alex är borta. Hans mamma har stulit en bil och stuckit. Du förstår inte. Han kanske är död. Hon kanske redan har dödat honom. Jag kan inte åka då. Jag kan inte åka på semester medan Alex är försvunnen."

I hörnet bakom honom fräste kaffebryggaren. Den svarta drycken droppade sakta genom filtret. Adam tittade på den en stund innan han gick efter sin fru. Han måste klä på sig. Frukost fick han äta nere på stationen.

42

HÖGST UPP PÅ Falkbergets allra högsta klippa satt Linda Medner Andersson och pratade för sig själv.

"This is the first day of the rest of your life", mumlade hon. "En god vän är guld värd. Allt du önskar ska du få. Stranden är gräns för havet. Hoppet är lyckans granne."

Visdomsord för korkskallar.

Alex var borta nu. Han hade alltid varit svag och feg. Han vågade egentligen ingenting och det gick inte att lita på honom. Det hade aldrig gått. Så länge hon släpade på honom skulle folk glo, vilja bestämma över hennes liv.

Men nu fick hon vara ifred. Äntligen var han borta.

Linda tyckte om tystnaden.

Det hade inte varit meningen att döda Chrille. Hon hade inte planerat det, i alla fall inte precis på det viset. Men när han låg där på golvet och jämrade sig, då hade det känts självklart. Han var så sjukt jobbig.

Det hade varit svårare än hon trott. I alla fall det första sticket. Som att trycka en slö kniv rakt ner i en kyckling. Chrille hade låtit som om han hostade och gurglade sig på samma gång. Men han vaknade i alla fall inte. Han bara låg där hela tiden. Benen sparkade lite, det var allt. Efteråt kräktes hon. Och så ungen som bara tjöt och skrek. Som drog ur kniven och försökte få stopp på blodet med sin egen fula kudde. Men när han satt där med kniven, hulkade och snorade, då kom hon på hur de skulle göra. Hon sa det till honom och han nickade. Nickade och grät. Sedan ringde hon till larmcentralen.

Att Alex skulle säga att det var han var faktiskt en bra idé. Han kunde ändå inte bli straffad. Det var en perfekt lösning. Hon bad honom inte käka vatten och bröd och leva fastkedjad i en jordhåla. Dessutom skulle han faktiskt tjäna på det. Han kunde bo kvar hemma och slippa växa upp hos främlingar som sket i hur han hade det.

I början fattade han det, hur hon menade. Men han fixade inte trycket. Hon såg det på honom, det gick inte att lita på honom.

Här var det tyst. Motorvägen hördes susa bakom alla andra ljud, ändå var det tyst.

Det stack redan i fingrarna och kröp i benen, hon började få huvudvärk och tungan hade tjocknat i munnen. Hon fick inte sitta för länge, då skulle hon somna och då kunde allt gå åt helvete.

Men utsikten härifrån var inte så dum. Vattnet glittrade, det var en fin dag.

På andra sidan viken badade en massa människor, hon måste hoppa långt ut. Kanske var det strömt i vattnet? Kanske skulle hon svepa bort, långt bort. Då skulle det ta tid att hitta henne.

Allt var egentligen Alex fel.

Första gången hon slog honom var han nog över ett år gammal. Han hade börjat gå, vingla omkring i lägenheten och dra ner prylar från hyllor.

Hon var aldrig en sådan där som skakade sin bebis för att han skulle sluta gråta. Shaking-baby-syndrom, eller vad det hette? Sådana saker hade hon aldrig gjort. Babygråten var inte så farlig, den trängde aldrig in i henne, den var aldrig värre än att hon tyckte att det räckte med att stänga dörren och skruva upp musiken på stereon. Eller volymen på tv:n. Det var senare som hon började. Då räckte inte stereon.

I början slog hon inte så hårt, det behövdes inte. Bara lite löst och snabbt och ibland grät han mer av det, ibland blev han knäpptyst. Oftast slutade han i alla fall göra det hon inte ville att han skulle göra. När han hade tryckt in alla hennes böcker i bokhyllan, fast hon ville att de skulle stå med ryggarna i linje med hyllans ytterkant, då drog hon dit honom, sa fy och knäppte honom på knogarna när han försökte trycka tillbaka böckerna igen. Sådana grejor, det funkade.

Det är faktiskt inte så farligt att daska till, folk har gjort det i alla tider. Och i nästan alla länder utom i präktiga helyllesverige får man faktiskt göra så.

En smäll på rumpan eller en örfil. Det blir inte ens några märken. Med hundar är alla överens om att det är det enda man kan göra, för de förstår inget annat. En unge som inte ens pratar förstår inte heller något. Man kan inte förklara snälla-du-var-vänlig-och-stoppa-inte-in-fingrarna-i-den-där-kontakten. Snälla-du-var-snäll-och-ät-din-gröt-för-jag-orkar-inte-göra-ny-mat-till-dig-om-en-halvtimme-bara-för-att-det-passar-dig-då-men-inte-nu. Ungar fattar inte när man pratar. När det gör ont begriper vem som helst. En gång kanske till och med räcker för att de ska förstå vad man menar.

Men ju äldre han blev, desto mer behövdes. Det räckte

inte med en smäll längre. Hon var tvungen att hitta på nya saker. Sådant som gjorde honom rädd. Det funkade när han blev skraj.

Då kände hon att det blev bra, när han fick de där ögonen. Snälla, sa de. Sluta, nu. Men varför skulle hon sluta? Det fungerade.

Det var aldrig någon demon som tog över hennes inre. Det blev aldrig svart och hon slog aldrig som i trans. Hon var ingen galning. Hon brukade fundera noggrant på vad hon skulle göra, vad hon skulle hitta på. Det behövdes, för nya grejor, de hon aldrig gjort förut fungerade alltid bäst. Som första gången hon låste in honom på toaletten. Jesus, när hon släppte ut honom igen var han from som ett lamm. Skötte sig i säkert en vecka, rena rama korgossen. Det hjälpte att hålla sig lugn och genomtänkt. Det var synd att det inte räckte.

Här uppe på klippan blåste det. Med handen mot mossan reste sig Linda, huvudet snurrade, hon backade några steg. Det var dags nu.

Folk är så dumma, tänkte hon och knep ihop ögonen för att återfå balansen. De fattar verkligen inte att livet inte får plats på ett gratulationskort. Att det bara är sorgligt och att lycka och välgång inte rimmar på otur, medfödd jävla otur.

Hon drog in luft genom näsan, det luktade skog.

Folk är så korkade. De har inte begripit att första dagen på resten av ditt liv är en livstidsdom.

Hon räknade tyst för sig själv, det var bäst att ta sats. Ett, två, tre, på det fjärde ska det ske. Hon skulle ta ordentligt med fart, springa, som över en brygga, rakt ut i en blank-svart sjö med dyig botten. Rakt ut, kanske skulle hon skrika.

Jag ska hoppa långt, tänkte hon, långt, långt ut. Jag vågar. Jag vågar mera.

Det var svårare än hon hade trott. Hon snubblade, tippade över kanten istället för att flyga. Redan efter någon meter slog hon i klippväggen. När hon nådde botten hamnade hon på den smala markremsan som fanns mellan klippan och vattnet. Då hade hon brutit ryggraden, ena armen och spräckt skallbenet. Hon var medvetslös och huvudet hamnade med ansiktet mycket nära det decimeterdjupa vattnet.

Men hon varken drunknade eller slog ihjäl sig. Uppe på berget blåste det fortfarande.

Det var en kvinna på andra sidan Edsviken som larmade. Hon hade lite svårt att beskriva det exakta läget, men ambulanspersonalen var på plats tio minuter senare. En av dem klättrade ner och surrade fast Linda på en bår. Hon blev upphissad och körd till akutmottagningen på Danderyds sjukhus.

Linda var medvetslös, inte död. Den första dagen på resten av hennes liv hade just börjat. Ännu var den långt ifrån över.

En av familjerna jag bodde hos hade hund. En finsk stövare som hette Stoja. Hon var brun, vit och galen. Åt upp hela inredningen på en bil när det var älgjakt och hon var tvungen att vänta en hel timme på att få vara med.

Mitt rum låg bredvid köket där hon hade sin korg och sina matskålar. Stoja hade streptokocker. Hon var tvungen att ha en sönderklippt hink över huvudet, annars kliade hon sönder sina öron. Det var för hennes eget bästa, men den där hinken gjorde henne olycklig.

Nätterna var nog värst, tror jag. Hon kunde aldrig sova, vandrade runt i köket hela nätterna, kloskridsko på plastgolvet, gnydde och gnällde. Stoja var aldrig stilla, lade sig aldrig ner. Om hon inte sprang runt, runt, försökte hon krångla huvudet ur hinken. Så fort hon lyckades gned hon öronen blodiga och sedan fortsatte hon att krafsa med klorna i blodet.

Jag tänker på henne ibland, den där tiken med vansinnet i blodet. Jag undrar om hon blev lycklig av att klia i sina sår. Om det var skönt. Om hon blev lugn då, när hon äntligen kunde, äntligen fick göra precis exakt som hon själv ville.

43

DE VÄNTADE PÅ hundarna. Någon hade haft med sig en termos, Adam smuttade på en Coca-Cola och Sophia drack vatten ur en liten plastflaska.

"Tror du verkligen att det är någon idé att gå skallgång en gång till? På samma ställe?"

Sophia var irriterad, Adam var den som satt närmast.

"Vi hade inga hundar förra gången. De kanske hittar något. De ska gå igenom det där ödehuset en gång till. Han kanske ligger någonstans där vi inte kommer åt."

Adam tittade inte på henne.

"Så du menar att vi letar efter ett dött barn. Någon som inte kan svara när vi ropar? Men som luktar. Är det likhundar vi väntar på?"

Adam ryckte på axlarna. Ett blodkärl i hans vänstra öga hade brustit. Den helikopter som kretsat över området de senaste tio minuterna var på väg bort. Han såg plötsligt ut som om han tänkte börja gråta.

Sophia ångrade sig. Adam hade arbetat dygnet runt i två dagar. Han hade hanterat media, alla frivilliga som ställt upp för att leta efter pojken och naturligtvis också gjort en hel del saker som Sophia inte sett själv.

Personligen hade hon bara behövt prata med några av

de mest ihärdiga journalisterna och de var som vanligt mycket trevliga mot henne.

För mediecirkusen var återigen i full gång. Sophia hade visserligen sluppit få nyheten från Expressen, det var Adam Sahla som ringt till henne och berättat att hennes klient var borta. Men hans samtal kom bara några minuter innan hennes telefon fylldes med nya meddelanden från journalister som gärna ville att hon skulle berätta för dem vad som hade hänt. Och ännu hellre vad som skulle hända nu.

På många sätt var det ännu värre denna gång, men samtidigt var stämningen en annan. Något mera sorgsen, något mindre upprörd, som om det var över nu. Som om det bara var det naturliga slutet på något som redan tidigare varit långt sorgligare än man orkade ta till sig.

Bromstensgården slog larm precis innan Linda blev hämtad med ambulans. Linda låg nu på intensiven, men Alex var fortfarande borta.

En teori var att Linda hade kastat sin son i vattnet innan hon själv hoppade, eller att hon exempelvis strypt honom, dumpat kroppen någonstans i skogen och sedan hoppat.

Men med tidningarna talade man bara om den tredje teorin, att Linda släppt Alex någonstans och att han fortfarande levde. Än så länge hade de i alla fall inte hittat någon barnkropp. Trots att det varit dykare på plats redan en knapp halvtimme efter att de plockat upp Linda och trots att de redan organiserat en skallgång och stod i startgroparna för den andra.

Alex kunde vara precis var som helst. Allt gjordes för att hitta honom. Hans skolfoto hade släppts till media, polisen hade skickat ut helikoptrar med värmekameror. Det hade inte gett någonting, pojken var spårlöst försvunnen. Linda själv sa ingenting, hon var fortfarande medvetslös.

Sophia undrade hur diskussionerna gick på redaktionerna för de tidningar som bara ett par veckor tidigare utnämnt Alex till Sveriges yngsta fadersmördare. Om de tyckt att det var besvärligt att polisen nu arbetade efter tesen att det inte alls var pojken som haft ihjäl pappan, utan att det tvärtom var hans mamma och att hon, när pressen blev för stor, bestämt sig för att ta livet av dem båda.

"Vet du att första gången jag träffade Alex så tänkte jag att vi skulle bli polare, han och jag."

Adam pratade med hög röst. Han tittade rakt fram och det tog en liten stund innan Sophia förstod att han pratade med henne.

"Jag är så stolt över att jag verkligen kan ungar. Jag vet hur de fungerar, jag har två egna och jag kan prata med dem. Jag förstår vad de säger, jag är en riktigt bra barnutredare. Pappapolis. Dessutom invandrare, jag är värsta våta politikerdrömmen."

Sophia nickade. Det var vad ryktet sa. Det stämde säkert.

"Jag åkte ut till hans jourhem, du vet, och hade med mig en present, en sådan där actiondocka. Inslagen i blankt papper med krulligt snöre. Alla ungar gillar paket. Och jag hade läst en utredning om hur actiondockor och krigsleksaker och sådant egentligen är bra för ungar med dåligt självförtroende. Hur de kan få ungar att känna sig som om de har superkrafter, att de inte alls är små och svaga utan kan göra vad som helst, vara precis hur modiga som helst. Att de till och med kan få mamma och pappa att sluta vara dumma. Så tänkte jag. Mitt pucko, jag trodde att vi skulle bli kompisar, eftersom jag kan hjälpa alla barn, eftersom jag är stor och stark som Stålmannen."

Sophia mumlade, hon visste inte riktigt vad hon skulle säga. Antagligen behövde hon inte säga något. Adam slet blicken från Coca-Colaburken han höll i och tittade Sophia i ögonen.

"Den där actiondockan låg i Alex rum när hans farsa blev mördad. Jag såg den när jag kollade på brottsplatsen. Den var trasig, söndertrampad, med ena benet avslitet och ögonen nerkladdade med tuschpenna. Inte så konstigt när man tänker efter. Alex fattade väl att dockan inte hade några superkrafter, att den inte kunde hjälpa honom med någonting. Han fattade väl att den där dockan är precis som jag. Meningslös, ihålig, av plast."

44

SOPHIA SLICKADE SIG om läpparna och kände på handväskan. Hon kunde bättra på sminket när hon kom fram. Hon behövde inte ha ont i magen, dåligt samvete, känna sig stressad. Adam hade sagt att han tyckte att det var en bra idé. Det fanns ändå inget hon kunde göra, i alla fall inte just nu. Dessutom höll hon på att bli vansinnig av väntandet.

Pojken var fortfarande borta, Adam skulle sätta sig på stationen och gå igenom allmänhetens tips, se om något var värt att följa upp. Han hade lovat ringa om något hände.

Det skulle göra henne gott att dricka ett par glas vin, prata om något annat och börja om igen i morgon. Adam hade sett allvarlig ut när han sa det. Tre gånger hade hon ringt honom innan hon åkte hemifrån och nu senast från bussen. Han satt fortfarande på stationen, ingenting hade hänt.

Nu måste hon sluta ringa, annars skulle han väl anmäla henne för ofredande.

Gick hon på Carls fest skulle hon i alla fall vara sysselsatt. I flera timmar skulle hon vara tvungen att låta bli att gå fram och tillbaka i sin lägenhet, eller studsa mellan väggarna på sitt lilla kontor. Hon skulle få en ledig kväll. En kort stund då hon slapp bestämma sig för hur länge hon skulle vänta i ett sommartomt Stockholm på besked om vad som hade hänt med Alex. Några timmars andrum bara, hon kunde gå efter middagen.

Sophia promenerade från busstationen vid Djursholms torg, förbi värdshuset, ner till Strandvägen och den lilla promenadvägen längs med vattnet. Det borde inte ta mer än drygt fem minuter att gå till Villa Pauli.

Det var Carl Bremer, en gammal studiekamrat från Uppsala, som hade bjudit henne. Carl var den första hon blivit riktigt god vän med efter Anna. Han hade bestämt sig för att flytta till Tanzania med sin senaste pojkvän och de skulle ha fest ihop. Pojkvännen var uppvuxen i Stocksund och medlem i den klubb som fick ha fest på det gamla nunneklostret.

Sophia hade fortfarande ABBA-Björns privata ö på vänster sida, och var strax utanför överfarten till byggherren Skarnes lika privata ö, när hon mötte en okänd man som var ute och gick med sin blanka labrador. Han nickade vänligt mot Sophia och hon hälsade artigt tillbaka.

Det var så man gjorde här ute, oavsett om man kände varandra, och det var lika bra att börja öva. Att komma till Carl och bete sig som hon kände sig skulle inte vara snällt. Hon stack ner handen i handväskan och fingrade på telefonen. Det var för tidigt. Hon kunde inte ringa ännu.

"Välkommen, kära du!"

Carls pappa Carl-Johan stod främst på trappen och välkomnade gästerna med ett brett leende, lika skimrande som fjällen på en nyfångad lax.

Carl-Johan hade två söner. De hette Carl och Johan.

Sophia hade en gång frågat vad hans yngsta barn Béatrice skulle ha hetat om hon varit en pojke. "Carl-Johan, naturligtvis", hade Carl-Johan svarat med ett skratt som tog en lång stund. Sophia visste inte om han hade skämtat.

"Så roligt att du kunde komma, min kära lilla Sophia!" Carls mamma Adrienne lutade sig fram och gav henne en lätt kyss på kinden. Hon luktade vanilj och hade svala, puderlätta händer.

"Åh, jag är så glad för att vara här!" I samma sekund som hon sa det, kände hon hur innerligt hon menade det.

Hon drog Adrienne till sig och kramade henne hårt. Kvinnan kramade tillbaka. Innan Adrienne släppte taget såg hon henne djupt i ögonen och lade handen på hennes kind.

"Min fina, lilla tös", viskade hon. "Vi tänker på dig, ska du veta. Du ska se att pojken kommer tillrätta snart…"

"Sophia!" Carl visade sig på trappan, tjöt och hissade upp henne i luften. Hans föräldrar skrattade, bara en smula besvärat.

"Akta flickebarnets frisyr", muttrade Carl-Johan. Han lutade sig mot henne och fortsatte viskande. "Jag hörde om dig och Peter. Tråkigt, min vän, tråkigt. Men han var ändå inte din typ. Så jag sa åt Carl att han skulle placera dig bredvid någon trevlig singel. Han påstod att det inte skulle komma någon heterosexuell sådan. Men han sa att du ändå föredrar om karlen är gay. Ja, du vet hur han är sonen min. Herregud, hans humor har jag fortfarande lite svårt att förstå mig på."

Sophia log. Hon var sedan länge ett av Carl-Johans käraste välgörenhetsprojekt och han var hittills den enda äktenskapsmäklare hon faktiskt stod ut med.

"Men jag fortsätter att leta. Efter någon som begriper vilken tur han har och som skämmer bort dig ordentligt!"

"Sluta fåna dig!" Adrienne slog sin man lätt på armen och himlade med ögonen. "Lova att du inte bryr dig om min oartiga man. Och lova att du pussar din morfar ordentligt från mig när du träffar honom nästa gång. Vilket blir snart hoppas jag. Du låter honom väl inte sitta där ute i Vallentuna alldeles ensam och försmäkta?"

Sophia nickade och skakade på huvudet om vartannat. Hon log fortfarande när hon fick sitt första glas champagne i handen. Med glaset höjt som i strid klev hon in i den lilla salongen bredvid matsalen för att se om Anna hade kommit ännu.

Det fanns en trygghet i den här typen av fester som hon aldrig tröttnade på. Den här tillbakalutade glädjen, tjuten, de ytliga kärleksförklaringarna som inte på något sätt sa något om verklig lycka, men som ändå gjorde alltsammans lite lättare att uthärda.

Hon satte sig vid ett av hörnborden, i soffan mitt emellan Carls bror Johan och en blond kvinna som var smal som en galge. Hon drack två glas champagne. Sedan gick hon ut i garderoben och ringde kriminalinspektör Adam Sahla.

Ingenting nytt hade hänt, Adam skulle gå ut och äta lite med killarna som hjälpt till med skallgången tidigare under dagen. Han lovade ringa om något nytt inträffade. Han lät sur, trött och mycket irriterad.

Hon måste verkligen sluta ringa honom, låta honom vara ifred, tänka på något annat.

Sophia gick tillbaka in i festlokalen för att leta rätt på lite mer champagne.

Det gick säkert en timme innan hon ringde nästa gång. I väntan på varmrätten och under ett märkligt och på tok för långt tal gick hon tillbaka till den obevakade garderoben, ställde sig tätt intill en kort jacka i kaninpäls. Några meter längre bort stod en annan kvinna som smitit ut för att ringa hem till sin barnvakt.

Adam lät annorlunda på rösten. De hade ätit klart han och hans kollegor. Han verkade inte lika irriterad längre, bara underlig.

I bakgrunden hördes att han var på krogen, han pratade för snabbt. Han lät grötig på rösten, som om han skämdes, som om han tyckte att han inte borde vara där. Som om han ansåg att det var hans fel att de inte visste var Alex var och att Sophia skulle hata honom för att han gick ut och åt när han borde gå med ficklampa i skogen och leta. Kanske hade han druckit.

"Det är meningen att jag ska vara på semester med familjen", sa han samtidigt som Sophia hörde att talet avslutades. Någon inne i matsalen blev dunkad i ryggen och brast ut i ett vrålande gapskratt. "Men nu, ja." Han gjorde en paus som för att illustrera något som råkade befinna sig i luftrummet som skilde deras mobiltelefoner åt. "De fick åka själva. Kommer bara Alex tillrätta så åker jag efter. Gör han inte det, ja, om några dagar får jag väl åka ändå. Och jag är tvungen att göra något annat än att leta. Jag har åkt omkring på stan och letat unge så länge… min chef sa åt mig att byta miljö i ett par timmar. Han tyckte jag skulle sova. Men jag kan inte sova. Vad ska jag göra, jag kan inte åka hem och lägga mig i det här läget?"

Jo, så måste det vara, Adam var nog onykter.

Sophia hummade i luren.

"Ja, jag vet."

Hon måste komma ihåg att be servitrisen om lite vatten. Det var inte bara Adam som hade svårt att fokusera. Det skulle inte skada om Sophia bromsade skålandet lite grann.

"Absolut, jag vet."

"Jag ringer om det händer något nytt." Adam harklade sig, hostade i luren. Tänk om han var ledsen? Han kanske grät. "Jag lovar att ringa så fort det händer något."

"Kom hit istället."

Det var inte så att hon ångrade sig när hon hörde vad hon just hade sagt, hon blev bara förvånad. Men det gjorde inte så mycket, han skulle ändå aldrig komma.

"Ta med dig en kompis och kom hit. Jag menar... så slipper jag hålla på att ringa på det här viset. Det blir ju dyrt. Kom hit istället. Det är över hundra personer här, tre fjärdedelar är killar och praktiskt taget allesammans hånglar med varandra. Vi kan tänka på annat ihop och det är fri bar och... Jag lovar, ta med dig en kompis och kom hit. Alltså, mina kompisar är fruktansvärt duktiga på att få folk att tänka på annat än sina problem."

Adam skrattade. Han lät faktiskt lite gladare. Han snöt sig. Kunde det verkligen vara så att han satt och grät?

"Jamen, jag lovar." Sophia knep ihop ögonen och försökte få huvudet att sluta snurra. "Det går jättebra. Carl som har festen kommer att bli överlycklig om jag drar hit några poliser. Kan ni komma i uniform?"

Carl brukade säga att han tyckte att Sophia skulle strunta i vad alla tyckte att hon borde göra, alternativt lyssna noga och sedan göra precis tvärtom. Enligt Carl var Sophia alldeles för kontrollerad och väluppfostrad.

När Sophia berättade att hon bjudit in Adam Sahla till festen utan att fråga först blev värden mycket nöjd, närmast uppspelt.

När Adam kom till festen, ensam, utan uniform och lagom till kaffet, tog Carl sin pojkvän i handen och följde med Sophia för att hälsa.

Adam skakade hand med de båda männen, tackade artigt för att han fick komma och störa på det här viset och lade sedan ena handen om Sophias axel. Han drog henne till sig och kysste henne på kinderna, en i taget.

Sophia såg i ögonvrån hur Carl drog upp ena mungipan i en nöjd grimas. När han fick ögonkontakt med Sophia blinkade han med ena ögat och mimade något hon inte förstod.

Men hon begrep så mycket som att Carl inte för en sekund trodde att det här var en polis som hon egentligen avskydde, att han var en ytlig bekant som behövde komma ifrån sina kollegor och sökandet efter Alex en stund.

Hon förstod också att Carl tyckte att det var utmärkt.

Själv visste hon inte alls vad hon skulle göra längre. Det var en fruktansvärt dålig idé att dra hit kriminalinspektör Adam Sahla. Vad skulle de prata om? Vad skulle de göra? Skulle hon bli tvungen att dansa med honom nu?

Med undantag för ett halvt dussin karlar i paljettklänning, var Adam den enda mannen på festen som inte var klädd i smoking. Han verkade visserligen inte det minsta bekymrad över den saken, men Sophia kände nervositeten tugga i mellangärdet.

Sophia hade tänkt festa med sina barndomskompisar,

varför hade hon tagit hit någon hon knappt kände och dessutom inte ens var speciellt förtjust i? Hon svettades. Klänningen kändes för liten och Adam stod så nära. Hjärtat brände i halsen.

Så lutade sig Carl mot Sophia och viskade, alldeles på tok för högt.

"Äntligen har du hittat en riktig karl, Sophia. Det var väl på tiden."

Adam och Sophia tog varsin kaffe och limoncello från ett serveringsbord i biblioteket och gick ut i trädgården utanför festlokalen. Tvärs över vägen, bara ett par meter därifrån, låg vattnet. Rakt över till Lidingö gick det att se när det var ljust nog. Ibland på vintrarna frös isarna och horder av blanka dunjackor gav sig iväg för att utforska skärgården med nygjord matsäck och fodrade vantar. Men nu var det sommarnatt.

Sophia brukade få ont i huvudet av limoncello, men kom aldrig ihåg det så här dags. Hjärtat hade lugnat ner sig nu och hon hade bestämt sig för att slappna av. Det här var visst en bra idé. Kanske skulle de kunna bli kompisar. Sådant hände. Att folk som hatade varandra ändrade sig och blev goda vänner. Och hon skulle behöva lite bättre kontakter inom polisen, det var bra för hennes jobb.

Men hon var antagligen tvungen att bjuda på sig själv. Ge lite av sitt privata jag. Om inte annat måste hon visa att hon tyckte det var en kul grej, inget annat, en kul grej att han hade kommit.

"Jag tycker att du är en skitstövel."

Adam tittade förvånat upp på Sophia, var tyst ett par

sekunder och brast sedan ut i gapskratt. Han höll sig för magen och skrattade så att tårarna började rinna.

"Det menar du inte?" Han fiskade upp en näsduk ur innerfickan.

Sophia log. Hon drog en filt som låg vid uteplatsen närmare till sig. Adam tog en paus från skrattandet och sög liv i en cigarett. Det var första gången hon såg honom röka. Han var inte typen, det passade inte de där breda axlarna att röka.

"Okej. Du vet redan det. Jag fattar." Hon tog en cigarett ur paketet och synade den innan hon stoppade tillbaka den igen. "Och du avskyr mig. Det har jag också märkt och jag är en stor människokännare, så jag vet att jag har rätt."

"Alldeles riktigt." Adam log. "Det är inte klokt vilka insikter du sitter och håller på." Han skrattade en stund till innan han fortsatte. "Men det är inte så konstigt att jag avskyr dig faktiskt. Du är obeskrivligt upptagen av dig själv. Du kanske är bra på det du gör, men trevlig är du sällan. Folk pratar om dig, ska du veta. Det blir lätt så om man alltid tror att man har rätt och aldrig tror att någon annan kan ha något att bidra med."

"Men jag har alltid rätt. Ja, nästan i alla fall. Så ofta att man knappt behöver bry sig om undantagen. De hamnar inom felmarginalen."

"Jo." Adam drog ett djupt halsbloss och såg henne rakt i ögonen. "Det pratar folk också om."

Han blåste ut röken igen.

Nattvinden kröp uppför Sophias nakna armar. Hon hade ingen lust att skratta. Det kändes inte roligt längre. Hon tittade på Adam.

"Jag borde ha lyssnat på dig, jag vet det. Jag vet att jag inte gjorde tillräckligt för Alex, att jag borde ha gjort mer. Att det inte hjälper att jag gjorde allt jag kunde, att vi allesammans gjorde precis allt vi kunde, men att det inte räckte. För nu är han försvunnen och kanske är han död. Och det är mitt fel. Och ditt också, för inte är det Alex fel och någons fel måste det väl ändå vara? För om det inte går att hitta någon som har gjort fel, då är väl det vi håller på med meningslöst?"

Adam flackade till med blicken, släppte ner den halvrökta cigaretten på marken och trampade på den tills den var söndersmulad.

"Det är inte ditt fel. Det var inte det jag ville säga." Han böjde sig fram och torkade av händerna på jeansen. "Du. Jag ville inte göra dig ledsen, det var inte det jag ville, jag…"

Han drog tveksamt upp mungiporna och slog henne lätt på överarmen. Han försökte verka glad, men det såg mest ut som om han höll på att börja gråta.

"Hörru? Det var inte det jag ville säga."

Han tittade på henne, hon tittade tillbaka, bet sig i läppen.

Carl gick förbi dem ner genom trädgården och höll den magra galgen kring midjan. Hon såg blek ut.

"Va? Vi börjar om, tycker jag. Tanken med att jag skulle komma till den här festen var väl att vi skulle tänka på något annat." Adam lutade sig ännu närmare och lade handen på hennes ben. "Jag börjar om. Ska jag hämta något att dricka? Jag kan göra en snabb kroppsvisitation av den där lilla mannen med rosa smoking. Jag lär säkert hitta något ännu roligare att röka. Eller ska vi dansa kanske?"

Det tog en sekund innan Sophia begrep att han skämtade. Hon skakade sakta på huvudet.

"Ha, ha", försökte hon tveksamt och tittade på Carl och hans sällskap. Det magra eländet hade högklackade sandaler med skinnremmar snodda kring vaderna ända upp till knäna och en frisyr som var för komplicerad för den smala halsen. Hennes huvud svajade.

Hon ser ut som en blandning mellan antik grek och någon annans pengar. En klassisk hedgefond kanske, tänkte Sophia. Så vinklade kvinnan sin silkesklädda kropp över en buske med rosa rosor och kräktes.

"Jag ska i alla fall gå tillbaka till den där generösa baren. Jag är singel i kväll, för guds skull. Så jag tänkte gå och dansa, flirta med någon frisinnad bög i baren och se om jag inte kan få prata lite mellanösternpolitik med den där Calles farsa. Innan jag åker hem till mitt radhus. Jag tänkte försöka ta mig rätt tidigt till jobbet i morgon. Jobba igenom lite tips, det finns gott om sådana." Adam log tveksamt. "Men det pratar vi inte om nu, meningen var att vi skulle göra något annat? Det är fest. Nu ska vi ha kul."

Sophia kände sig svag i knäna. Baren var en utmärkt idé. Det var klart att hon skulle festa, det var själva meningen med att komma hit, tänka på något annat, bli på gott humör.

Det var dags att börja dansa till alla sjuttiotalshits som radades upp, den ena efter den andra, ute på dansgolvet. Leka ABBA med Anna, sjunga med i texter om ingenting viktigt, kanske ta en drink med ett ljusgrönt sugrör. Göra vad som helst, bara inte prata mer med Adam. Inte vara så här nära honom när han inte ville ta henne på allvar.

Inte förrän många timmar senare vågade hon. Alla kanter var då för länge sedan bortsuddade. Sophia visste att hon inte borde, men hon hade aldrig lyckats lära sig det. Hon drack sällan, gillade inte att tappa kontrollen. Under studierna blev hon van vid att vara den som arbetade nykter i baren istället för att stå och skräna på andra sidan. Men vid de tillfällen när hon drack var det aldrig för att hon tyckte att det var gott. Då var det för att hon måste. För att inget annat gick att göra just då. Det var farligt för henne, så mycket förstod hon, men ibland var ingenting bättre.

"Du måste följa med mig", hade hon sagt. "Jag måste gå ut en stund och jag vill att du kommer med mig."

Han hade stått och pratat med någon i baren, någon som han också dansat med, det hade hon sett. Det var inte för att göra henne svartsjuk, varför skulle han vilja göra henne svartsjuk? Men hon kunde inte koncentrera sig på något annat än dem. Hon såg vad de gjorde utan att hon tittade. Hon visste vad de sa utan att höra vad de pratade om.

När hon kom fram till dem såg han först irriterad ut. Men han vände sig mot kvinnan, ursäktade sig och följde med Sophia. Det var kyligt.

Han fryser, tänkte hon. Någonstans finns Alex. Han lever, det är klart att han lever. Men han fryser.

Hon gick med Adam längs med Strandvägen, på gruset vid vattnet, mot Stocksund. Tysta först, en halvmeter ifrån varandra. Vid Ekudden tog han hennes hand. De gick vidare.

Hon såg över viken bort mot Aludden och tänkte på hur många gånger hon sprungit där, med nakna fötter över mossan. Hur hon klättrat i träd, barken som blivit mjöldamm under naglarna när hon tagit spjärn för att häva sig upp.

Hon mindes hur hon cyklat nerför den lilla vägen med gräs i mitten mellan Götavägen och Sveavägen för att komma så snabbt som möjligt ner mot Auravägen och hem till Anna.

De svängde upp på Skärviksvägen och det tog ytterligare en stund innan hon märkte att hon grät. Varför visste hon inte, men tårarna kom från någonstans där det gjorde som mest ont, steg långsamt upp och skar sönder allt på vägen.

Hon grät så hon blev blöt om halsen och snöt sig i en pappersservett han gav henne. Då var det därför han tagit hennes hand. Han ville trösta, inget annat.

"Jag måste ha dig", sa hon till sist.

Inte så högt, kanske hörde han inte. Kanske viskade hon för lågt.

Hon sa det igen, lite högre den här gången. Han plockade upp sin telefon ur fickan.

"Jag ringer efter en taxi", sa han bara. "Vi måste se till att få hem dig. Du behöver sova."

Under resan hem kom regnet. De satt i baksätet. På bilstereon spelade chauffören sånger på arabiska, musik full av glädje. Adam lutade sig fram mellan sätena och pratade med chauffören på franska. Han pratade fort, hon förstod inte vad han sa, men han höll henne fortfarande i handen.

När taxin parkerat framför hennes port betalade han och följde med henne ut. En sekund trodde hon att han skulle lämna henne där, men sedan gick de uppför trapporna, alla fyra trapporna. Någonstans på halva vägen kysste han henne, eller hon honom. Hon visste inte, hon kände bara att hennes läppar värkte, de brände, sved, hon kysste honom, gång på gång.

Hon öppnade dörren och han bar henne, lyfte henne, knäppte försiktigt upp hennes klänning i ryggen, den hon haft så svårt att knäppa själv. Resten slet hon av sig, det gick inte tillräckligt snabbt annars och han tog inte i henne tillräckligt hårt. Båda händerna lade hon runt hans nacke, stack fingrarna i hans hår, drog honom närmare.

Hon märkte att hon kved tyst, ett ljud hon inte kände igen. Långt bortifrån hörde hon hur han stönade, som om han hade ont.

På golvet hade han släppt sin väska, en stor blå tygbag med axelrem och en halvöppen dragkedja. Hon såg den och tänkte, han är redan på väg härifrån. Sedan böjde han sig ner, hans läppar mot hennes bröst, hans hand på insidan av hennes lår. Han lade henne på sängen och trängde in i henne.

Bara så. Hon hade trott att det skulle räcka. Att det var bara det och inget annat hon ville ha och om hon bara fick det skulle hon inte behöva mer. Men det var fel.

"Det är mitt fel", sa hon. Och han kysste henne på ögonen, i mungipan och kanske också på handen. "Det är mitt fel att Alex är borta." Hon grät igen, fortfarande kanske. "Om han är död är det också mitt fel."

"Sch...", sa han och hon pratade inte mer. Han kysste henne igen, läpparna smakade jord och järn. "Sch..."

Efteråt lade hon sig mittemot honom. De låg bägge på sidan. Han var svettig, hon andades hans andedräkt, tunn som bergsluft. Med tummen strök han över hennes ögonbryn och såg henne rakt i ögonen, igen, för andra gången den här kvällen.

Den andra handen tog Sophia. Hon lade den mot sin mun, läpparna värkte fortfarande, hon strök sin svullna underläpp mot hans handflata.

Börja inte gråta, tänkte hon. Jag ska inte hålla dig kvar. Du ska få åka ifrån mig, men börja inte gråta nu, jag klarar inte det.

Sedan lade han sina armar omkring henne och hon somnade med näsan mot hans hals.

Hon vaknade med honom i sig. Gardinerna var fördragna, men det var ändå ljust i rummet. Fönstret stod öppet och den fördragna gardinen hade sugits ut av vinden och hängde utmed fasaden på andra sidan.

Han såg henne i ögonen. Så drog han henne ännu närmare, hans kinder var mörka, de rev henne på halsen. Det värkte i kroppen. Hon ville att han aldrig skulle sluta. Han pratade, viskade, hon vågade knappt lyssna. Så tvingade hon honom att lägga sig på rygg. Hon rätade på ryggen. Han slöt händerna om hennes bröst, reste sig upp, tungan sträv mot hennes bröstvårta. Han stannade där medan hon kom.

En timme senare ringde hans telefon. Det väckte dem båda. Han sträckte sig ut från sängen utan att gå därifrån, drog åt sig sina byxor och plockade fram mobilen. Efter att ha tittat på displayen svarade han, ordentligt, både för- och efternamn.

Sophia tittade på honom, hon var klar i huvudet nu, rentvättade nya tankar, som efter ett åskväder.

Adam pratade inte så mycket. Mumlade, drog i en av sina mörka lockar, snodde den kring fingret, sa "självklart" ett par gånger med nykter röst. Sedan lade han på luren, handen mot Sophias kind och log. Med armarna tätt om hennes nakna kropp och hennes lukt på sina fingrar viskade han:

"De har hittat honom. De har hittat Alex. Han lever."

45

RIDHUSETS ÄGARINNA STOD på stallgården med fötterna en halvmeter ifrån varandra. Anläggningen låg mitt i idyllen, bland generösa villatomter och välkrattade uppfarter. Det var en t-formad stallbyggnad med en oval manege utbyggd som en böld på nacken. Kvinnan hade ridstövlar som gick ända upp till knävecken och lår som verkade sluta någonstans strax under den skarpa hakan.

"Här har vi någon som pekar med hela handen", viskade Sophia till Adam när de körde upp för att parkera.

"Hej Sophia", sa kvinnan när Sophia klev ut genom bildörren.

Och ett minne som en av sina egna hästar uppenbarligen, tänkte Sophia.

"Känner ni varandra?" Adam tittade förvånat på Sophia.

"Jag red här när jag var liten. Eva var ridlärare på den tiden, nu äger hon alltihopa. Att du kommer ihåg mig", fortsatte hon och sträckte ut handen. Eva tog den, drog henne till sig och gav henne en kram.

"Så länge sedan var det faktiskt inte. Rider du fortfarande?"

"Inte så mycket som jag skulle vilja."

"Säg bara till om du vill ha lite träningsvärk." Sophias

gamla ridlärare svepte med handen ut över hagen. "It's on the house."

"Ursäkta om jag avbryter den här rörande återförening-en." Adam stack in armen mellan de två kvinnorna och vif-tade irriterat. "Jag är här för att hämta en kille som jag tills alldeles nyss trodde låg på botten av Edsviken. Och som har en mor som ligger medvetslös på intensiven inte så långt härifrån. Vaknar hon tänkte jag se till att hon får skaka gal-ler så pass länge att Alex är vuxen när hon kommer ut. Vil-ket som, han är på alla sätt som räknas föräldralös, så ni kanske kan fortsätta syjuntan senare?"

"Alex sitter i sadelkammaren och äter sirapslimpa med ost. Jag hittade honom när jag skulle fodra i morse. Han verkar redan vara på det klara med att hans mamma på något vis har försvunnit. Hon hade inte tid med honom längre, har han berättat."

"Han har pratat med dig?"

"Vi fick lite tid för oss själva i morse. Han trivs i stallet. Hästar verkar vara hans grej. Om jag begrep saken rätt så kastade mamman ut honom ur bilen någonstans inte så långt från universitetet. Han har promenerat därifrån. På Roslagsbanans tågspår kanske jag ska tillägga."

Hon pekade bort mot banvallen som gränsade till hagen. Adam och Sophia vände sig om och tittade. De kände dof-ten av varm spillning och torv.

"Så han hade mycket väl kunnat bli påkörd. Men han ville egentligen gå till något stall där det finns en kille som heter Felix. Han kom ihåg att han hade tagit tåget dit så han tänkte att han skulle gå på spåret tills han började känna igen sig. Istället hamnade han här hos mig. Ett annat stall, det första längs med spåret. Andra hästar, men han var trött, så han stannade. Han har sovit på höskullen, gått ner i köket på nätterna och käkat."

"Hur mår han?"

"Fysiskt sett verkar han må bra. Och han äter som sagt. Det andra? Tja, vad vet jag om sådant? Hyfsat bra, tror jag."

"Mår han bra kommer det snart att gå över. Så snart vi har pratat med honom lär han nog må riktigt dåligt. Vi har inga goda nyheter att komma med. Kommer du, Sophia? Jag vill helst att du är med när jag pratar med honom. Då är vi två som han känner lite grann i alla fall."

"Jag kan göra det själv om du vill." Sophia vände sig mot Eva. "Har du något emot att jag lånar din allra snällaste ponny, jag tror att det är den typen av sällskap han föredrar. Någon som han kan få skritta medan jag går bredvid?"

"Absolut inte. Jag ska hämta Dove på en gång. Vår egen samtalsterapeut, ett gotlandsruss."

Adams telefon ringde, han tittade på displayen och höjde handen.

"Vänta!"

De två kvinnorna tittade tyst på Adam medan han lyssnade på den som talade i telefonen. Armen sänktes långsamt, han fick en djup rynka mellan de tjocka ögonbrynen. Så tryckte han bort samtalet och vände sig mot Sophia.

"Linda Medner är död. De opererade henne, men det gick inte bra. Hon dog just." Adam släppte ner händerna utefter sidorna och tittade upp i himlen.

Borta i hagen tvärvände en grupp med hästar. Exakt samtidigt kastade de med manarna och galopperade bort, de blev skrämda av något. Några meter senare trampade de ett par gånger i gräset innan de vände mularna mot marken för att äta. Mot stallväggen stod en skottkärra lutad, de fyra meter höga dörrarna in mot den välkrattade manegen var öppna. Luften surrade av broms och flugor.

Adam grät.

"Fan, jävla, förbannade skit. Fan, fan, fan."

"Var har du den där Dove?" Sophia tog tag i Evas under-arm. "Jag tänkte som sagt prata en stund med Alex. Om ingen av er har något emot det. Vi har en del att prata om, han och jag. En klok människa sa åt mig för ett tag sedan att prata med honom som om han vore vuxen. Jag börjar tycka att han har gjort sig förtjänt av det."

Utav någon anledning hade Sophia fått för sig att Lindas döda kropp låg naken i en plåtlåda som gick att dra in och ut ur ett kylskåp. Att Linda hade en lapp fäst med gummi-snodd kring tån och att det var så hon skulle se ut när Alex kom för att säga ett sista farväl till sin mamma.

När Alex hade frågat om han fick åka till Linda hade Sophia först ringt till sjukhuset och krävt att få tala med ansvarig läkare. Det hade hon inte fått, men sjuksystern hade försäkrat henne om att det gick utmärkt att ta med sig en sjuåring dit. De var vana vid att göra det bästa av den här typen av situationer. Alex var inte den första pojke som tvingats ta farväl av en död förälder.

Linda låg på något som såg ut som en vanlig säng. Hon hade på sig en vit långärmad nattskjorta med breda spets-bårder och var nedbäddad under lika vita lakan. Armarna låg utanpå täcket och skallen var nästan täckt av något som kunde vara ett förband. Det stod ett knubbigt stearinljus på ett bord inte långt från sängen och det fanns två stolar där de kunde sitta. Gardinerna för de gluggliknande fönstren var fördragna och förutom ljuset lyste en svag lampa i taket. Det var kyligt i rummet.

Men inte värre än i en källare, tänkte Sophia och grep tag i Alex hand, mest för sin egen skull. Han höll den en stund, men släppte den när de kom fram till sängen.

Linda hade ett sår i pannan som skymtade där förbandet slutade. Alex strök med fingret över det. Hans mamma var sönderslagen. Det syntes, även om Sophia antog att de värsta skadorna var dolda under täcket.

"Döda människor blöder inte, visste du det?" Han vände blicken mot Sophia och fortsatte. "Hon måste ha slagit sig en hel del om hon hoppade så där högt ifrån som du sa. Tror du att det gjorde ont?"

Sophia visste inte vad hon skulle säga. Hon visste inte ens om hon borde säga någonting.

"Mm. Det gjorde nog väldigt ont."

Alex nickade.

"Du jobbar för mig, va?"

"Ja." Sophia satte sig på den ena av de två stolarna. Stearinljuset fladdrade till av hennes plötsliga rörelse. "Jo, jag jobbar för dig. Jag vet att det inte blev så bra. Men ja, det gör jag. Jag önskar att jag kunnat göra ett bättre jobb."

"Det är inte ditt fel. Mamma ville göra som hon bestämde. Hon gjorde som hon bestämde speciellt om någon annan försökte bestämma åt henne."

Alex tog hennes hand igen. Han var svettig och hade röda sårskorpor på nästan varenda fingertopp. Han fortsatte titta på sin döda mamma.

"Vad händer nu då? Ska jag få en ny mamma?"

"Jag hoppas det." Sophia svalde ett par gånger. "Jag hoppas att vi hittar någon som du tycker är tillräckligt bra."

Jag hoppas att vi hittar någon som vill ha dig, tänkte hon. Det blir knappast enkelt. Du är för gammal och så har du fel kön. Du har faktiskt till och med fel hårfärg.

"Jag ska i alla fall försöka se till att du får bo hos en bra familj."

"Jag vill bo hos Felix."

Alex rättade till lakanet över Linda.

"Mm. Jag vet det."

Det var ingen idé att ljuga, vad hon än gjorde borde hon verkligen inte börja ljuga för honom nu. Hon ljög aldrig för sina klienter, oavsett hur tråkig sanningen var. Det var en bra regel, kanske hennes allra bästa.

"Men du får inte det förstår du. Per och Lena har bara hand om barn då och då, det är ingen som får stanna hos dem hela livet och hela tiden."

Alex nickade. Han tuggade på underläppen, gned händerna mot varandra.

"Men jag ska försöka se till att du får bo där medan vi hittar någon som kan ha dig jämt."

"Och det ska du göra åt mig?"

Alex ögon svämmade över.

"Ja. Det är mitt jobb."

Alex släppte ifrån sig ett svagt ljud. Han lade armarna kring magen. Nu skakade han av gråt.

"Jag vill inte det."

Sophia flyttade sig närmare, tryckte honom mot sig. Ryggraden kändes genom bomullstyget i hans tröja, hans

347

andedräkt brände mot hennes hals.

Som om han varit mycket yngre, ett spädbarn kanske, drog hon upp hans ben och lade honom mot sin midja. Huvudet låg mot hennes ena axel och hennes arm under hans knäveck. Han formade sig kring henne och med Alex i famnen reste hon sig upp, sköt upp dörren och gick ut i korridoren.

"Tror du att någon tar hand om mamma nu?"

"Kanske."

Han var så mjuk och tung. Det kändes som om han sov.

Linda Medner Andersson såg verkligen inte ut som om hon hade fått somna in i lugn och ro. Hennes död hade varit allt annat än fridfull.

"Vi kan väl hoppas det", ljög hon.

46

"**HEJ. URSÄKTA ATT** jag ringer så här dags, men det är Veronica Svensson på Expressen."

"Hej." Sophia kunde inte dölja sin förvåning.

"Stör jag? Jag undrar om du har tid att prata en stund."

"Jaha."

"Först och främst vill jag bara säga att det var skönt att höra att Alex kommit tillrätta. Jag skulle vilja göra en längre, analyserande uppföljning till det. Det är inte säkert att de faktiskt bestämmer sig för att ta alltsammans, men jag har i alla fall bestämt mig för att försöka. Jag vill verkligen ha en uppföljning, jag tycker att det behövs."

"Vaddå för uppföljning? Kommer ni att ha fyra löp, nio artiklar på förstasidan i två veckors tid, om att Alex egentligen var helt oskyldig, anklagad och utpekad av sin egen jävla morsa?"

"Det vet du att vi inte kommer att ha. Och du vet precis varför vi inte kommer att ha det. Men om du fick bestämma. Vad skulle du vilja att jag skriver. Är det något som kan hjälpa Alex?"

"Hjälpa Alex?"

"Ja, eller åtminstone ungar i samma situation som han."

"Skriv att soc funderar på att flytta Alex från hans gamla skola. För att hans kompisar inte ska kalla honom för Mördarungen. Det vore bra om föräldrarna i hans klass fick veta att han är oskyldig. Att han inte har dödat någon och behöver återta så många av sina gamla rutiner som möjligt. Om du kan få honom att framstå som snäll och guldlockig vore det ännu bättre. Jag vill slippa be om en ny identitet åt honom. Han ska inte behöva skämmas för den han är. Han har inte gjort något fel. Skriv att det inte finns några fosterfamiljer åt våldsamma barn. Han bor på ett bra ställe nu, men han skulle behöva något annat. Något som jag är osäker på om det finns på riktigt. En mamma och en pappa till exempel. Alex sveks av polisen, åklagaren, socialen och mig. Vi gjorde alla precis vad vi skulle, allt vi kunde, ändå blev det åt helvete fel. Alex har blivit sviken, slagen och utnyttjad av sin mamma, sett sin pappa dö och tvingats flytta från sitt hem. Han har hängts ut i media och det spelar ingen roll att ni inte har publicerat hans namn, alla han känner har ändå fattat. Det enda bra som har hänt honom är att hans mamma tog livet av sig. Vad sägs om den fräcka nitlotten i livets lotteri? Vi har svikit Alex, vi har svikit honom allesammans. Och det finns inget vi kan göra för att undvika att det händer igen. Hur ska vi kunna göra det? Ska det bli lättare att ta barn ifrån sina föräldrar? Jag tycker inte det. Konsekvenserna av att göra för mycket kan vara minst lika vidriga som när vi inte kan göra tillräckligt. Vi måste lära oss att leva med att vi inte kan rädda alla, straffa alla. Inte ens när barnen står på spel. Men vi får ändå aldrig sluta försöka. Rättssäkerhet är inte alltid rättvist, inte ens för barnen."

"Tror du inte att det går att hjälpa barn som har det svårt?"

"Jag är övertygad om att det går. Och att folk gör det hela tiden. Gör livet bättre för barn som har det skitjobbigt. De gör det utan att få något tack. Utan att ens vara säkra på att det hjälper. För vi är inte bara cyniker. Vi är romantiker också."

"Kan jag citera dig?"

"Absolut."

"Vad bra. Då tror jag att jag har allt jag behöver."

47

TVÅ VECKOR EFTER Alex Anderssons pappas jordfästning och en knapp vecka efter Linda Medner Anderssons begravning hölls ett sista förhör. Pojken blev skjutsad till Barnahus Norrort av Lena. Han bodde hos henne och Per. Alex hade ridkläder på sig.

Lena fick vänta i köket. Sophia, Lisa och förundersökningsledare Marie Olsson satt i medhörningsrummet och följde förhöret från tv-skärmarna.

Alex berättade.

"Pappa kom hem för att fira midsommar. Mamma hade köpt extra fin sprit för att fira, pappa gillade den flaskan. I början var pappa glad. De kramades, men sedan började mamma och pappa gräla.

Pappa slogs ibland, mest slog han mamma, men det brukade inte komma blod. Det var ändå läskigt, jag blev alltid väldigt rädd för pappa var urstark. Min pappa var kanske den allra starkaste jag känner.

Pappa och mamma skrek och jag gömde mig i badrummet men kom ut igen innan pappa ramlade. Jag skrek tillbaka att de skulle sluta, men de gjorde aldrig det. Mamma knuffade honom, man får inte knuffas. Mamma satt på hans rygg och tryckte in kniven, två gånger. Hela kniven, den nästan försvann. Jag försökte blunda för jag ville inte titta, men jag förstod ändå. Ögonen tittade fast jag inte ville.

Mamma skulle bli inlåst om inte jag hjälpte henne. Det var mitt fel alltihop, det var jag som sa att mamma skulle ringa till pappa, fast att jag visste precis att pappa kunde bli så där arg, särskilt när det var fest.

Polisen skulle ha låst in mamma och jag skulle ha blivit tvungen att bo på barnhem eller hos elaka människor. För det var så det blev för mamma. Hon visste hur det blev. Mamma visste faktiskt det.

Men det var jobbigt ändå. Jag orkade inte vara som vanligt eftersom allt var annorlunda. Mamma blev arg när jag skar mig i handen, att jag inte var som vanligt.

Mamma blev så där arg då som hon blev ibland. Trots att jag sa flera gånger att det var mitt fel, mitt fel ändå, även om det inte var jag som stuckit med kniven.

Jag fick sitta i baksätet när vi åkte. I en bil som mamma hade hittat, den var inte hennes men hon slog mig på munnen när jag sa att jag inte ville följa med. Hon stannade på en busshållplats och sa att jag skulle gå ut för hon ville aldrig se mig mer. Hon hatade mig och jag förstörde hennes liv. Det var inte första gången hon sa så, men det var den sista för sedan dog hon."

"Var min mamma elak?"

Alex hade dragit upp båda benen under sig i stolen. Adam, tillbaka från semester med familjen i Kroatien, var solbränd.

"Oj, det är en jättesvår fråga. Men på sätt och vis tycker jag nog att hon var det. För hon gjorde en massa dumma saker mot dig och det var elakt. Fast kanske var hon så där elak för att det var så många som gjort dumma saker mot henne. Och hon gjorde kanske snälla saker också. Hon kanske var både och?"

"Kommer jag bli elak därför? För att hon var elak mot mig och då blir det samma sak?"

"Det tror jag inte. Men alla människor gör dumma saker, det gäller bara att... och du är en jättefin kille, tycker jag. Du är klok och du var väldigt snäll mot din mamma. Försökte vara snäll mot henne till och med när hon var dum mot dig. Nej, jag tror nog att du kommer att fortsätta vara jättesnäll. Och duktig på att rida är du redan har jag hört."

Alex log.

"Mm..."

"Du vet... jag tror inte att jag har mer frågor nu. Jag tycker att det var modigt av dig att berätta det här för mig och du kommer att få fortsätta prata med Ulf. Du vet, psykiatern som du har träffat förut, om vad som har hänt och allt det kommer att hjälpa dig. Det kommer snart att kännas bättre. För det finns många som vill hjälpa dig och det kommer att kännas lättare att prata ju mer du gör det."

"Vad är en psykater?"

"Det är en som man pratar med om man mår dåligt eller om man har varit med om tråkiga saker. En sådan doktor som hjälper med saker som inte blöder men ändå gör ont... och just det... du ska få en sak av mig också."

Adam drog upp ett visitkort ur sin vänstra byxficka och räckte över till Alex.

"Här får du mitt telefonnummer. Och om det är något mer som du vill berätta för mig om det här eller något annat eller vad som helst egentligen, så får du ringa mig. Du behöver inte berätta det för någon om du inte vill, du får ringa ändå. När som helst."

Alex tittade på kortet, vände och vred det några gånger.

"Det är inte många barn som har ett sånt här, va?"

Alldeles för många, tänkte Adam. Alldeles, alldeles för många.

"Nej, du killen, det har du rätt i. Men du har ett. Och tappar du bort det kan du få ett nytt av mig om du vill."

48

"**DE BEHÅLLER HONOM** tills vidare. Men han kan inte bo hos Per och Lena så mycket längre. Sommaren är snart över och vi måste hitta en familj där han kan stanna. Det bästa vore om vi redan nu kunde börja fasa in dem."

De hade diskuterat i flera timmar och de kom inte längre. Lisa snurrade på pennan hon höll i handen och fortsatte.

"Per och Lena är ingen lösning för Alex. De är bra vuxna, de har till och med sagt att de gärna tar sig an Alex. Men Alex behöver en familj där han är enda barnet, några som tar på sig rollen att vara hans föräldrar på riktigt. Det är inte bra för honom att växa upp i en miljö med så många olika ungdomar på glid. Jag vill hitta några som är beredda att adoptera honom. En mamma och en pappa. Några som vill ha honom. Vi måste hitta en permanent lösning. Jag vill för allt i världen undvika att Alex skickas runt från den ena fosterfamiljen till den andra."

De suckade i takt.

"Det absolut bästa hade varit om det funnits någon släkting som passade. Men det gör inte det."

"Vad brukar man egentligen göra när det inte finns någon sådan?"

Sophia kände sig trött, hon hade jobbat mycket längre

än hon tänkt. På måndag skulle hon äntligen ta båten och segla iväg och nu var semestertiderna egentligen över. Alla hade haft semester utom Sophia.

Adam hade försvunnit och kommit tillbaka. Men de hade inte pratat med varandra sedan Sophia tog Alex till sjukhuset för att säga adjö till sin mamma, i alla fall inte på riktigt.

Sophia hade inte velat det. Adam hade ringt på hennes mobil, han hade kommit till kontoret och frågat efter henne, han hade ringt igen. Men hon ville inte prata. Hon ville inte höra att han var ledsen för att det hade blivit som det blev. Hon ville inte att han skulle vara ledsen, inte för det.

Peter hade också åkt på semester. De åt middag ihop innan, civiliserat på en fin restaurang med linnedukar och knubbiga bestick i nysilver. Han berättade att han skulle till Spanien en hel månad, spela golf och vila upp sig. Han lovade tömma Sophias lägenhet på sina saker så fort han fått tillträde till sin nya trerummare.

Sophia hade bestämt att hon skulle segla i två veckor. Hon såg fram emot det, bara hon och autopiloten, massvis med matsäck, saltvattentvål och fri färdriktning. Hon tänkte sova under däck och lyssna på P1 så länge hon fick in svenska radiokanaler och äta färdiglagad lyxmat så länge det hon handlat med sig för resan inte blivit för gammalt.

"Man brukar höra bland de vuxna i barnets närhet om det finns någon som barnet har en närmare relation till. Någon som har engagerat sig särskilt i barnet och hans eller hennes uppfostran. Det brukar oftast vara en släkting, men som du vet…"

"Någon som skulle kunna bli en bra mamma."

Sophia skrattade till. Naturligtvis! Hon fnittrade. Det var inte så svårt när man väl tänkte efter.

"Känner du moderskänslorna vakna eller?" Lisa log lika brett tillbaka men skakade på huvudet. "Jag är ledsen, men jag tror faktiskt inte att du skulle vara en riktigt bra mamma till Alex. Ta inte illa upp hjärtat, men du jobbar för mycket. Dessutom finns det säkert något advokatetiskt som förhindrar att man adopterar sina klienter."

Sophia skakade på huvudet. Allt var så självklart, att hon inte hade tänkt på det innan.

"Nej, är du galen. Jag ska inte ha några barn. Jag ska aldrig ha barn, jag förstår mig inte på sådant. Däremot vet jag vem som ska ta hand om Alex. Jag vet precis. Jag vet vem som är beredd att göra allt för honom. Som en riktig mamma. Nej! Jag menar, som är som hans mamma ska vara."

49

LÅGSTADIELÄRARE KARIN LIDSTRAND hade aldrig vågat tro på Gud. Hon var för rädd att bli besviken om hon dog och det visade sig att det inte fanns något liv efter detta.

Men det var en sak hon ändå hoppades och det var att hon skulle slippa sakna dem hon älskade när hon var död.

Det skulle vara ett utmärkt himmelrike, att slippa sakna.

Klockan halv fyra på morgonen vaknade hon. Digitalsiffrorna på väckarklockan lyste. Ute var det mörkt. Först låg hon stilla och försökte hålla sig kvar. I gränslandet mellan dröm och verklighet kunde hon ibland, ett par sekunder, klamra sig fast.

Det var inte så att hon kunde låtsas att Olle fortfarande levde. Hon visste att han var död. Men drömmen om honom var ett ställe där han på sätt och vis fortfarande fanns och gjorde saker som hon inte sett honom göra förut. Drömmen var något som inte bara var minnen.

Även om hon visste att det inte var sant kunde hon spara känslan i några sekunder: hur hon strök honom över kinden, den där sammeten mot fingertopparna. Hon kunde minnas hur han andades mot hennes hals.

Någon sekund innan hon öppnade ögonen försvann det, han var inte längre glad, frisk och höll henne i handen. De gick inte på en väg som hon inte kände igen. Han lekte ingen ny lek och han hittade inte på egna regler för ett spel hon aldrig ville vinna.

Karin blundade. Ena höften värkte och hon lade upp knäet på Björns ben. Hon måste försöka sova ett par timmar till. Huvudet susade, lakanet hade snott sig runt ena benet. Hon försökte sparka sig loss och körde in hälen i Björns lår.

"Sov nu."

Han lade armen om henne och drog henne intill sig. En kort sekund funderade hon på att gå upp och ta en insomningstablett, men hon visste att det inte var någon idé. Så här dags var Björns närhet det enda som kunde få henne att somna om igen, hans värme, hans kropp.

Psykologen som de gått till efter Olles död hade sagt att det ofta blev antingen eller, att de par som inte bröt upp kom varandra ännu närmare.

Länge trodde Karin att hon och Björn tillhörde någon märklig tredje grupp. En grupp som blev främlingar, men ändå inte kunde släppa taget.

För när Olle dog gick allting sönder. De slutade på något sätt att känna varandra. De kunde inte kyssas, de pratade inte och de kramades aldrig.

Natten då Olle dog låg Karin bredvid sin son och smekte honom över pannan, ända tills hon såg värmen lämna honom. Men hon rörde inte Björn, inte en enda gång. Han satt bredvid dem båda med nacken böjd och knutna nävar i knät. Han gick inte att röra, hon kunde inte närma sig honom, inte på det sättet.

Flera månader var det så. Men en dag hade Karin kommit hem tidigare från jobbet och hittat Björn i Olles rum. Han låg under täcket med röda lastbilar på och ylade och kved. Han grät så våldsamt att hon inte kände igen ljudet och så högt att han inte ens hörde henne. Björn lät inte längre som en människa. Det fanns inget mänskligt kvar i det han kände. Och hon tittade på honom men sa inget utan gick bara till bilen för att åka tillbaka till skolan. Men någonstans på motorvägen blev hon tvungen att stanna. På en rastplats satte hon sig och lade armarna om ratten och skrek så högt att hon väckte en lastbilschaufför som stod parkerad bredvid.

"Min son är död", tjöt hon, om och om igen.

Chauffören som klev fram till hennes förardörr för att se om han kunde hjälpa till med något backade tillbaka in i sin bil utan att vända sig om och körde omedelbart därifrån. Karin satt kvar i vad som kändes som flera timmar. Sedan åkte hon hem igen, till sin man och sin döda sons nybäddade säng.

Hon hade aldrig berättat för Björn om det som hänt. Men efter den dagen kände hon sig mindre ensam. Hon klarade av att se honom rakt i ögonen för första gången sedan Olle dog och hon föreslog att de skulle gå och prata med någon. Någon som kunde lyssna. Björn sa ja.

I början kändes det som om det kunde kvitta. Livet var slut, så det spelade ingen roll om Björn och hon höll ihop eller inte. Det enda som var viktigt var att inte sälja huset för hon ville inte behöva ta lakanen ur Olles säng.

Mycket länge hade det varit så. Ibland, inte alls lika ofta, kändes det fortfarande exakt som precis efter att det hade hänt. Men ändå hade hon förstått att hon behövde sin man.

Inte bara som avfallskvarn för hennes sorg, utan på riktigt. För på samma sätt som Björn var den enda som älskade Olle som hon gjorde, var han också den enda som sörjde som hon. Och hon behövde någon i närheten som visste att hon tänkte på Olle hela tiden och inte sa att hon borde gå på kurs, träffa vänner, skaffa nya barn eller åtminstone en hund.

"Sov, älskling."

"Jag kan inte."

"Har du drömt något?" Björn hävde sig upp på ena arm-bågen och blinkade för att få ögonen att samarbeta. "Vill du prata?"

"Nej, jag tror inte att jag har drömt något, ingen mar-dröm i alla fall. Men jag blev kontaktad av den där social-sekreteraren som jobbar med Alex."

"Du och din Alex." Björn ramlade tillbaka ner på kudden och lät ögonen falla ihop igen. "Hur är det med honom?"

"Lisa ville fråga mig om en sak. Som vi behöver prata om, du och jag. I lugn och ro. Eftersom du kom hem så sent hade jag tänkt vänta, men nu kan jag inte sova."

Björn satte sig upp.

"Vad ville hon fråga, socialsekreteraren?"

Karin harklade sig. Och berättade.

Björn lyssnade och svarade. Sedan grät de båda en liten stund. De pratade ännu mer medan ljuset letade sig in genom gardinerna. Det var dag när de lade sig ner i sängen igen för att somna om och Björn drog Karin intill sig. Han kysste henne på örsnibben och lade munnen tillrätta i veck-et mellan halsen och nyckelbenet.

Karin vände på sig i hans famn, kröp intill honom och

lade armarna om honom. Nuförtiden kramades de.

Hon blundade och väntade på sömnen.

De skulle bli föräldrar igen, hon och hennes Björn. Olle skulle bli storebror. Det hade han gillat.

50

SOPHIA WEBER HADE ofta svårt att släppa taget, hon ältade saker hon inte kunde göra något åt. Ensamseglingen hjälpte inte. Nu var hennes hjärna som den gula walkmannen hon haft när hon gick i högstadiet. Laddad med ett kassettband som hon spelat in favoritlåten på, tjugo gånger efter varandra, på bägge sidor.

Sophia Weber kunde bara tänka på en enda sak, om och om igen, hela tiden.

Högt hade hon sagt det, vid Kallskär där hon lagt till för att sova, rakt ut i den ödelagda septemberskärgården. Ingen svarade och hon åt smörstekt grönkremla på knäckebröd. Svampen hittade hon när hon gick upp på höjden för att leta hjortron.

Natten därpå var det Håkansskär, kvällsbrisen, en havsörn och den ständigt patrullerande skarven som fick lyssna på henne när hon försökte övertala sig själv att göra det enda rätta. Varje morgon förmanade hon sig själv, alltid samma sak: du ska inte tänka på honom, det kommer ändå aldrig att hända. Men varje gång var det för sent, tanken var redan där och vägrade släppa taget.

I dag tänkte hon på vad hon ville istället, det var bättre. Just precis nu var hjärnan lugn.

Sedan en dryg timme syntes inte land. Sophia hade satt på autopiloten och lagt sig på fördäck. Den svaga västliga vind hon haft sedan hon lämnade Gräddö hamn tre dagar tidigare hade mojnat, nu väntade hon på mer vind och lyssnade på vattnet som lekte under kölen.

Hon såg inga färjor, inga lastfartyg med timmer eller konkursmässig pappersmassa. Turisterna var borta så här års, hon var ensam. Inget kunde hända, den blåa himlen låst vid det ännu blåare havet, omsluten av en oval evighet.

Det kanske inte är lycka, tänkte hon och blundade mot solen som fortfarande värmde. Men det räcker gott.

Hon slumrade till. Drömde en stund. En dröm om ett annat barn. En annan barndom, laddad med kladdiga smultron på grässtrån man skar läpparna på. Ett barn som gick barfota över barr och mossa, bråkade med kompisar på dagis, blödde näsblod, ljög och uppfann ensamma lekar. En dag åt hon bigarråer och nästa dag var hon sjuk och tredje dagen flög hon kanske av sin cykel, på väg någonstans hon inte riktigt hade bestämt.

En flicka med såriga knän och rosa hud under skorpor som aldrig fick ramla av sig själv. Hon behövde inte tänka på lycka och hon gjorde aldrig sin matsäck själv.

Den ungen hade en morfar som kokade kaffe på riktiga bönor, rostade på översta falsen i gasugnen och malda i en kvarn av trä och järn. Till frukost åt hon ovispad långfil med söta flingor som dammade upp i näsan, drack vattnig apelsinsaft och tuggade limpa med extrasaltat smör och ost. Smöret var för kallt och blev liggande i en klump i mitten av smörgåsen. Ostskivorna var tjocka, de använde aldrig osthyvel. Sture vek smörgåsen dubbel, hon bet någonstans i mitten och smörkulan fick rulla runt i gommen tills den blev mjuk. Hennes mormor var vackrast i världen, sminkade sig med rosa läppstift och blekt puder, drack sin kopp tjärfärgat kaffe stående i dörröppningen innan hon sprang till bussen.

I drömmen dök Sophia från en klippa grön av hala alger, rakt på en brännmanet som fastnade i baddräkten. Mormor smetade sur grädde på brännsåren för att lindra det onda och Sophia hade svårt att röra läpparna, de var blåa av köld.

"Nu får det vara nog", sa mormor då. "Nu får du inte bada mer förrän du blivit varm igen."

När kvällen kom ordnade morfar med näten. Då satt hon på klippan och väntade, sög på flytvästens dragsnöre medan värmen lämnade gråstenen och försvann över viken. Morfars händer blänkte av kvicksilver och mörkrött fiskblod. Kylan kröp in bakifrån, från den väntande natten, hösten och det vuxna livet.

Så vaknade Sophia igen.

Seglet böljade, skvalpade, tomt på vind, Sophia såg bort mot horisonten. Snart var kvällsbrisen här.

Kursen var satt mot Kobbaklintar och Marhällans fyr. Kanske skulle hon sova i Rödhamn. Det började skymma. Om hon ändå hann innan sikten blev för dålig skulle hon gå upp en bit, lägga sig på en av öarna norr om hamnen, den med viken som alltid hade lä.

I morgon måste hon vara i Mariehamn. Morfars färja kom vid lunch. Anna hade fixat med biljetten och skulle se till att han kom ombord.

Det började bli obekvämt att ligga på däck utan kudde.

Hon vred sig mot sidan för att hitta en bättre ställning och då kände hon mobiltelefonen i fickan. Den borde ligga under däck, tänkte hon, ställde sig upp och krånglade upp den ur kortbyxorna. Till sin förvåning såg hon att hon hade mottagning.

Utan att veta riktigt vad hon skulle säga knäppte hon fram morfars nummer på displayen och ringde. Medan hon väntade på att signalerna skulle gå fram tänkte hon ännu en gång på den gifte mannen hon aldrig skulle få.

"Kanske ska jag leva själv i resten av mitt liv." Sophia kisade mot den sjunkande solen. "Men jag är faktiskt ändå inte ensam. För jag älskar dig, morfar. Hela du älskar jag."

Maj 2010

DET VAR EN av de bra dagarna. Alex hade på sig sina nya ridstövlar. Huggormarna brukade krypa ut i kvällssolen och han ville hellre ha dem än ett par vanliga i gummi.

Det spelade ingen roll hur leriga stövlarna blev. Han ställde dem vid sängen när han gick och lade sig och åt frukost med dem på sina nakna fötter, under nattskjortan. Varje gång han kom hem från stallet fick han skölja av dem extra noggrant. I fodret hade han skrivit sitt eget namn lodrätt i tusch, och Felix, vågrätt. Namnen formade ett spegelvänt L och delade på den sista bokstaven.

Kvällen innan hade Alex inte velat somna. På natten hade han kissat på sig igen, men kommit upp till Karin och Björns säng, gråtit en stund, somnat om. Han hade sovit länge, ett svettigt kryss mitt på den breda madrassen.

Alex hade tur, hade hans psykiater bestämt. För Karin och Björn orkade lyssna. De orkade höra allt. Det var ovanligt.

Barn berättar sällan sådant som är riktigt jobbigt eftersom vuxna inte står ut med att barn råkar ut för hemska saker. De vuxna vill inte höra. Om en vuxen person blir rädd av att lyssna, då inser barnet att hans liv måste vara farligt. Kanske är det hemska smittsamt. För det är hans på riktigt, ingen berättelse med lagom långa kapitel.

Men Alex fick säga vad som helst till Karin och Björn. För han var inte död och då orkade de. Dagarna när Alex bara var arg blev färre och färre. Åtminstone kändes det så.

Nu skulle han fiska. Abborre nappade bäst i skymningen. Björn och Alex skulle ner till sjön. Det var egentligen inte långt, men det var heller ingen brådska. Ännu väntade de största fiskarna på att fångas. På väg till båten var fiskelyckan alltid lika stor. Alex sprang halvannan meter framför och bakom Björn, med fiskespöet vajande högt i luften. Vattnet stod högt. Sommaren var snart här.

Den pappa det var meningen att Alex skulle ha haft från början sträckte ut handen och drog honom till sig.

"Ungen min", sa han, mest för sig själv. Alex hörde honom, fann sig snabbt, lät sin lilla hand omslutas av den stora.

Min pappa, tänkte han och skrattade till. Ett kvillrande skratt från magen som steg, försvann och kom tillbaka igen.

Pojkarna var snart framme. Den ena var vuxen på riktigt, den andra äntligen barn igen, ingenting annat, bara ett barn.